악의 마음을 읽는 자들

1

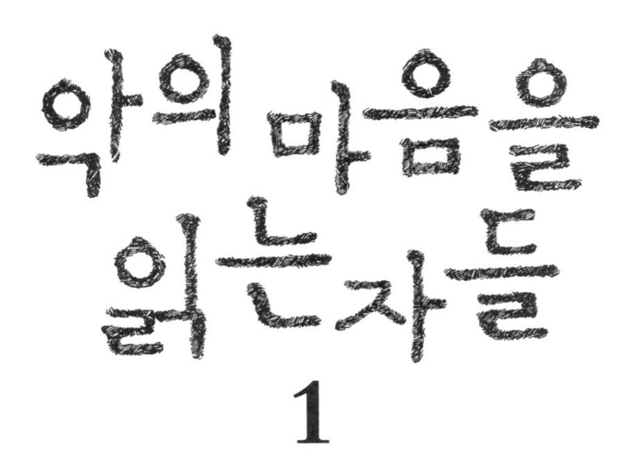

설이나 대본집

21세기북스

일러두기

1. 이 책은 설이나 작가의 드라마 대본 집필 형식을 존중해 최대한 원본에 따랐습니다.
2. 드라마 대사는 글말이 아닌 입말임을 감안하여 한글맞춤법에서 벗어난 표현도 그대로 살렸습니다. 그 외 지문은 한글맞춤법을 최대한 따랐습니다.
3. 이 책은 작가의 최종 대본으로 방송되지 않은 부분이 포함되어 있습니다.

차 례

작가의 말

「악의 마음을 읽는 자들」은 장르물이라는 외피를 피해갈 수 없는 소재를 다루고 있지만, 이를 통해 인간의 마음에 관한 이야기를 하고 싶었습니다. 어쩌면 우리가 '인간적' 혹은 '사람다운'이라고 표현하는 그 반대편에 있는 범죄자들을 보여줌으로써, 오히려 인간적이고 사람답기에 너무나 사소하고 당연했던 마음들을 한 번쯤 꺼내 돌볼 수 있지 않을까 생각했습니다. 실화를 바탕으로 하는 이야기니만큼 범죄자들에게 서사를 부여하거나 미화하지 말자고 다짐했고, 그럼에도 그들의 마음을 들여다보는 과정에서 부득이 언급되는 어떤 지점들은 최소화하려고 노력했습니다. 시청자의 시선을 끄는 것은 중요했지만, 우선은 아니었으니까요.

자극적이거나 혹은 표면적인 어떤 내용에 치우친 단순 재미나 화제성 이야기로 소비되지 않고, 등장인물을 통해 그들의 마음을 함께 들여다보며 우리가 삶에서 누군가와 나누는 작은 관심과 위로가 얼마나 중요한지 잠시나마 떠올릴 수 있으면 좋겠다는 바람이 있었습니다. 때문에 「악의 마음을 읽는 자들」은 자극적인 범죄 행위가 중심이 되지 않는 드라마로 만들고 싶었습니다. 사건을 바라보는 프로파일러와 형사, 피해자와 유가족, 그리고 그들의 이웃으로서 저마다의 감정이 중심이 되도록 쓰고 싶었습니다. 이렇게 말하고 보니 무척 거창하네요. 하지만 이런 고민이 시청자의 마음에도 잘 전달이 되어 닿았던 것 같습니다. 그 마음을 알아봐 주셔서 감사합니다. 드라마 「악의 마음을 읽는 자들」을 사랑해주셔서 감사합니다.

❦

대본집을 내겠다고 결심하기까지 큰 용기가 필요했습니다. 저의 부족함을 맞닥뜨릴 자신이 없었기 때문입니다. 그럼에도 막상 결정하고 나니 대본집이 방송과 어떤 차별점이 있어야 할까 고민이 됐고, 작업하는 과정에서 바뀐 부분들을 비교할 수 있도록 수정 · 추가된 씬들을 따로 보여주면 시청자로서 방송과 비교해보는 재미도 있지 않을까 생각했습니다.

하여 저의 개인적인 부끄러움은 잠시 접어두기로 했습니다. 부족함이 드러날수록 대본 작업에 반복되는 수정 과정이 왜 필요한지부터 한 편의 드라마가 완성되기까지 많은 이의 노고가 들어간다는 사실까지 좀 더 현실적으로 전달할 수 있겠다고 생각했으니까요.
그렇게 씬들이 어떻게 수정되고 바뀌었는지 일부를 따로 짚었습니다. 물론 다 담지는 못했습니다. 수정하는 과정에서 대사가 더 심플하게 바뀌기도 했고, 작은 디테일들이 반영되거나 빠지기도 했지만, 일일이 다 보여드릴 수는 없었기에 그런 건 그런대로 두었습니다. 수정된 모든 부분을 설명하고 담을 수는 없지만, 그중 일부라도 비교해보면서 드라마가 끝난 시점에 또 다른 재미를 찾을 수 있길 바랍니다.

이 글을 쓰는 지금도 저는 여전히 부끄럽습니다. 작품 앞에 자신감보다 자괴감이 늘 더 앞서지만, 이런 감정을 동력 삼아 발전하는 작가가 되겠습니다. 다시 한번 드라마 「악의 마음을 읽는 자들」을 사랑해주신 여러분께 진심으로 감사드립니다.

설이나 드림

기획 의도

인간은 누구나 어린 시절의 일탈과 실수를 경험한다.
그러나 모두가 범죄자가 되지는 않는다.

흔히들 천사와 악마는 한 끗 차이라고 했다.
그렇다면, 평범하고 당연한 일상을 사는 대부분의 마음과
살인이라는 극악한 범죄를 저지르는 악의 마음은 어디에서부터 엇갈린 것일까. 무엇이 그들을 그토록 악하게 만들었을까.
이 드라마는 그런 원초적 질문에서 시작한다.

인간의 마음을 들여다본다는 건 어떤 것일까.

열 길 물속보다 알기 어려운 것이 사람의 마음이라고 했다.
그런데 그 알기 어려운 일을 하는 사람들이 있다.
해야만 하는 사람들이 있다.
하물며, 다른 누구도 아닌 '범죄자'의 마음을 읽어야 하는 사람들.
때로는 그 많은 범죄자 중에서도,
악의 정점에 선 연쇄살인범들의 마음을 읽기 위해 고군분투하는 사람들.
그들이 바로 '프로파일러'다.

연쇄살인범을 다룬 이야기가 아닌,
연쇄살인범을 '쫓는' 사람들의 이야기.

이 드라마는 프로파일링이라는 말조차 생경하던 시절,

사이코패스의 개념조차 없던 시절,
유영철, 정남규, 강호순 같은 대한민국을 공포에 빠뜨렸던
극악한 범죄자가 연이어 등장했던 바로 그 시절.
차마 인간이라 부를 수 없는 악마들을 쫓으려
그들의 마음속을 치열하게 들여다봐야만 했던
프로파일러의 이야기를 그린다.

주인공 하영의 시선을 통해 그들이 우리와 어떻게 다른지,
우리가 그들과 왜 다른지를 함께 알아가게 될 것이다.

**어지러운 세상의 드라마보다 더 드라마 같은 현실 속에서
우리가 악마와 다를 수 있는 건,
어쩌면 인간의 마음을 어루만질 수 있다는 데 있을지 모른다.**

마음을 어루만지는 일이 얼마나 고귀하고 중요한 것인지를
다시금 생각할 수 있길.
더해, 자신의 마음까지 보듬을 수 있는 존재가 되길.

2000년대 이후 대한민국 과학수사의 발달로 연쇄 살인 범죄가 초기에 차단되고 체포되고 있지만 해마다 강력 범죄로 사망하는 피해자는 여전히 수백여 명에 이릅니다.

잔인한 범죄로 희생당한 피해자들의 명복을 빌며, 이로 인해 고통받은 유가족 모두에게 깊은 위로의 말씀을 드립니다.

범죄로부터 안전하게 보호받는 사회, 범죄에서 가장 소외되는 피해자와 유가족에게 관심을 기울이는 사회가 되길 바랍니다.

등장인물

서울지방경찰청 소속

범죄행동분석팀

범죄행동분석팀장 국영수–범죄행동분석관 송하영–통계분석관 정우주

송하영

모르는 사람들은 하영을 찔러도 피 한 방울 안 날 놈이라고 혀를 내두르지만, 하영은 감정이 없는 게 아니라 누구보다 인간을 깊이 들여다보는 인물이다. 몇 단계는 더 섬세한 시선으로 타인의 내면을 들여다보기 때문에 그의 감정은 겉으로 드러나는 대신 자신의 내면에 차곡차곡 쌓인다. 하영이 남들과 다르게 보이는 이유다. 어린 시절 물속에서 불어 터진 시신을 처음 보았을 때도 하영은 공포가 아닌 연민을 느꼈다. 6살 어린아이가 겪은 엄청난 트라우마라고, 이 아이가 무뎌진 이유가 그 때문이라고 모두가 염려했지만, 사실 그런 걱정은 일련의 손쉬운 감정에 익숙해진 어른들의 기우일 뿐이었다. 하영에게는 '물속에서 얼마나 무섭고 외로웠을까' 하는 감정의 파장이 먼저 닿았으니까. 형사가 되어서도 그런 마음은 바뀌지 않았다. 하영은 언제나 피해자와 유가족을 가장 먼저 찾고, 가장 마지막까지 챙겼다.

'좋은 범죄수사관이 좋은 프로파일러가 된다.' 영수가 범죄행동분석관의 적임자를 찾기 위해 세워둔 지론이었다. 하영은 그 지론에 딱 맞는 인물이었다. 누구보다 공감 능력이 뛰어나고, 숲과 나무를 동시에 보는 형사. 더해 인간에 대한 애정을 놓지 않으면서도 냉정함까지 유지할 수 있는 형사였으니까. 영수의 안목은 정확했다. 하영은 범죄자의 마음속으로 들어가 그들의 심리를 꿰뚫을 수 있는 유일무이한 인물이었고, 이를 위한 '그 화(化) 되기'에 빠르게 적응했다.

다만… 간과하고 있는 것이 있었다. 비록 다른 이들의 마음을 들여다보긴 하나 정작 자신의 마음은 돌보지 않는 무심함 같은, 별일 아닌 듯한 하영의 작은 트라우마가 어느 날 엄청난 폭풍을 몰고 올 것이라는 사실을 말이다.

국영수

위계질서 강한 보수적 경찰 공무원들 사이에서도 권위와 격식과 계급주의 같은 편견에 휘둘리지 않고, 진정한 권위가 무엇인지 몸소 보여주는 감식반의 대부 같은 존재. 덕분에 동료들에게 인기도 많은 그는 진작부터 범죄심리 분석의 필요성을 깨닫고 오랜 전략 끝에 하영을 발탁해 범죄행동분석팀을 만드는 데 성공한다. '빌딩이 높아질수록 그림자가 길어진다'는 그 옛날 수사반장의 선견지명을 떠올리며 한국에서도 동기가 없는 연쇄살인 범죄가 일어날 것으로 예측했지만, 그럴 때마다 영수는 눈앞에 놓인 단서나 찾으라는 핀잔만 들었다. 어쩌면 당연한 반응이었다. 불길한 예측이 곧 다가올 현실이 될 거라는 건 누구도 상상 못 했으니까. 급하게 만들어진 범죄행동분석팀의 활약이 절실하게 필요해질 거라는 사실을 그땐 아무도 몰랐으니까.
불길한 예감은 틀린 적이 없다고…. 모든 상황이 영수의 생각대로 흘러갔다. 불행인지 다행인지 대한민국에도 동기 없는 끔찍한 연쇄살인범이 연이어 등장하면서 마침내 범죄행동분석팀의 필요성이 대두되기 시작한 것이다.

정우주

경찰이 보유한 범죄 관련 정보와 함께 지리적 정보, 인구 통계학적 정보 등의 다양한 사건 자료를 데이터화하고 분석한다고 하는데…. 사실은 그냥 처음부터 끝까지, 사무실에서 할 수 있는 모든 일을 한다. 그럼에도 불평 한번 하지 않고, 일 처리마저 빠르고 정확해 범죄행동분석팀의 복덩이라며 영수의 신뢰를 한 몸에 받는 인물. 의외로 천재적인 구석도 있어 한 번씩 생각 없이 내뱉는 우주의 의견이 사건의 실마리를 푸는 데 빛을 발하기도 한다. 아, 그림 솜씨도 수준급이다.

기동수사대(>광역수사대) 강력1팀

형사과장 백준식—기수대장 허길표—팀장 윤태구—경장 남일영

윤태구

잡는 사람, 잡히는 사람 할 것 없이 지천이 수컷인 바닥에서 태구를 처음 맞닥뜨린 사람들은 하나같이 믿을 수 없다는 듯 의심스러운 표정을 짓는다. 하지만 아는 사람은 다 안다. 웬만한 남자 형사들 저리 가라 할 능력자라는 걸. 강단 있고, 날카롭고, 이성적이다. 그런 성정이 태구를 강력반 형사로 이끌었다. 언뜻 삐딱하고 전투적으로 보이지만 누구보다 예리하며 절제할 수 있을 때 만들어지는 카리스마를 잔뜩 뿜어내는 기수대의 기둥. 하영과는 자주 부딪히지만, 은근히 그의 단단함을 신뢰한다. 다혈질들 난무하는 경찰청에서 언제나 중심을 잃지 않고 사건과 사람을 바라보는 인물.
솔직히 범죄자들을 마주하는 것보다 여자이기에 겪어야 했던 수많은 견제와 편견을 마주하는 게 더 힘겨웠다. 그런 보수적인 사회와 조직 생활을 무수히 견디고 버티며 태구는 기수대 강력팀장 자리에까지 올랐다. 그럼에도 여전히 거추장스러운 긴 머린 왜 안 자르느냐고, 다들 훈수 두듯 묻는다. 하지만 애초 답을 원하지 않는 질문이라는 걸 알기에 태구는 굳이 설명하지 않는다. 피해자와 그 가족들의 심정에 비하면 내 몸에 거추장스러움 따위는 아무것도 아니라는 것이, 그들의 마음을 이해하기 위해서라도 아무것도 아닌 성가심 하나쯤은 지녀야 이 일을 놓지 않을 것 같다는 것이, 태구의 마음이자 이유다.

남일영

눈치 빠르고, 행동력은 더 빠른 그야말로 딱 현장 체질의 형사. 다만 가끔 생각보다 말이 앞서는 바람에 태구에게 핀잔을 듣기도 한다. 그럼에도 태구를 존경하고 따르는 인물. 기수대 에이스라 불리는 태구와 함께 일하며 형사로서 자부심도 있다. 직접 발로 뛰는 것이 더 익숙한 전형적인 현장 체질이다 보니, 처음에는 여느 형사들처럼 범죄행동분석팀을 받아들이기 어려워했지만, 함께 사건을 수사해 나가며 그들의 능력을 인정하고, 진심을 이해한다.

허길표

하필이면 학연, 지연, 후천적(?) 혈연관계까지 얽히는 바람에 매번 자신을 졸졸 따라다니며 말도 안 되는 부탁으로 졸라대는 국영수가 귀찮아 죽겠지만, 그럼에도 길표는 알고 있다. 영수의 말이 하나도 틀리지 않다는 사실을. 영수가 통찰력을 가진 후배라면, 길표는 그 통찰력을 가늠하는 선구안을 지닌 선배다. 그래서 늘 범죄행동분석팀의 의견에 힘을 실어주고 싶어 한다. 상대에게 던지는 짜증 섞인 말투에조차 애정을 듬뿍 담기에 누구도 그 마음을 오해하지 않는다. 영수와 만나기만 하면 툴툴대는 것도 그래서다. 좋은 사람 곁에는 좋은 사람들이 따른다는 사실은 길표를 보면 알 수 있다.

백준식

비록 범죄행동분석팀이 임시방편으로 만들어지긴 했으나, 그 또한 준식에겐 기회일 뿐이었다. 남들이 근본 없는 팀이라고 떠들든 말든 준식은 범죄행동분석팀이 와해할 위기에 처할 때마다 뒤에서 물심양면 유지를 위해 힘썼다. 그가 이렇게 노력하는 이유는 하나다. 수사에 도움이 된다고 여기기 때문. 사건의 빠른 해결을 위해서는 기수대와 분석팀의 서로 다른 방식이 균형을 이뤄야 한다는 게 그의 판단이다. 의리 있고, 정도 많고, 책임감까지 강한 듬직한 상사로서 상황에 따라 정석을 뒤집고 판을 엎을 줄 아는 배짱도 지녔다.

/그 외

최윤지

이름보다 '최 기자'로 더 많이 불리는 온라인 매체《팩트 투데이》기자. 일 때문에 범죄와 가까이 닿아 있지만, 때로는 사건보다 자극적 이슈만 조명하는 일부 언론의 행태에 더 화가 나고 힘들다. 기자의 자존심은 매체의 인지도가 아닌, 글로 지키는 것이라고 생각하기 때문에 조회 수와 양심 사이에서 어떻게 하면 올바른 시각으로 사실을 전달할 수 있을까를 늘 고민하는 인물. 사교성 좋고, 털털한 성격이지만 일에 관해서 만큼은 꼼꼼하고 진지해서 맨땅에 헤딩하며 부딪히는 걸 대수롭지 않게 여긴다.

박영신

결혼 후 얼마 안 돼 교통사고로 남편을 잃었다. 남편을 잃은 날, 하영을 얻었다. 슬픔이나 한탄 같은 감정에 기댈 겨를도 없이 영신은 꿋꿋하게 하영을 키워냈다. 혼자서 아이를 키우는 세월이 힘겨웠을 법도 한데, 한 번도 남편을 원망하지 않았다. 종종 보고 싶고…. 이렇게 예쁘고 고운 하영을 보지 못한 채 먼저 떠나 안타까울 뿐이었다. 영신은 그렇게 단단한 여자다.
학창 시절을 보내면서도 친구 한번 놀러 온 적 없는 하영을 보며, 한없이 투명한 인간의 마음이 얼마나 외로울지 영신은 가늠할 수 없었지만, 늘 곁에서 하영을 지켜봐 왔기에 표현하지 않아도 그 외로움을 읽을 수는 있었다. 영신은 하영의 엄마니까. 그때마다 호들갑스럽지 않게, 단단하게, 그리고 따뜻한 시선으로 하영을 바라보며 말없이 응원했다. 곁에 있는 것만으로도 힘이 되어줄 수 있다는 걸 영신은 처음부터 알고 있었으니까. 하영 또한 자신에게 그런 존재였으니까. 하영이 온갖 나쁜 것들을 마주하는 경찰이 되겠다고 했을 때, 또 얼마나 외롭고 아플지 걱정이 앞섰음에도, 다른 사람들을 위해 기꺼이 등불을 들어 길을 밝히겠다는 말에 반기를 들 수 없었다. 그게 하영의 숙명이란 걸 영신은 알았다. 하영은 영신을 많이 닮았다.

용어 설명

씬 장면(Scene)을 표현하는 것. 같은 장소, 같은 시간 내에서 이뤄지는 일련의 행동이나 대사가 한 씬을 구성한다.

e 효과(Effect). 대사 · 음악을 제외한 효과음을 뜻하며, 보통 등장인물은 보이지 않고 소리만 나는 경우에 사용한다.

na 내레이션(Narration). 장면에 나타나지 않으면서 장면의 진행에 따라 그 내용이나 줄거리를 해설하는 일을 말한다.

OL 오버랩(Over-lap). 앞의 장면이 서서히 사라져가는 데 겹쳐서 다음 장면을 서서히 나오게 하여 점차 완전히 다음 장면이 되게 하는 기법을 말한다.

F.O 페이드 아웃(Fade out). 영상이 점차 어두워지다가 완전히 검정색으로 사라지는 장면 효과를 말한다.

ins 인서트(Insert)는 특정 동작이나 상황을 강조하기 위해 삽입한 화면이다. 인서트를 삽입함으로써 상황이 명확해지고 전체 장면을 더 생생하게 표현할 수 있다. 보통 클로즈업해 장면과 장면 사이에 끼워 넣는다.

cut to 가까운 공간 안에서 각도가 전환되는 것을 말한다.

몽타주 따로 촬영된 화면을 떼어 붙이면서 새로운 장면이나 내용을 만드는 기법을 말한다.

1화

1 ____ (과거. 1970년대 초) 어느 강가 / 낮

눈부신 윤슬이 잔잔하게 퍼지는 강가. 한가로이 휴가를 즐기는 몇몇 가족들 사이에 저만치 오리배를 타는 어린 하영(6세)과 영신(하영母)의 모습이 보인다.
열심히 페달을 밟는 영신과 큰 눈을 껌뻑이며 닿지 않는 발로 구르는 시늉만 하는 하영. 어쩐지 6살 어린아이의 얼굴에 표정이 없다.
영신의 힘찬 페달링 덕분에 오리배는 어느새 안전선을 훌쩍 넘어가고.
멀리서 그 모습 발견한 안전요원 하나가 다급히 호루라기 불며 안쪽으로 들어오라는 신호를 보낸다. 그때, 서서히 회오리치기 시작하는 오리배. 그 바람에 하영이 균형을 잡으려는 듯 일어서면, 하영과 오리배가 함께 휘청이고.

영신 하영아, 앉아. (눈만 껌뻑이는 하영의 반응에 호통) 얼른! (하다가 다시, 어르며) 얼른 앉자. 하영아. (하는데, 점점 더 거세게 소용돌이치는 오리배)

균형을 잃은 하영의 몸이 옆으로 기울며 급기야 풍덩! 물속으로 빠져버리는 데서. 놀란 영신, "하영아!! 하영아!!" 외치며 손을 뻗어보지만 하영의 작은 팔이 물속에서 허우적대기만 할 뿐.
이내 어설프게 묶인 구명조끼 아래로 몸이 쑥 빠져 가라앉는다.

영신 하영아!! 하영아!! (멀리 안전요원에게 다급한 신호) 여기요!!!!! 우리 애가 물에 빠졌어요!! 여기요!! 여기요!!

당황해 정신없이 소리치는 영신의 모습에서 화면 바뀌고.
물밑으로 가라앉는 하영의 시선에서, 적막한 수면 위로 하영을 부르는 엄마의 흔들리는 실루엣이 보이다가… 점점 멀어진다.
영신은 다급한 마음에 물속으로 첨벙 뛰어들어보지만,
구명조끼에 허우적대며 떠 있기만 할 뿐이고.
하영이 서서히 의식을 잃어가며 탁한 수면 아래로 가라앉는
그때! 눈앞에 희뿌연 엄마의 모습을 발견한다.
본능적으로 다시 몸부림치는 하영!
필사적으로 다가가 눈앞의 엄마를 움켜잡는데!
하영과 함께 빙글빙글 돌기만 할 뿐 움직임이 없는 엄마.
하영이 움켜잡은 엄마의 모습을 가까이 비춰보면…
눈을 뜬 채 하영과 시선을 마주치고 있는 건,
엄마가 아닌 이름 모를 여자의 시신!
하영, 순간적으로 움켜쥔 손을 놓고 시신의 섬뜩한 눈빛을 응시하는데. 그 눈빛이 6살 아이가 느낄 공포감 아닌, 마치 연민하는 듯 깊다…

찰나, 거센 물살 속에서 안전요원의 팔에 세차게 감싸 건져지는 하영. 안전요원의 구조에 함께 보트에 오르고.

정신을 잃은 하영과 놀란 영신의 모습에서 다시 수면 아래로 화면이 바뀌면.
검은 머리카락 흐늘거리며 더 깊은 곳으로 가라앉는
시신의 섬뜩한 모습 비춰지면서… F.O

암전된 화면 위로 "하영이 오늘은 친구들이랑 뭐 했어?" 묻는 상담사 목소리.

2 ____ (과거. 1970년대 중) 상담실 / 낮

반쯤 열린 창밖으로 까르르 웃으며 뛰노는 아이들의 모습 비추는 데서.
1970년대 문구류들[1] 놓여 있는 테이블. 별 대답도 없이 스케치북에 그림만 그리고 있는 무표정한 하영(9살)과 그런 하영을 지켜보며 계속해서 대화를 시도하는 상담사가 마주 앉아 있다. 그리기에만 집중하는 하영, 이내 완성한 듯 색연필을 손에서 놓으면,
상담사가 완성된 하영의 그림[2]을 살피고. 하영은 또래들 웃음소리에 창밖으로 잠시 시선을 두는데. 시끄러운 건지, 함께 놀고 싶은 건지 좀체 알 수 없는 표정이다.

상담사 (그림을 가만히 지켜보다가) 하영아 이 사람은 슬퍼 보이네?
하영 (다시 상담사에게 시선 주고) 네.

---

1 왕자 크레파스, 카라반 색연필, 색연필 껍데기를 끼운 몽당연필, 종이인형, 마징가Z와 아톰이 그려진 종이딱지가 한쪽에 놓여 있다.

2 씬1의 물속 시신을 그린. 회오리를 표현한 회색 바탕에 긴 머리칼 휘날리며 하얀 원피스 입은 여자의 모습이 어설프게 그려져 있다. 어설픔 속에 슬픈 표정만큼은 확연히 드러난.

상담사 왜? 왜 슬픈데?

하영 (잠시 생각하는) …

상담사 (알면서 묻는) 이게 누군데?

하영 …

상담사 (보다가) 슬픈지는 어떻게 알아?

하영 보면 알아요.

상담사 하영이는 사람들을 보면 슬픈지 기쁜지 다 알아?

하영 (상담사를 빤히 보다가) 선생님은 몰라요?

상담사 음. 표현을 안 하면 선생님도 알 수가 없거든. 그러니까 하영이도 선생님한테 표현을 해줘 볼래?

하영 …

상담사 하영인 지금 슬퍼, 기뻐?

하영 … (망설이다가) 슬퍼요.

상담사 … 왜 슬픈데?

하영 … (그림 속 여자를 보는)

3 ____ (과거. 1970년대 중) 동네 골목 + 하영의 집 교차 / 낮

 # 골목

장대비가 빛바랜 시멘트벽 고스란히 드러난 집들의 낮은 지붕을 세차게 후려치면서, 미용원, 복덕방, 밖으로 연탄을 쌓아둔 쌀집 간판이 드문드문 자리한 동네 언덕길을 비춘다. 그때 인적 없는 언덕을 오르기 시작하는 하영의 뒷모습 보이는데,
작은 우산을 들고 체구보다 큰 책가방을 메고 있다. 그 위로.

하영e 선생님도 물에 빠져봤어요?

상담사e　아니.

하영e　그럼 몰르겠네요. 깊은 물속이 얼마나 무서운지.

걸음을 멈추는 하영의 뒷모습.
잠시 서서 펼쳐진 우산을 길 위에 조심스레 내려두는 그 위로.

상담사e　하영이 많이 무서웠어?

하영e　(끄덕이다가) 근데 괜찮아요. 저는 엄마가 있어서 금방 구해줬거든요.

우산을 뒤로하고 비 쫄딱 맞으며 걷는 하영의 뒷모습이
덩그러니 펼쳐 놓여진 우산과 점점 멀어지면서.

하영e　(머뭇거리는) 근데… 이 아줌만 아무도 안 구하러 왔잖아요. (씬2의 그림 속 여자의 슬픈 얼굴 잠시 비추며) 엄청 무섭고 슬펐을 거예요.

 # 하영의 집

문 앞. 영신이 문을 열면 하영이 물에 빠진 생쥐마냥 빗물을 뚝뚝 흘리며 무표정하게 서 있다. 그 위로.

상담사e　하영인 감정을 못 느끼는 게 아니라 너무나도 잘 느끼는 아이예요. 이해하실지 모르겠지만, 누구보다 상대의 내면을 깊게 들여다보고 있어요.

영신　(비 쫄딱 맞은 모습에 놀란) 하영아, 우산. 아침에 엄마가 챙겨준 우산 어딨어?

하영 … (눈만 껌뻑, 대답 없고)

괘종시계가 보이는 마루. 영신이 수건으로 하영이 몸의 물기를 털어준다. 그 위로.

영신e … 내면이요? 우리 하영이 고작 9살 아인데요.

 # 골목

두 손 꼭 잡고 우산 하나를 나눠 쓴 하영과 영신.
두 사람, 우산을 찾으러 가는 듯 아까 하영이 지나온 길을 되돌아가는 중이다.

상담사e 아이라서 그런 거예요. 일반인보다 몇 배 더 깊게 공감하는 그 감정이 제어가 안 되는 거죠. 그때마다 본인의 감정과 주변의 행동이 차이가 나니까 스스로도 남들과 다르다는 걸 깨달은 것 같아요. 그 계기가 된 게 3년 전 물에 빠졌던 그날이고요.

/ins. (과거) 몽타주

- 유치원. 아이들 하영의 주변으로 몰려와 "너 진짜 물귀신 봤어?" "진짜 무섭게 생겼어?" 지들끼리 "꺄악-" 난리다. (무리 中 여자아이 하나가 팔다리 뽑힌 인형 아무렇지 않게 머리채 쥔, 더 기괴한 모습 살짝 보인다) 하영은 그저 고개만 젓고.
- 생선가게. 영신의 손을 잡고 서 있는 하영을 보며 "쯧쯧, 어린 것이 어마나 놀랬을 거야" 하며 생선 대가리 탁! 내리치는 생선 장수. 하영이 대가리 잘린 생선을 놀란 듯 보는 데서. "아휴, 끔찍해" 하는 생선 장수.
- 하영과 영신이 동네를 지날 때마다 "죽은 여자가 물속에 있었

대.” “웬일이니.” “자살이래? 누가 죽인 건 아니고?” “애가 충격 받을 만하네.” 수군대는 사람들과 그 말을 들으며 영신의 손 잡고 걷는 하영. ‘무섭지 않았어.’ 무표정한 혼잣말.

상담사e 그래서 자꾸 감정이 드러나는 걸 방어하고 있어요.

 # 골목

여전히 펼쳐져 놓여 있는 우산 앞. 영신과 하영이 우산으로 가려진 무언가를 바라보고 서 있다. 카메라가 서서히 가려진 우산 안을 비추면…

죽은 고양이가 보인다. 하영의 씌워준 우산 덕분에 비를 피하고 있는.

영신 (!!, 순간 놀랐다가, 이내 하영의 눈높이로 앉아) 걱정 마 하영아. 엄마가 잘 묻어줄게. 우리 같이 좋은 데로 가라고 기도해주자.

애써 표정을 감추며 눈만 껌뻑이는 하영.

감정을 억누르며 검지 손톱으로 엄지손가락을 꾹 누르고 있다.

영신 (그런 하영을 쓰다듬으며) 괜찮아. 잘했어, 우리 하영이. 죽어 있는 고양이가 비 맞을까 봐 우산 씌워주는 건 착한 마음인 거야.

하영 (그제야 눈물을 글썽이고)

영신 (보며, 끌어안는) 울어 하영아. 울어도 돼. 그리고 우리 하영이 감기 걸릴까 걱정한 엄마 마음도 알아줘야 해. 알았지?

영신의 품에 안긴 하영. 꾹 누르고 있던 손가락 서서히 풀며 흐느껴 우는 모습에서 오버랩되는 시신(씬1)의 슬퍼 보이는 표정 비추

며. (→ 씬1에서 느낀 섬뜩함과 달리)

타이틀, 악의 마음을 읽는 자들 1화

4 ____ 어느 주택가 / 저녁

"IMF 사태를 맞으며 우리 정치와 정치권이 달라져야 한다는 요구가-" 하는 아나운서 목소리에서 '1998년' 자막 뜨고. 카메라가 부감으로 평범한 주택가 풍경을 비춘다. 휘영청 밝은 달빛 아래, 도시 계획이라고는 없어 보이는 골목마다 불규칙한 구조의 집들이 빼곡하게 즐비해 있고, 집집마다의 창 너머로는 저마다의 생활감이 보여진다. /치-익, 압력밥솥의 김빠지는 소리와 함께 저녁을 차리는 주부 위로 "지난달 부천의 한 비디오 가게 화재 현장에서 구타에 의해 숨진 시신이 발견돼 이를 수사 중이던 경찰이 오늘-"[3] 하는 앵커 목소리 선행되고. /다시, TV 앞에서 채널을 돌려대는[4] 중년 남의 모습과 계속해서 바뀌는 방송 멘트들. /까르르 웃으며 칼싸움 놀이하는 어린 남매 등 익숙하고 평범한 일상들이 보여지다가, 어느새 어두워진 하늘에 먹구름이 끼기 시작한다. 달빛이 구름에 잔뜩 가려지면 노란 가로등 불빛이 다시 집들 사이를 밝히는 데서, 쏴르르 쏟아지는 빗줄기.

5 ____ 달리는 버스 안 + 정류장 / 저녁

3 1998년 3월 발생한 부천 비디오 가게 살인 사건(일명 쉐도우 사건) 참고.

4 〈순풍산부인과〉, 스피드 011 광고(1998년 한석규가 모델 참고) 등 1998년 배경 방송들 지나가는.

승객 몇 없는 버스 창가에 앉아 「빨간 모자의 공포. 여성을 위협하는 상습 성폭행범. 행방은 여전히 오리무중」 1998년 4월 15일 수요일, 날짜 박힌 신문 1면의 헤드라인을 보는 화연(20대). 신문에 실린 사건보다 차창을 요란하게 두드리는 빗줄기를 보며 더 심란한 표정 짓는데, 보면 우산이 없다. 이내 버스가 인적 없는 정류장에 멈추고 뒷문 열리면, 신문으로 머리를 덮고 내려 뛰기 시작하는 화연.
이어 버스 문이 닫히고 출발하려는 그때, 화연의 뒤에 앉아 있던 빨간 모자를 푹 눌러쓴 남자. 급히 일어나 닫힌 문을 두드린다.
다시 뒷문이 열리고, 내리는 빨간 모자.
저만치 가는 화연의 뒤를 쫓기라도 하듯 우산도 없이 철퍽철퍽 걷는.

6 ___ 다세대 주택가 / 저녁

점점 거세지는 빗줄기 속에서 '순영이네 슈퍼'라고 붙은 작은 가게의 셔터를 내리는 중년 여성이 보이고, 신문지를 덮어쓴 화연이 그 옆을 뛰어 지나간다. 여전히 화연을 뒤따르는 듯 보이는 빨간 모자. 기척을 느낀 화연이 뛰다 말고 잠시 돌아보는데,
빨간 모자가 화연을 의식한 듯 방향을 바꾼다. 그제야 안심하며 다시 뛰는 화연.

7 ___ 화연의 집 앞 / 저녁

2층짜리 다세대 주택. 대문을 밀고 들어가면, 좁은 마당에 박으로

계단이 나 있고, 모두 방범창이 없는 형태. 화연의 집은 1층이다. 비를 쫄딱 맞은 화연, 집으로 들어가려다 안에서 나오는 엄마를 본다. 다리가 불편한 듯 절룩거리는 화연母.

화연　언제 왔어?

화연母　(질문엔 대답하지 않고 화연부터 챙기는) 아이구, 우산도 안 가지고 다녀?

화연　예보에 비 온단 말 없었어.

화연母　(속상한) 하나 사지. 그걸… 넌 (하다가) 파김치랑 얼갈이[5] 가져왔어. 기지배가 냉장고가 그게 뭐니. 상한 거 다 버리고 싹 정리했다. 보리차도 끓여놨구.

화연　(으이구 잔소리) 두면 알아서 다 하는데, 꼭 한발 앞서고 잔소리하드라, 엄만.

화연母　얼른 들어가.

화연　갈라구? 자고 가지 왜.

화연母　있어 뭐해.

화연　(아쉽고) 비도 오고 늦었으니 그러지.

화연母　(우산 펼쳐 들며) 늦은 거 알면 일찍 일찍 좀 다녀. 다 큰 기지배가 세상 무서운 줄을 몰라.

화연　택시 타고 가. 택시 잡아줄게.

화연母　버스 다니는데 택시는 뭐하러 타누. 돈 아깝게.

화연　이런 날은 좀 타도 돼. (가방 속에서 지갑 찾는) 택시비 내가 줄게.

화연母　(단호한) 아이구 됐어. 니 돈은 돈 아니야? 얼른 들어가.

화연　(짠하면서도 짜증스럽기도) 택시 타고 가라니까.

5　봄에 담그는 김치(계절감).

화연母 (손사래 치며) 됐어.

화연 (못 이기겠다는 한숨 푹)

화연母 김치 그거, (절룩거리며 가는) 한 이틀 내놨다가 넣어. 그래야 잘 익어.

화연 (따라가려는데)

화연母 (싫은, 정색) 아이구, 마음 불편하게 하지 말고 들어가. 니 엄마 애 아니야.

화연 (따라 하는) 아이구, 알았어. 택시 타고, 도착하면 전화해.

화연母 (대문 나서며, 돌아보지 않은 채) 들어가.

화연 (가는 뒷모습에) 택시 타 꼭!

화연母, 불편한 걸음으로 대문 나서며 사라지면,
화연, 엄마가 가고 없는 대문을 안쓰러운 마음으로 잠시 보다가 집으로 들어간다.

8 ___ 다세대 주택 골목 / 밤

한 손에 우산을 들고 다리를 저는 화연母의 불편한 걸음이, 아까 화연이 지나온 어둑한 골목을 지난다. 그 옆을 얼핏 스치는 빨간 모자.

9 ___ 화연의 집 + 도로 앞 교차 / 밤

화연의 집[6]

젖은 수건 머리에 말아 올린 채 방금 샤워를 마치고 나온 화연.

레인지 위에 있는 큰 냄비 열어보면, 화연母가 끓여둔 보리차가 있다. 싱크대에 있는 컵 그대로 냄비 속 보리차를 떠서 반쯤 마신 후 내려두는 화연. 엄마가 가져온 김치 통을 열어 맛보더니 잠시 고민하다가 라면 냄비에 물을 올린다.

레인지에 가스 불을 타다닥 켜는데, 동시에 울리는 탁! 소리.

화연이 돌아보면, 엄마와 함께 찍힌 해맑게 웃고 있는 사진이 마그넷과 함께 바닥에 떨어져 있다. 주워서 다시 냉장고에 붙이는 화연. 수건을 풀어 머리를 터는, 그때…! 화연의 뒤에서 덥석 안는 남자…! 보면, 기훈이다. (→ 170이 될까 말까 한 키)

화연 (안긴 채) 뭐야 언제 왔어. 말도 없이.

기훈 (백허그한 채) 문 열려 있더라. 주인집에 도둑도 들었었다며. 문단속 잘해.

화연 (끄덕이면)

기훈 우산 안 가져갔었어?

화연 어? 어떻게 알았어?

기훈 바닥에 물기 있길래 닦았어.

화연 (대수롭지 않게) 아-

기훈 (하며) 내가 데리러 나갈 걸 그랬네. (냄비 보며, 화연이 마셨던 컵 들어 남은 보리차 마시는) 라면 먹게?

화연 자기도 먹을래?

기훈 (보리차 컵 내려두고) 아냐, 가야지.

---

6 방과 주방이 분리된 형태의 내부지만, 주방에서 방 안 창문까지 들여다보이는 구조.

화연 자고 가려고 온 거 아니구? 비가 이렇게 오는데.

기훈 밥벌이에 핑계가 있으면 안 되지. 보고 싶어서 얼굴이나 잠깐 보러 온 거야.

화연 (아쉬운) 오늘은 장사 접고 나랑 있으면 안 돼?

기훈 한 푼이라도 더 벌어야 우리 화연이 빨리 호강시켜주지. (하며 입맞춤)

화연 (웃으며) 혼자 있기 싫은데, 오늘은 다들 날 거부하네.

기훈 응? (또 누가?)

화연 (김치 통 가리키며) 엄마 왔다 갔어.

 # 도로 앞

사람 하나 없는 버스정류장 도로가에 위태롭게 서서 택시 잡는 화연母.

쌩쌩 달리는 차들, 화연母에게 빗물을 잔뜩 튀기며 지나치기만 할 뿐이고.

 # 화연의 집

기훈 나도 가기 싫으네. (하며 다시 안는)

화연 그깟 포장마차 오늘 하루 접고 나랑 놀자. (하는데)

기훈 (순간 정색하며 눈빛 매섭게 변하는) 그깟?

화연 (말실수했다) 아, 미안. 그런 뜻이 아니라-

기훈 그까-앗.

화연 미안해.

기훈 사람을 이런 식으로 또 무시하네.

화연 (또?라는 표현에 짜증) 또라니. 실수라고, 미안하다고 했잖아.

기훈 (보다가) 미안한 사람의 태도야 이게?

화연 (눈 질끈 감고 참으려다가) 그럼 어떻게 해야 되는데? 무릎이라도

끓어? 번번이 포장마차 얘기 나올 때마다 민감해져서 이러는 거,
(잠시 고민하다가… 지르는) 자격지심처럼 보여.

기훈 (자존심 건드렸다. 발끈) 뭐?!!

기훈, 화를 누르며 주먹을 꾹 쥐느라 힘줄이 서는데.
화연, 그 모습에 다음 상황 예견이라도 한 듯 움찔.
미안한 건지, 겁먹은 건지 구분 안 되는 얼굴이다.
기훈, 주먹을 꽉 쥔 채로 무섭게 화연을 응시하면,
화연, 더는 아무 말 하지 않고, 기훈을 보기만.
기훈, 이내 참았던 화를 터뜨리며 주먹으로 벽을 내리치면, 화연은 놀라 움찔. 그 바람에 기훈의 주먹에 작은 상처 생기고. 화가 난 채로 쌩 나가버린다. 화연, 뒤늦게 "자기야!" 불러보지만, 요란하게 현관문만 쾅! 닫히고.
따라나선 화연, 이미 가고 없는 대문을 바라보다가 포기하고 집으로 들어가는 데서 하는 수 없이 현관문 잠근다.
라면 봉지 뜯으려다 정신 딴 데 간 시선으로 끓는 물 보고만 선 화연. 이내 안 내키는지 먹기를 포기하고, 가스레인지의 불을 끄려는 그때!! 덥석!! 빨간 모자 눌러쓴 남자가 달려든다! (→ 얼굴 보이지 않는, 170 미만의 키)

 # 도로 앞

한참을 기다린 택시 하나가 드디어 화연母 앞에 서는데.
그 뒤로 불빛 반짝이며 다가오는 버스 발견하는 화연母.
미안하다며 택시 그냥 보내려고 하면, 택시기사의 한껏 짜증스러운 표정이 한 뼘쯤 열린 창문 너머로 여실히 드러나고.
멋쩍게 "미안해…(요)" 하는 화연母의 말이 채 끝나기도 전에 쌩 가버리는.

화연母, 신경질적으로 가는 택시에 주춤, 빗물 거세게 튀기며 서는 버스에 또 주춤. 이내 버스에 힘겹게 올라타는 측은한 모습에서.

 # 화연의 집

악-! 하는 짧은 비명이 터져 나오다가 이내 화연의 발버둥 잦아들면 가스 불 위의 끓는 물소리가 더욱 거세게 퍼붓는 빗소리에 오버랩되다가.

10 ___ 서울지방경찰청 외경 / 낮

비가 갠 하늘 아래 경찰청 깃발이 펄럭이고, 입구에는 'IMF의 민생침해범죄 소탕을 위한 '공공자원방범대' 모집. 1998년 4월 1일 ~20일까지' 적힌 커다란 배너현수막 세워져 있다. 그 위로,

영수e 아, 형니이임!!

11 ___ 경찰청 복도 + 화장실 / 낮

분주히 돌아가는 경찰청. 복도를 오가는 공무원들 사이 길표와 영수도 보이는데,
길표를 부르는 영수의 목청에 잠시 시선 집중! 그 순간 길표가 멋쩍게 별일 아니라는 듯 고개 꾸벅이며 영수 슬쩍 노려보는데, 영수는 상관 않는 표정.

길표 (걸으며 투덜투덜) 조폭이야? 너 내가 그렇게 시도 때도 없이 형니임- 형니임- 하지 말랬지? 경찰청 복도에서 감식계장이 명색이 기수대장한테 기강도 없이 그러면 난 뭐가 되냐? (가며, 작게 구시렁) 모냥 빠지게.

영수 (그러거나 말거나 옆에 딱 붙어 졸졸 따라다니며 보채는) 그러니까 내 말 좀 진지하게 들어보라고요.

길표 (가며) 나 충분히 진지해.

영수 갈수록 점점 더 지능적이고 무자비한 놈들만 나타나잖아요. 이제 발로만 뛰어선 안 된다니까? 형님도- (하는데, 또 형님 소리에 노려보는 길표에 움찔) 잘 알면서…

길표 (다시 들은 척 않고 제 갈 길)

화장실로 들어가는 길표를 자연스럽게 따라 들어가는 영수.
그때 볼일을 끝낸 공무원 하나가 길표에게 가볍게 목례하며 나가고. 길표, 좌변기 칸 문 열다가 딱 붙어 있는 영수를 본다.

길표 나 똥 싸는 거까지 지켜보게?

영수 (아무도 없는 거 확인하고는 그제야 당당히) 형님이랑 나랑 산전수전 다 겪은 사인데 그깟 똥, 뭐…(하는데)

길표 (보란 듯이 문 쾅! 닫히는)

영수 (닫힌 문에 대고) 형님, 이럴 때 존재감 좀 보여줘요.

길표 (씹는)

영수 아니 나두 혈연지연학연 활용 좀 해봅시다.

길표 (안에서 목소리만) 거기 혈연이 왜 껴.

영수 (문 앞에 딱 붙어서) 에헤- 섭섭하네. 7년 전에 칼에 찔려서 형님 골로 갈 뻔했을 때 내가 수혈까지 해줬잖아요. 누구보다 찐-하게 피를 나눈 사이 맞는데 왜요.

길표 …

영수 내가 뭐 언제 부탁 같은 거 한 적 없잖아요. 그러니까 과학수사팀만- (좀, 하려는데)

길표 (안에서 목소리만 들리는) 부탁 같은 거 안 하지. 대신 협박을 하지.

영수 와… 그간의 가는 정을 이렇게 왜곡하고 계셨네.

길표 (목소리만) 시끄럽고 불이나 있음 좀 줘봐.

영수 (주머니 뒤적이다가 라이터를 문 아래 틈으로 건넨다)

길표 (손만 내밀어 받는 그때)

영수 (냄새에 코를 쥐는) 윽!

변기 물 내리는 소리 들리면서, 안에서 나오는 길표.

영수 (코 쥔 채, 괜히 변기 한 번 들여다보며) 점심을 뭘 얼마나 맛있는 걸 드셨길래. 요란도 하시네.

길표 과학수사 좋아하잖아. 맞춰봐. (라이터 던져 건네며) 담배도 끊은 놈이 라이터는 어째 나보다 잘 챙겨.

영수 (한 손으로 낚아채 받고) 이렇게 형님 필요할 때, 아낌없이 딱! 내놓으려고 그러죠. 형님이 간절히 뭔가 필요로 할 땐 항상 내가 있-(을 겁니다)

길표 (도리질하며) 이쯤 되면, 생명의 은인 아니고, 웬수야 웬수. (나가려는) 그때 내가 그냥 니 피 안 받고 골로 갔어야- (하는데)

영수 (소리 꽥!!) 아 형님!!

길표 (움찔, 말이 심했나? 싶어 돌아보면)

영수 (그게 아니다) 손, 손! 인간적으로 똥 눈 손은 좀 씻읍시다!

길표 (그럼 그렇지, 도리질하며 손 씻는) 아으. 마누라보다 더 징글징글해 아주. (못 이기는 척 손 씻더니 물기 턱턱, 영수의 옷에 닦고)

영수 (옷에 물기 털며) 아이…

길표, 그러거나 말거나 화장실 나가버리는데, 또 쪼르륵 따라 나가는 영수.

12 ___ 서울지방경찰청 기수대장실 / 낮

'서울지방경찰청 기동수사대 대장 허길표' 명패 보이고, 쌓인 서류 확인하며 제 할 일 중인 길표와 무언의 압박하듯 길표를 보는 영수. 길표는 그러거나 말거나 하는.

길표 (서류들만 보며) 넌 일 안 하냐?

영수 (능청) 하고 있잖아요, 지금.

길표 (?, 고개 들어 영수 보면)

영수 (기다렸다는 듯) 21세기를 대비한 강력 범죄 예방 방안을 마련-

길표 (어처구니없어 다시 서류로 시선)

영수 아 형님, 진짜 제 말에 무릎 칠 날 온다니까요.

길표 (버럭) 얌마!!

영수 (움찔)

길표 난 지금 사건 꽁무니 쫓느라 무릎이 나가게 생겼어!

영수 (슬쩍 길표 무릎 쪽 보며) 그건 나이 때문이고…

길표 (순간 얄밉다가) 글쎄 감식반이 이미 있는데 과학수사팀이란 걸 또 무슨 명목으로 만들어달라 그러냐고. 마음이 활짝 열린 나도 그게 왜 필요한지를 모르겠는데, 윗분들이 퍽도 이해하겠다.

영수 아 진짜. 그렇게 설명을 했는데 왜 아직도 몰-(라요)

길표 가뜩이나 인력 부족한 마당에 굳이 돈 들여 근본도 모를 팀 만들어주겠냐 너 같으면? 그 시간에 범인이나 한 놈 더 잡으라고 할 게 빤하지.

영수 그러니까, 그게 다 범인 한 놈 더 잡자고 하는 일이라니까. (답답) 말했잖아요. 미국이랑 일본은 이미-

길표 (더 답답) 미국 가 미국! 일본을 가든가! 아니다. 니 자리부터 가라 쫌!

영수 (삐죽) 하여튼 고인 물들은 (이) 말이 안 통해. (하는데)

길표 몰랐어? 당장에 결정권 가지고 있는 그 고인 물들이 나쁜 방식보다 더 치를 떠는 게 낯선 방식인 거? (일어나 사무실 나가며) 그러니까 너도 일찌감치 꿈 깨.

영수 (또 쪼르르 따라가며 안 지는) 아 꿈은 꾸라고 있는 거죠-

13 ___ 서울지방경찰청 기수대[7] 사무실 / 낮

영수를 무시하는 길표와 길표를 졸졸 따라다니는 영수.
그때, 준식이 둘을 재미있다는 듯 보며 다가오는.

준식 여태도 과학수사 타령이여?

준식의 목소리에 사무실 인원들 일제히 "과장님 오셨습니까" 예의 갖춰 인사하고.

길표 다들 바빠 죽겠는데 앤 일이 없나 봐요.

영수 아 답답하네 진짜.

길표 내가 할 소릴 지가 하구 자빠졌어. (다른 경찰 보며) 빨간 모자 단서

7 광수대의 전신.

는 아직이야?

형사1 예.

길표 두 건이 동부서 관할에서 터졌댔지? (형사1, 끄덕이면) 연락해서 피해자 진술 자료 공유 요청해.

형사1 예. (끄덕이며 전화 수화기 들면)

영수 (그러거나 말거나) 프로파일러가 얼마나 중요한지 알아요?

길표 (귀찮은) 국영수 계장님! 나한테 말하지 말고 여기 과장님한테 직접 얘기하세요!

준식 잉? 뭣을? 파일럿? 과학수산지 뭔지 하려면 비행까지 해야 되는겨?

영수 (어이없어 속이 터지는데) 빌딩이 높아질수록 그림자가 길어진다고 했어요.

준식 !!, 오메. 그 옛날 수사반장 때 명언 아니여? (허허 웃더니) 국영수도 연식이 나오네.

길표 IMF다 뭐다 올라간 빌딩도 내려앉을 판에 뭔 놈의 그림자 타령이야.

영수 머지않아 우리도… 미국처럼 인정사정없는 무자비한 놈들 나올 거라니까요? 얘들은 동기가 없어. 우리도 그런 놈들을 미리미리 대비해야-

길표 (듣다못해 버럭) 야! 국영수!!!

영수/준식 (움찔)

길표 차라리 그냥 악담을 해! 왜에? 정화수라도 떠놓고 사건 터져라, 또 터져라, 더 터져라, 지성이라도 드리지 그래?

영수 (한풀 꺾여) 아니… 그런 뜻이 아니잖아요… 아시면서 그런다…

옆에서 듣던 준식은 도리어 호기심 가득한 눈빛인데.

준식 (혼잣말) 골두 터지구… 사건두 터지구… 우리 허 대장 속두 터지네…

14 ___ 포장마차 / 밤

손님들로 가득한 기훈의 포장마차. 기훈이 영수, 준식, 길표 앉아 있는 간이 테이블에 오뎅탕 놓으며, "(친절히) 더 필요한 거 있으면 말씀하세요" 하며 가고. 소주병 잔뜩 놓인 테이블을 사이에 두고, 취한 듯 벌건 얼굴로 대화 중인 세 사람 보인다. 영수는 준식에게 프로파일러에 관해 차근차근 설명 중이고, 길표는 고개 떨군 채로 꾸벅꾸벅 졸고 있다.

영수 그러니까 이게 눈에 보이는 증거에만 의존해선 안 된다니까요.

준식 그치. 증거가 없으면 영 깜깜이니께. 근데. 그럼 뭐에 의존혀?

영수 범행을 어떻게 준비했나, 범죄는 어떻게, 왜 저질렀나, 시신은 또 어떻게 처리했나. 그런 전체적인 과정을 들여다봐야 한다고요.

준식 (끄덕인다) 과학적으로다가. 싸이언스으-

길표 (조는 줄 알았는데) 그놈에 싸이언스.

영수 (무시하고) 범행 동기나 용의자 특징 같은 것도 분석하고, 그걸 토대로-

준식 (알 듯 모를 듯) 파일럿 자격증도 진짜 따야 혀?

길표 (그 말에 고개 떨군 채 또 피식 웃는)

영수 (답답하다) 파일럿이 아니라, 프로파일러요.

준식 프로파…

길표 (OL, 고개 떨군 채로 혼잣말) 일러. 프.로.파.일.러.

준식 그래. 근데 그걸 도대체 누가 혀? (하며 영수를 빤히 보는데)

영수　(기다렸다는 듯 눈빛 초롱초롱) 딱 있어요. 나보다 더 말 안 듣는 놈.

그때 빗방울이 오뎅탕 속으로 뚝뚝 떨어지고. 준식이 "또 비여? 이놈의 봄장마 징허네" 하는 찰나 후두두- 쏟아지는 비. 오뎅탕에 빗물이 채워지고, 서둘러 포장마차 차양을 치는 기훈의 모습에서.

앵커e　SBC 마감뉴습니다. 며칠째 비가 계속되는 가운데 대봉동 한 주택에서 20대 여성의 시신이 발견돼-

15 ___ 다세대 주택 골목 / 밤

앵커e　경찰이 조사에 나섰습니다.

거센 빗줄기에 노란 가로등 불빛마저 뿌옇게 보이는 어둑한 골목. 검은색 우비, 인상착의 확인 불가의 남자(이하, 우비 남)가 철퍽철퍽 빗길을 걷는다.

16 ___ 순영이네 슈퍼 / 밤

 # 가게 안

TV 뉴스 보는 순영댁(씬6의 중년 여성)의 모습 위로,

앵커e　최근 여성을 노린 살인 사건이 곳곳에서 잇따라 발생하면서-

 # 가게 앞

가게 앞에서 멈춰 서는 우비 남의 발아래로 빗물이 뚝뚝 떨어진다.

 # 가게 안

앵커e　시민들의 불안이 커지고 있습니다.

순영댁, 뉴스에 집중해 있는데, 덜컹- 하고 가게 문이 열리려다 만다.
순영댁, 문 쪽을 응시하면, 아귀가 안 맞았는지 밖에서 누군가 문을 툭툭 치더니 마침내 드르륵 열리고. 진흙 잔뜩 묻은 운동화로 들어서는 남자의 발이 먼저 보인다. 남자가 입은 길게 늘어진 우비에서는 빗물이 뚝뚝 떨어지고.
순영댁, 긴장한 얼굴로 시선을 떼지 못하고 그 모습 보는데,
우비 남, 빗물을 떨구며 진열대 뒤로 향한다.
수상한 듯 진열대에 가려 보이지 않는 우비 남의 움직임을 주시하는 순영댁.
그때 진열대 아래로 보이던 우비 남의 발걸음이 제자리를 맴돌며 주춤거린다.

순영댁　(긴장한) 뭐… 찾아요…?

순간, 우비 남의 걸음이 제자리에 멈추고, 멈춘 발아래로 물이 뚝뚝. 긴장하는 순영댁의 표정에서.

우비 남　(목소리만 들리는) 새끼손가락 있어요?
순영댁　(철렁) 뭐…뭐요?
우비 남　새끼손가락이요. 먹고 싶은데.

순영댁 (!!, 동공이 커지고)

성큼성큼 순영댁에게 다가가는 우비 남. (→ 얼굴은 보이지 않는)
순영댁, 잔뜩 겁먹은 표정으로 몸을 뒤로 기울이고 눈 없는 손 더듬어가며 무기가 될 만한 걸 찾지만, 바스락대는 과자 봉지들만 손에 걸리고.
우비 남, 순영댁 앞에서 모자를 벗으면, 그제야 차가운 인상이 드러나는… 하영이다.

순영댁 (서늘함에 놀라 비명도 안 나오게 숨이 턱)
하영 손가락처럼 길게 생긴, 쪼꼬렛 잔뜩 묻은 거요.
순영댁 (잘못 들었나)… 네? 뭐…뭐요…?
하영 과자요.
순영댁 (잠시 멍- 순간 이해한 듯 숨을 고르고 가슴을 쓸어내리며) 어후…(신경질) 깜짝이야!
하영 (영문을 모르는 듯 뚱하게 서 있다가 순영댁의 버럭에 움찔)…
순영댁 아휴… (괜히 미안해 TV 뉴스 가리키며) 세상이 흉흉하니까 그르지이.
하영 (뉴스 힐끔 보는)
순영댁 (다시 가슴께 부여잡으며) 심장 떨어질 뻔했네.
하영 (아무렇지 않게) 세상이 흉흉한데, 왜 여태 가게 문을 열고 계세요.
순영댁 내일 죽더래두 오늘은 먹고살아야 할 거 아냐.
하영 걱정 마세요. 저 경찰입니다.
순영댁 (의심스럽게 위아래 훑으면)

하영, 말없이 경찰공무원증 내보이는데, 창백히 찍힌 사진과 함께 '동부경찰서 강력반 송하영'이라고 적혀 있다. 사진과 하영의 얼굴 번갈아 보며 재차 확인하는 순영댁. 그제야 안심하고.

하영 (동요 없이) 새끼손가락[8] 다 나갔어요?

순영댁 (퉁명스럽게) 아 없으믄 다 나갔나 부지.

하영 (혼잣말 진지하게) 아… 그거 먹고 싶은데…

순영댁 경찰이라매? 애들 마냥 야밤에 쪼끄 과자는 왜 찾어. (하다가) 잠깐 있어 봐요.

계산대 안쪽 잔뜩 쌓인 물건 사이에서 새끼손가락 과자 묶음을 발견하는 순영댁.
"이건가?" 하며 하영에게 꺼내 보이면, 하영의 얼굴에 찰나의 미소가 스친다.
얘는 뭔가 싫은 표정으로 과자 묶음 하나 떼서 건네는 순영댁.
하영, 태연스럽게 받는 모습에서.

17 ___ 화연의 집 앞 / 밤

비가 퍼붓는 와중에도 폴리스라인 쳐진 화연의 집 앞을 구경난 듯 기웃대는 주민들.
하영이 그 사이를 헤치고 안으로 진입한다. 집 앞을 지키는 제복 경찰에게 먼저 묵례하며 공무원증 보이고[9] 들어가는 하영.

8 1990년대, 크라운제과에서 출시했던 초코 과자.

9 따로 경례하지 않음(제복 경찰 상하관계 아님).

18 ___ 화연의 집[10] / 밤

출입금지 테이프 X자로 크게 붙어 있는 현관 앞. 안으로 들어서려다 멈칫하는 하영. 손잡이 옆 가슴께 높이에 거의 보이지 않을 정도로 누군가 작게 써둔 흐릿해진 숫자 '2'[11]를 발견한다. 이내 손잡이 열쇠 구멍 들여다보면, 일자형 구멍 양쪽으로 쓸린 듯 자국 남아 있고. 하영, 갸웃거리다가 다시 집 안으로 들어가면,
분주하게 채증 작업 중인 감식반원[12]들과 박 반장에게 상황 전달하는 경찰 보인다.

경찰 　피해자 어머니가 그제 밤 11시쯤 딸이 집에 들어오는 거 확인했고, 계속 연락이 안 돼서 찾아왔다가 신고했답니다.

하영, 덧신 신고 들어서며 감식반원 한 명에게 열쇠 구멍 확인해 달라고 부탁하는 듯한.
박 반장, 경찰의 설명을 듣다가 그런 하영을 힐끔 본다.
하영, 박 반장과 눈이 마주치고. 인사하듯 고개만 까딱.

하영 　(박 반장 옆으로 다가가 현장을 눈으로 훑으며[13]) 피해자 어머닌 어디 계시죠?

박 반장 　(그 말에 다시 하영을 힐끔)

경찰 　상태가 안 좋으셔서 한 시간 전쯤 구급대로 이동했습니다.

---

10 내부 인원 모두 덧신 신고 있을 것.

11 꼬리가 물결로 된 필체. 이하, 숫자 표식의 위치는 전부 가슴께의 동일한 높이일 것.

12 주방 벽에 (보이지 않는) 혈흔 채취하고, 보리차 컵 증거물봉투에 넣는 모습.

13 뜯어놓기만 한 라면, 가스레인지 위 냄비 물, 꺼내놓은 김치 통 두 개, 커튼으로 가려진 행거, 닫혀 잠겨 있는 창문 등 젊은 여자 혼자 사는 구조가 빠르게 스치도록.

저만치서 쭈그려 앉아 시신을 들여다보던 막내. 하영을 보며 역시 건성으로 고개만 까딱 인사하는데, 그 뒤로 알몸인 채 누워 있는 화연의 시신이 얼핏 보인다.
하영도 고개만 까딱 인사 받아주지만, 그 시선은 화연의 시신으로 향하는 데서.

의사e 상태가 너무 안 좋으셔서 조금 전에 안정제랑 수면제 놔드렸어요.

19 ___ 병실(다인실) / 밤

창문을 두드리는 빗소리만 울리는 어둑한 병실.
거센 빗줄기 사이를 파고든 도시 조명들이 창가 옆 침대에 잠든 화연母를 비춘다.
나쁜 꿈을 꾸는지 자는 얼굴에도 참담한 기색이 역력하고.
그런 화연母의 모습을 잠시 지켜보던 하영이 도로 나가려다가 젖혀진 이불에 드러난, 거스름이 하얗게 일어나 마르고 거친 화연母의 발을 본다.
무심한 듯 아닌 듯… 무표정하게 이불을 가만히 내려 덮어주고 나가는 하영.

20 ___ 24시간 국밥집 + 하영의 방 교차 / 밤

 # 국밥집
막내와 박 반장. 단둘이 국밥 먹는 중이다.

막내 (먹으며) 현장만 오면 다 제치고 피해자 가족부터 먼저 찾는단 말이지. 컨셉도 이렇게 꾸준히는 안 될 거 같죠?

박 반장 (대꾸하지 않고 먹기만)

막내 왕딴데, 본인은 몰라. 그것도 신기해요.

박 반장 (통명스러운) 모르겠냐.

막내 안다고요? 근데 저렇게 태연할 수가 있나? (도리질하며) 이야 멘탈 대단하다 진짜.

박 반장 걔가 우릴 따돌린다는 생각은 안 해봤지?

막내 네?? (갸웃) 에이- (그럴 리가- 하며 먹다가)

 # 하영의 방

아무도 없는 어둑한 방, 문을 열고 들어서는 하영의 모습 위로.

막내e 저쪽 중부서에서 그러다 여기로 쫓겨 온 거라면서요. (먹다가 문득) 것도 하필 청장 조카였다던데.

 # 국밥집

박 반장 (먹으며 아무렇지 않게) 사돈의팔촌조카동생의사위.

막내 네? 뭐야… 하여튼 소문 희한하게 돌아. (하다가) 직속 상사가 마무리한 사건에 딴지 거는 것도 엔간한 멘탈로는 못할 일이잖아요.

박 반장 (먹다 빤히 보며) 너나 잘해. 쓸데없는 데 에너지 낭비하지 말고.

막내 (멋쩍은)

 # 하영의 방

창문 위에 걸려 있는 십자고상을 잠시 동안 멍하게 바라본다.

이어, 방문을 열어보며 "왔니?" 말을 건네는 영신. 잠결에 부스스한 얼굴인데.

대신 불을 켜주고는 “피곤해 보이네. 얼른 자” 하며 다시 불을 끄는 영신. 조심스레 문 닫아주고 나가면.
이내 지친 듯 침대 위에 그대로 쓰러져 눕는 하영의 모습에서.

/ins. 하영의 꿈

시커먼 실루엣만 보이는 무명의 남자가 화연의 집 현관문을 강제로 따는 모습, 화연을 덮치는 모습, 화연의 목을 조르는 모습 짧게 스치듯 컷, 컷, 컷.
이어 바닥에 나동그라져 있는 화연의 시신(씬18) 비춰지더니
창백한 얼굴이 클로즈업되어 보이다가, 갑자기 눈을 떠 하영을 응시하는데. 할 말 있는 듯 처연한 눈빛이고.

그 순간 움찔, 얕은 신음 뱉으며 잠에서 깨는 하영.
자세를 추스르며 창밖으로 빗소리와 함께 아직 푸르스름한 새벽녘임을 확인하는 데서.

21 ___ 부검실 / 낮

차가운 무영등 불빛이 탁! 하며 켜지고. 그 아래, 알몸인 채 부검대에 누워 있는 화연의 시신이 보인다. 시신을 내려다보고 있는 검시의와 하영, 박 반장, 막내.

검시의 임신 중이었어.

일동 임신이요?!

검시의 14주 정도 됐고.

박 반장 하… 개새끼.

검시의 (결막 터진 창백한 화연의 얼굴[14] 가리키며) 사인은 경부압박에 의한 질식사와 비구폐쇄로 인한 기전 동반. 사후강직 정도로 판단할 때 사망추정 시각은 15일 밤 10시에서 자정 사이. 직장 온도 측정 결과로는 밤 10시 30분 전후, 위 내용물 소화 상태로는 마지막 음식 섭취 후 1시간 이내니까 밤 11시 전후 추정.

박 반장 음. 피해자 모친을 제외하면 사망추정 시각이 방기훈이 다녀간 시간이랑 일치하네.

검시의 성폭행 흔적은 없어.

하영 !

막내 와- 그럼 옷은 왜? 강간 흔적은 없고 옷만 벗겼다? 음… 방기훈이 새끼 빼박이죠?

박 반장 (하영의 눈치를 슬쩍 보다가 찜찜한 듯) 피의자가 친구라고?

하영 같은 고등학교 출신인 게 답니다.

박 반장 (괜히 찜찜한데)

하영 (단호하게) 지금껏 연락 한 번 안 한 사입니다.

22 ___ 취조실 / 낮

겨우 불을 밝히고 있는 갓등 하나만 매달린 어두침침한 취조실.
옥색 책상 하나를 사이에 두고 앉아 있는 박 반장과 기훈.
테이블 끄트머리에는 복싱 글러브 하나가 보인다.

기훈 진짜 아닙니다. 저는.

---

14 경부압박 질식사에서 생기는 점출혈.

박 반장 (마주 앉은) 방기훈 당신 지문이랑- (인서트. 씬9에 이어지는[15], 짧게 스치듯 /화연의 집에서 보리차 마실 때 컵을 잡은 손) 혈흔까지 나왔어. (플래시백. 씬9, 짧게 스치듯 /기훈이 벽을 내리치면, 기훈 손에 상처 생기면서 혈흔이 벽에 보이지 않을 정도로 작게 묻어 있고. /씬18. 기훈의 혈흔 채취하는 감식반원의 모습)

기훈 그 집에 갔었으니까…요.

박 반장 그니까 내 말이. 피해자 최화연이 사망한 그 시간에 당신이 그 집에 있었다는 게 가장 유력한 증거야.

기훈 그치만… 전 아닙니다.

박 반장 (태도 삐딱하게 바꾸며) 그치. 그게 수순이지.

기훈 ? (무슨 말인가 싶어 보면)

박 반장 다들 처음엔 아니라고 해. (빤히 보며) '너'처럼.

기훈 진짜 아니에요. 제가 왜- (하는데)

박 반장 (OL) 모든 정황이 방기훈이 널 가리키고 있어. 최화연이 사망한 시간에 그 집에 있었던 사람이 방기훈이 너. 그 집에서 발견된 지문도 방기훈이 너.

기훈 (답답) 제가 도대체 왜 여자 친구를 죽이겠어요.

박 반장 나도 그게 궁금해. 도대체 왜 죽였어?

기훈 안 죽였습니다!

박 반장 (훗) 그럼 그날 거기서 나와서 어디로 갔어? 장사도 안 했던데.

기훈 …

박 반장 (그럴 줄 알았다는) 없지? 니 알리바이 증명해줄 사람.

기훈 … 한강에 갔어요.

박 반장 (코웃음) 야, 너는 인마. 좀 더 그럴싸하게 둘러댈 장소가 그렇게

---

15 방기훈의 지문이 발견된 위치.

없냐?

기훈 진짭니다. 그날 좀 다투고 나와서, 장사할 기분이 아니었어요.

박 반장 오호라. 그거구나. 최화연을 죽인 동기.

기훈 (발끈) 그냥 좀 다툰 거뿐이에요. 형사님은 애인이랑 다퉜다고 사람을 죽입니까?!

박 반장 그게 거기 앉은 너와, 여기 앉은 나의 차이야. (마주 앉은 간격이) 꼴랑 1미터도 안 되는데 인간성의 간극이 이렇게 크다.

기훈 (하소연하듯) 전 진짜 아닙니다.

박 반장 (그러거나 말거나 기훈 쓱 보며) 혹시, 빨간 모자도 너야?

기훈 (기가 막히고) 뭐요?

박 반장 그 시간쯤 빨간 모잘 쓰고 지나가는 남잘 봤다는 제보도 있어.

/ins. (씬6에 이어)

 # 가게 앞

셔터 내리던 순영댁이 지나가던 빨간 모자를 한 번 흘끔 보는 모습 위로.

순영댁e 우산도 없는 남자가 뛰지도 않고 걷드라구. 모잘 쓰고 있어서 그런가 부다 했지. 빨간색이었나… 그런 것도 같구.

 # 슈퍼 안

하영에게 말하는 중인 순영댁.

순영댁 키는 (가물가물 갸우뚱) 한… (손으로 대충 키 가늠해보다가) 에이구 모르겠다. 하여튼 여자마냥 작았어요.

/다시 취조실

기훈 (하소연하듯) 어떻게 해야 제 말을 믿어줍니까.

박 반장 아니라는 증거를 주면 믿어줄게. 우린 오로지 증거만 믿거든. (보며) 없지? (하는데)

기훈 문! 현관문이 안 잠겨 있었어요.

박 반장 (그 말에 잠시 생각하는 듯하더니 훗- 웃고) 잘 생각하고 얘기해. 너한테 더 불리한 증언이 될 수도 있으니까.

기훈 (책상 쾅!) 아니라구요!!

박 반장 (무시하며 테이블에 놓인 서류 들추며) 폭행 전과에 손 씻은 척 장사도 하고.

기훈 !!, 척이 아니라 진짜 손 씻었습니다!!

박 반장 (서류 살피며) 뭐 진짜든 척이든 내 알 바 아니지만, 너 같은 놈들이 종종 욱하긴 하잖아, 지금처럼. 그러다 의도치 않은 사고도 이어지는 거구. (쓱 올려다보며) 그치?

기훈 (짜증 나는데)… 사람은 안 죽입니다.

박 반장 (다시 서류 보며 빈정대는) 감성 조폭, 뭐 그런 과야?

기훈 (기분 나쁜데)

박 반장 죽은 최화연이도 알고 있었어? 니가 조폭 출신이라는 거.

기훈 (몰랐다)…

박 반장 (그럴 줄 알았다는 듯 비웃고) 그럼, 너 최화연이 임신 중인 건 알았어?

기훈 (몰랐다) !!!…. 무슨 말입니까… 그게?

박 반장 애인치고는 아주 쌍방 간에 비밀이 많았네.

23 ___ 동부서 강력반 사무실 / 저녁

저녁 8시를 가리키는 벽시계. 사무실에 하영과 막내만 남아 있다.

하영, 화연의 사건 현장 사진들[16] 차례로 넘겨보는데, 열쇠 구멍 사진에서 멈춰 유심히 들여다보면, 작고 흐려서 사진엔 잘 드러나지 않는 숫자 '2' 표시도 얼핏 보인다.

막내 (시간 보며) 오래 걸리시네. (하다가 하영이 보는 사진 열쇠 구멍 스크래치 설명하는) 그 동네 좀도둑이 판쳤었나 봐요. 2층 주인집도 귀중품 몇 개 털렸다 그러던데요.

하영 언제?

막내 한 달쯤 됐댔나.

하영 윗집은 도어락이던데.

막내 그건 또 언제 보셨대. (대수롭잖게) 하여튼 집주인 심보는 다 똑같은가 봐요. 1층을 더 안전하게 해줘야 하는 거 아닌가. 방범창 하나 없던데.

하영 (취조실 가보려고 일어서면)

막내 가보시게요? (뭔가 아는 듯) 안 가시는 게 좋은데.

하영 (??, 그러거나 말거나 취조실 향하는)

24 ___ 취조실 / 저녁

하영, 취조실 들어가려는데, 안에서 쿵쿵 요란한 소리 들린다. 그 소리에 문 벌컥 열면 불이 꺼져 캄캄한데, 열린 문에 빛이 들어와 발길질하다 만 듯, 덧신 신고 한쪽 발 들어 올린 박 반장. 손에는

16 화연의 시신 사진, 부엌 사진(뜯어놓기만 한 라면, 가스레인지 위 냄비 물, 보리차 컵, 꺼내놓은 김치 통 두 개 보이도록), 닫힌 창문과 커튼에 가려진 행거, 욕실 사진들. (→심지만 남은 두루마리 휴지도 보이게)

복싱 글러브 끼어 있고,[17] 구석에 나동그라져 두 팔로 머릴 감싼 채 웅크리고 있는 기훈이 보인다.

박 반장 (짜증스럽게 보며) 왜.

하영 (구석에 웅크리고 있는 기훈 보며) 뭐 하시는 겁니까.

박 반장 (하영의 반응에 기훈 눈치 한 번 살피고) 보면 몰라? 자백받는 중이잖아. 문 닫아!

하영 (박 반장을 빤히 보는)

박 반장 문 안 닫아?!

하영 (계속 지켜보는)

기훈 (모든 걸 포기한 듯 웅크려 있기만)

박 반장 (글러브 빼고 짜증스럽게 문 닫고 나와 하영의 어깨 두 손으로 툭 밀며) 뭔데. 뭐가 불만인데.

하영 이런 식의 자백이 효력이 있을 거라 생각하시는 겁니까.

박 반장 강력반 10년 동안 저런 놈들 수두룩 빽빽이 상대했어. 그러니까 주제 모르고 내 앞에서 선비 노릇 할 생각 말고, 넌 가서 니 할 일 해.

하영 이것도 제 일입니다.

박 반장 (짜증) 저 새끼 지 알리바이도 하나 못 대. 왜? 지가 죽였으니까. 사망추정 시각 들어맞는 거 봤지? 니 잘난 동창 새끼가 그날 최화연이랑 싸웠대요. 그래서 며칠 연락 안 하느라 지 애인이 죽었는지도 몰랐댄다. 그게 말이 돼?

하영 임신한 상태였잖습니까. 방기훈이 아닐 수도- (하는데)

박 반장 (비웃는) 뱃속에 지 애가 있든 말든, 사람 죽이는 놈들한테 자비란

---

17 글러브를 끼면 맞는 쪽은 외상보다 내상이 큼. 덜 다치지만, 충격은 더 큰 효과.

게 존재할 거 같애? 근데 어쩌냐, 그나마도 몰랐다는데.

하영　!…

박 반장　최화연이 오죽했으면 임신한 사실도 숨겼겠냐고. 아니라고 감싸줄래도 살해 동기까지 명확해요. 하여튼 조폭 새끼들 근성은 절대 못 버리지. 욱해서 사고나 칠 줄 알았지, 머리가 나쁘니 수습은 안 되는데 죗값은 치르기 싫고. 저따위로 일단 버티고 보는 거 내가 한두 번 겪는 줄 알아?

하영　…

박 반장　근데도 저 새끼 말을 믿자는 거야 지금?

하영　믿자는 게 아니라… 명확한 직접 증거를 찾자는 애깁-(니다, 하려는데)

박 반장　(듣기 싫은) 방기훈이 니 친구 아니랬지? 그럼 잘 들어. 저런 새끼들 인간 아니야. 인간 아닌 새끼들은 매질이 젤 빠르고 쉬워. 사람도 죽이는 짐승 새끼가 왜 순순히 쳐 맞고 있겠냐. 다- 지은 죄가 있어서 그러지. (하영이 딱히 받아치지 않자, 다시 취조실 안으로 들어가려는데)

하영　(문을 막고 서는) 이런 식은 안 됩니다.

박 반장　(노려보며) 중부서에서 왜 쫓겨 왔는지 아는데, 사수들 잡아 족치면서 암행어사 놀이할 생각 말고, 그 시간에 범인이나 쫓아! (하영을 밀치고 들어서며 문 쾅 닫는)

닫힌 문 앞에 잠시 선 하영. 취조실 안에서 다시 쿵쿵 소리 이어지면 체념한 듯 돌아서고.

25 ___ 동부경찰서 사무실 / 저녁

사건 현장 사진들 다시 살피는 하영인데.
그때, 취조실에서 나온 박 반장이 하영은 본체만체, 막내에게 지시한다.

박 반장 이번 사건 빨간 모자랑 같이 엮어서 조사해.

하영 (찜찜한 듯 보며) 성폭행 사건이 아니잖습니까. 수법도 다르고요.

박 반장 변태 짓거리했으면 성폭행 사건이지. (하영의 말 무시하고 다시 취조실로 향하면)

하영 (막내 보며) 그 성폭행 피해자 증언은 하얀색 모자라고 정정됐잖아.

막내 그거야 우리만 아는 사실이죠. 언론은 모르잖아요.

하영 그게 무슨 상관이야.

막내 상관있죠. 방기훈이 진짜 빨간 모자면, 우리 박 반장님 바로 특진인데.

하영 (미치겠다. 다급히 겉옷 챙겨 사무실 나가고)

막내 (보며) 어디 가세요?

하영 (나가며, 뒤통수로 답하는) 증거 찾으러.

26 ___ 화연의 집 외경 / 저녁

화연의 집 앞. 카메라가 다세대 주택을 비춘다. 집 주변에 폴리스라인 둘러져 있고.
하영, 1층 화연의 집을 지나쳐 계단을 올라 2층 주인집으로 향하는.

27 ___ 주인집 내부 / 저녁

작은 거실에 소파와 싸구려 가구들 빽빽이 들어찬 구조.
주인집 여자(50대)와 하영이 앉아 얘기 중이다.

50대 여 이사를 가든지 해야지 좀도둑도 모잘라서 사람까지 죽어 나갔으니… 무서워 살 수가 있나. (하다가) 아니, 나부터도 이런데, 집이 팔릴지도 걱정이에요.

하영 (상관 않는 듯) 여기 말고 도둑맞은 집이 얼마나 더 있습니까.

50대 여 내가 들은 것만 한 서너 집 되니까 (하다가) 것도 그래. 훔쳐 간 거 몇 푼 안 된다고 신경도 안 써주는 거 아네요? 그게 벌써 언제야. 부잣집 같앴어 바. 진즉에 잡아줬지.

하영 혹시 이번 사건 전에 아래층도 도둑이 들었었는지- (하는데)

50대 여 아뇨. 그런 얘긴 못 들었는데. 그 아가씨가 우리 집 도둑 든 건 알았으니까 그랬으면 얘길 했겠지.

하영 (일어서며) 협조 감사합니다.

50대 여 (그제야) 아이쿠. 내 정신 좀 봐. 물 한 컵도 안 내드렸네.

하영 괜찮습니다. (하며 신발 신고 현관문 열어 나가면)

50대 여 (그 틈으로) 형사님, 1층 아가씨 그렇게 만든 놈 잡으면서 내 패물 훔쳐 간 도둑놈도 같이 좀 잡아줘요.

하영 (알아들었다는 듯 끄덕이고)

50대 여 (아쉬운) 꼭 좀, 꼭 좀 부탁해요.

하영, 그제야 '네' 하며 문 닫는데, 문 옆 손글씨의 작은 숫자

'233'[18] 발견한다. 다시 문 두드리는.

50대 여　(문 열고 고개 내밀면) ?? 뭐 두고 가셨어요?

하영　(숫자 가리키며) 이거 혹시 뭔지 아세요?

50대 여　(보는데, 침침한 눈으로 얼굴 가까이 들이댔다가 뒤로 갔다가) 이게 뭔데요?

하영　아주머니가 쓴 거 아니시죠?

50대 여　에이- 애들도 아니고, 내가 벽에 낙설 왜 해. 우리 손녀들이 놀러 왔을 때 그랬나?

하영이 다시 숫자 유심히 보다가 계단을 내려가면,
집주인도 그제야 문을 닫는.

28 화연의 집 내부 / 밤

하영, 꼼꼼히 다시 둘러보며 잠긴 창문을 힘으로 밀어 열어보는데, 꿈적 않는다.

하영na　방기훈일 가능성 하나. 창문이 아닌 현관으로 침입함.
방기훈이 '아닐' 가능성 하나. 현관문을 강제로 딴 무단침입의 흔적이 있음.

18　역시 숫자 '2' 꼬리가 물결로 된 필체.

29 ___ ○○파출소 외경 / 밤

불 켜진 파출소 내부가 보인다.

30 ___ ○○파출소 안 / 밤

테이블에 앉아 파일들 들춰보는 하영.

순경 (더 건네며) 접수된 것만 총 다섯 집이에요. 석 달 전까지 2주에 한 번꼴로 털렸어요.

하영 마지막이 대봉동 214번지 이층집이고요?

순경 예. 이놈이 영리한 게 남자 사는 집은 안 털어요. 피해 금액도 적고.

하영 (피해 금액 적은 게 무슨 상관이냐, 순경 보면)

순경 워낙 소액이라 쫓을 단서가 없어서 그런지 동부서에서도 손 뗀 사건이에요. 저희가 순찰만이라도 강화해서 돌고 있는데, 다행히 그 뒤론 잠잠하네요.

신고 접수된 주소 수첩에 옮겨 적는 하영. "감사합니다" 하고 파출소 나서는.

31 ___ 취조실 / 밤

퀭한 모습으로 진술서 쓰는 중인 방기훈의 모습.

32 ___ 다세대 주택 골목 / 밤

파출소에서 옮겨 적은 주소지들 찾아가 보는 하영. 다세대 주택 집마다 벽면에 작은 플래시 비추며 확인해보는데, 전부 '22, 23, 2, 233' 적혀 있다.

하영na 이십이, 이십삼, 이, 이백삼십삼…

그때 '233' 적혀 있는 마지막 집에서 벌컥 문이 열리고, 집주인(30대 여) 나오더니 들고나온 빗자루로 하영을 막무가내로 때리며 "너 뭐야!! 누구야!!" 소리친다. 당황한 하영, "경찰입니다. 경찰" 답해보지만, 30대 여 아랑곳하지 않고.
하영이 겨우 경찰공무원증 꺼내 보이면, 그제야 때리길 멈추는.

30대 여 (여전히 의심 못 거둔) 경찰…이면, 벨을 누르지 왜 수상하게 남의 집을 기웃거려요.
하영 죄송합니다. 늦은 시간이라.
30대 여 (경계 늦추지 않고 빗자루 꽉 쥐며, 하영 위아래로 보는) 무슨 일이신데요.
하영 혹시 (233이라고 적힌) 이 숫자 뭔지 아십니까?
30대 여 (보다가) 우리 집 주소는 아닌데. 뭔데요 이게?
하영 음…

그때, 안에서 엄마를 부르는 어린아이 목소리 들린다.

하영 혹시. 댁에 누구누구 사십니까.
30대 여 저희요? (안을 들여다보며, 말해도 되나 싶은지 머뭇거리는) 왜요?

하영 (명함 꺼내 건넨다) 믿으셔도 됩니다. 의심스러우면 전화해보셔도 되고요.

30대 여 (명함 보더니) 저랑 우리 애들이랑 셋이 사는데요.

하영 자녀분들 나이가 어떻게 되죠.

30대 여 … (그래도 조심스럽게) 5살…7살이요.

하영 (조심스레) 남편분은…

30대 여 (대답하길 꺼리는) 같이 안 살아요.

하영 (가슴께 그려진 표식 가리키며) 이거 자녀분들이 한 낙서는 아니겠죠?

30대 여 키도 안 닿을 높인데요.

하영 늦은 밤 염려 끼쳐드려 죄송합니다. 쉬세요.

30대 여 도둑놈은 아직 못 잡은 거죠?

하영 (끄덕이기만)

30대 여 아휴. 동네가 너무… (그때 집 안에서 다시 엄마를 부르는 아이 소리) 애 울겠네. 물어볼 거 더 없으시면 들어갈게요.

하영 협조 감사합니다.

문이 닫히고, 하영이 다시 벽면에 '233'이라 적힌 숫자를 확인해 보는 데서.

32-1 _ 포장마차 앞 / 밤

'사정이 있어 당분간 쉽니다' 공지를 물끄러미 바라보며 닫혀 있는 포장마차 앞에 서 있는 하영. 그 모습 위로.

하영 (혼잣말) 방기훈. 진짜 너야…?

33 ___ 도심 일각 / 아침

8차선 도로. 전광판에 뉴스 자막 뜬다. '속보. 상습 성폭행 저지른 빨간 모자 검거.'

34 ___ 하영의 집 거실 / 아침

이른 출근하는 하영, 서둘러 현관을 나서는데.

영신　(소파에 앉아 TV 채널 돌리다가) 벌써 나가?

하영　네. (하며 낡은 흰색 운동화 신는)

뉴스에서 "속봅니다. 일명 빨간 모자라 불리며 서울 곳곳의 여성들을 공포에 빠트린 상습 성폭행 피의자가 어젯밤 경찰에 검거됐다는 소식입니다" 하는 앵커 목소리 흘러나온다. 뉴스에 잠시 시선 주던 하영, 문을 열고 집을 나서는 그때,

영신　(뉴스 보며) 어머, 저기 니네 관할 아니- (니? 하려는데)

쿵- 현관 문소리 들리고. 하영은 이미 나가고 없는.

35 ___ 동부서 앞 / 아침

양쪽 팔 포박된 채 고개를 푹 숙인 양용철이 끌려 나오는 모습 보이는데, 덥수룩한 머리 위로 흰색 야구 모자를 쓰고 있다. 잔뜩 몰

려온 기자들, 양용철을 찍기 바쁘고. “혐의를 인정하십니까.” “빨간 모자라는 피해자 진술은 사실이 아니었습니까?” 이어지는 질문 속에 문 형사 “추가적인 내용은 이후에 다시 브리핑해드리겠습니다” 하며 다시 양용철을 데리고 들어가는 모습에서.

36 ___ 다세대 주택 골목 (씬32 동) / 아침

- 수첩에 적힌 (도둑맞은) 주소지들 다시 찾아다니는 하영. 집마다 다니며, 경찰공무원증 보이고 식구가 몇인지 확인한다.
- 첫 번째 집, “가족 구성원이 어떻게 되십니까” 묻는 하영에게 “저 혼자 사는데요” 답하는 젊은 여성. 대답에 현관 옆을 보면, 숫자 ‘2’ 적혀 있다.
- 두 번째 집, “누구누구 사십니까” 하영의 질문에 “언니랑 저요” 답하는 20대 여. 현관 옆 표식 보면, 숫자 ‘22’ 적혀 있다.
- 세 번째 집, 숫자 ‘23’ 먼저 확인하고, 초등학생으로 보이는 아이 나오면, “누구랑 같이 살아?” 묻는 하영에게 “엄마랑 저랑 둘이요”라고 대답한다.
- 하영, 동네를 다니며 또 다른 표식이 있는지 수첩에 없는 인근 집들 모두 확인하기 시작하는데, 거의 세 집 걸러 하나씩 숫자 표식이 보인다. 도둑맞은 집들과 달리, 대부분 숫자 ‘1’이 포함된.
- ‘123’ 표시된 집 앞에서 벨 눌러 식구 수 확인하는 하영. “마누라랑 10살짜리 아들래미랑 셋이 사는데 왜요” 답하는 40대 남의 모습에서.
- 골목을 나서 큰길 걸으며, 수첩 메모 확인하는 하영. 공통된 숫자들 따로 묶여 있고, 그중 233으로 묶인 숫자 들여다보는데.

하영na 최화연의 이층집 이백삼십삼. 방금 전, 아이 둘을 키우는 주소지도 이백삼십삼. 공통점이 뭘까. 들쑥날쑥한 단위와 숫자들… 뭘까. 뭘 가리키는 걸까.

그때, 헬멧 쓴 중국집 배달 오토바이가 하영 곁을 쌩- 지난다. 그 바람에 손에 들고 있던 수첩 떨어뜨리는 하영. 주워 들다가 불현듯! (씬27의) '우리 손녀들이 놀러 왔을 때 그랬나?' 하는 50대 여의 말 떠오르고! 앞으로 달리는 배달 오토바이를 보는 데서.

37 ___ ○○파출소 안 / 낮

하영 (다급히 안으로 들어서며 인사 나눌 겨를도 없이) 이 동네 중국집이나 치킨집처럼 배달 가능한 가게들이 몇 개나 됩니까?

순경 ??, 배달이요?

하영 (화연의 현관문 사진 보이며) 여기 작은 숫자 보이시죠.

순경 (보며) ?, 이게 뭔데요?

하영 집집마다 가구원을 표시한 거예요. 2는 성인 여자, 3은 어린아이, 그리고 1은 성인 남잡니다. 동네 집들 전부 확인했는데, 성인 남자, 그러니까 숫자 1이 적힌 집은 피하고, 여자나 아이들만 있는 집들만 골라 침입했어요.

순경 그게 배달이랑 무슨 상관- (하는데)

하영 불특정 세대의 가구원 수를 어느 정도 파악할 수 있는 자.

순경 !!

38 ___ 동부서 강력반 사무실 / 낮

단서가 잡힌 듯 서둘러 사무실 향하는 하영인데, 문 앞에 기자들 진 치고 있다.
하영, 그 사이를 뚫고 안으로 들어서면, 소란하고 정신없는 내부. 형사들 분주하게 움직이는 중이고, "아 뭐하냐! 좀 다 내보내!" 고성 들리는 와중에, 한쪽에서 씨-익 미소를 띠는 양용철의 모습이 보인다. 흰색 야구 모자를 눌러쓴 하얗고 말간 인상.
그때, 기훈을 데리고 나오던 박 반장, 양용철을 보며 화풀이하듯 뒤통수 후려갈긴다. 모자 흐트러져 수갑 찬 손으로 고쳐 쓰는 양용철.

박 반장 (보며) 웃어?! 정신 못 차리지!

박 반장 옆으로 수갑 찬 기훈이 서 있는데, 참담한 표정으로 잠 못 잔 기색 역력하다.

박 반장 (기훈 철창에 넣으며 막내 향해) 구속영장 신청해. (하는데)
기훈 (철창문 잡기자) 형사님, 저 아닙니다… 제가 왜 화연이를 죽입니까! 형사님!
박 반장 (피곤한) 아씨… 또 시작이네.

그 말에 기훈 쪽을 보다가 눈이 마주치는 하영.

기훈 !!, 송하영! 맞지?!
박 반장/막내 (동시에 하영을 보면)
하영 (기훈을 보다가) 범인은 현관문을 강제로 따고 침입했어요. 여기

숫-(자, 하려는데)

박 반장 (듣기 싫고, 하영에게 진술서 툭 던져 건네며) 니 친구 자백했어.

하영 (!!, 늦었다. 진술서 보는데)

박 반장 (못마땅한 듯 양용철 보며) 어디 절에 가서 공양이라도 올리든지 해야지. 하필 타이밍도 드럽다.

하영 (진술서 보며, 뭔가 말하려다가 참고, 마뜩잖은 얼굴로 진술서 내려놓는)

막내 어떻게 지 애인을 죽이지?

기훈 (하소연) 저 아닙니다… 저 좀 믿어주세요…

박 반장 (그러거나 말거나) 눈 돌면 마누라도 죽이고, 딸도 죽이고, 지 부모도 죽이는 놈들이 천진데 애인이 대수야. (한탄하듯) 될 일도 안 되려니까 사람 죽인 놈을 잡아도 (양용철 보며) 저런 새끼한테 밀리네.

하영 (하소연하는 기훈을 보는)

박 반장 (그런 하영의 눈치 슬쩍) 그나마도 최화연이 임신 중이었다니까 인정한 거야.

하영, 박 반장을 응시하면, 박 반장이 그 시선을 피하고. 기훈은 계속 아니라는 하소연.
수갑 채워진 채 앉아 있던 양용철, 이 모든 상황을 호기심 어린 얼굴로 지켜보는데.

막내 옷은 왜 벗겼대요?

박 반장 변탠가 부지. 내가 저 새끼 성적 취향까지 알아야 돼?

하영 (다시 박 반장을 보는데)

박 반장 궁금하면 가서 니 친구한테 직접 물어보든가.

그때, 가만히 듣고 있던 양용철. 혼잣말로 읊조린다.

양용철　(갸웃) 점마 범인 아인데.

그 말에 순간, 하영이 양용철을 본다.
그때, "따라와" 하며 양용철 끌고 가는 문 형사.

박 반장　(문 형사 보며) 기수대로 가냐?
문 형사　(발끈) 거길 왜 보내! 우리가 잡았는데.
박 반장　(부러운 듯 질투 어린 혼잣말) 하여튼, 되는 놈은 넘어져도 금붙이를 주워요.

문 형사, 양용철 끌고 나가는데, 양용철이 나가며 잠시 고개 돌려 하영을 본다.
하영도 그런 양용철과 눈이 마주치는 데서.

39 ___ 병원 복도 / 저녁

화연母의 병실로 향하며 개운치 않은 얼굴로 수첩 들여다보는 하영.

하영na　방기훈이 범인일 가능성 둘, 현장에서 발견된 지문과 혈흔 일치. 셋, 사망추정 시간 일치. 넷, 살해 동기 확실. 다섯, 알리바이 없음… (그렇다면) 방기훈이 범인이 아닐 가능성 둘… 최화연의 임신. 하지만 몰랐고… 범행 부인. (사이) 말고는 없다…

절룩거리며 환자복 입고 병실에서 나오는 화연母. 저만치 걸어오는 하영을 본다.

다가와 인사하며 복도 의자에 앉는 하영.

화연母 (옆에 앉으며) 형사님, 제발 우리 화연이 그렇게 만든 놈 꼭 잡아주세요…

하영 최화연 씨의 남자 친구였던 방기훈이 범인입니다.

화연母 !!, 남자 친구요?! 우리 화연이한테 남자 친구가 있었다구요?

하영na 임신 사실도, 방기훈의 존재도 숨겼다. 방기훈이 진짜 범인일까.

화연母 그럴 리가 없-(하려는데)

하영 (OL) 최화연 씨 임신 초기셨어요.

화연母 !!… (충격이 망연자실로 바뀌며 눈물을 뚝뚝 떨구는) 세상에 닮을 게 없어서 지 애미 남자 복 없는 것까지 닮아… 화연아… 엄마가 너무 미안해… (우는)

하영, 건조한 표정으로 손수건 꺼내지만, 건넬 타이밍을 못 잡고 망설이는.

화연母 내가 그날 거기 같이 있었어야 했어요… 우리 화연이가 엄마 자고 가라고… 할 때…
(상황 떠올리고 울며) 걔가 그날 나랑 같이 있고 싶어 했는데… 내가 그걸 마다하고… 잔소리만 하다가… 굳이 집엘 가겠다고 나섰어요. 내가…

하영 (건조한 투로) 어머님 잘못이 아닙니다.

화연母 우리 화연이… 화연이 대신 내가 죽었어야 했는데… 형사님 저는 이제 어떻게 하죠…

하영 (무감한 얼굴로 보기만)

화연母 (울며) 그날이 마지막 밤이 될 줄 몰랐어요… 알았으면 안 갔어… 나는… 화연아… 아이구… 화연아…. 택시 타고 가란 부탁이 유언이 될 줄 알았으면…(하는 데서, /씬9. 도로 앞에서 버스를 발견하고 망설이다가 택시 그냥 보내는 화연母의 모습 짧게) 아이구… 화연아…. (다시 울기 시작하고)

화연母를 물끄러미 보는 하영. 표정에는 복잡한 심경 드러나지 않은 채, 검지 손톱으로 엄지손가락을 꾹 누르기만.

40 ___ 하영의 차 안 (병원 주차장) / 저녁

주차된 차 안.[19] 묵주 매달려 있는 룸미러에 하영의 얼굴이 비친다. 서늘하고 무감한 표정 여전하고. 이내 핸드폰을 드는 데서.

/ins. 감식반 사무실

불 꺼진 감식반 사무실에 홀로 남아 있는 영수. 영수의 자리에만 환하게 따로 조명등 켜져 있고, 유난히 높은 파티션 세워져 있다. 파티션 전체를 빼곡히 채운 끔찍한 시신들 사진들 비춰지면서, 드르륵- 핸드폰 진동 계속 울리는데, 각도기로 혈흔의 길이와 너비를 재가며 혈흔 패턴 골몰히 연구하느라 한참을 울리고 나서야 핸드폰 받는다.

/다시 하영의 차 안

하영　계장님. 부탁 좀 드릴게요. (끊으며 시동 걸고 출발하는데)

19 연식(1998년 이전) 오래된 낡은 승용차.

핸들을 잡은 하영의 오른손 엄지에 손톱에 찍힌 자국이 선명하게 보인다.

41 __ 병원 복도 / 저녁

한참을 울던 화연母. 하영이 가고 없는 의자에 하영이 차마 건네지 못하고 두고 간, 고이 접힌 손수건(씬39의)을 본다. 들어 눈물을 닦는.

41-1 _ 화연의 집 앞 / 저녁

하영, 문 앞에서 영수를 기다리는데 저만치 헤드라이트를 켜고 다가오는 CSI 차량이 보인다. 이내 집 앞에 차량이 멈추고, 감식가방을 들고 내리는 영수.

42 __ 화연의 방 / 저녁

문 앞에서 범인의 동선을 상상하며 공간을 둘러보는 영수.[20]
옆에 서 있는 하영에게 잠시 감식가방 건네고.

하영　(감식가방 받으며) 1차 감식에서 놓친 게 있을지도 모릅니다.

20　베테랑 감식원은 범인의 동선을 고려해 지문이 있을 만한 곳을 파악해서 지문 채취.

영수 지문이랑 혈흔에 사망추정 시각도 일치한다며.

하영 (현관 딴 흔적과 숫자 사진 건네 보이며) 뭔가 개운치가 않아요. 지문이 컵에서만 나왔어요. 방기훈이 전부 지웠다면 왜 이것만 남겨뒀을까요.

영수 다른 침입자일 가능성도 있다고 생각하는 거지?

하영 방기훈이 아니라면요.

영수 (사진 보다가) 자백까지 했는데?

하영 … 그게… (말하려다가 참는)

영수 동부서 간 지 얼마 안 됐잖아. 괜찮겠어?

하영 …

영수 니 부탁이니까 오긴 했다만, 사건이 중요한 만큼 관계도 중요하다는 걸- (하는데)

하영 관계도 중요하지만, 범인을 잡는 게 더 중요합니다.

영수 (웃으며) 하여튼, 안 진다 안 져. (하다가) 피의자랑은 친구였다면서.

하영 (놀란) 제 뒷조사하십니까.

영수 (영수 웃으면) 관심이다 관심.

하영 모르는 사이나 마찬가지예요. 친구였어도 달라질 건 없고요. 다시 말씀드리지만, 관계보다 범인을 잡는 게 더-

영수 (OL) 알았어. 알았어. (하다가, 행거 쪽으로 향하고)

하영 (따라가며) 제 인간관계는 계장님이면 충분해요.

영수 (그 말에 의외의 표정으로 하영을 보는데, 은근 기분 좋은) 나도 그래서 거절 못 하고 여기 온 거다. 알지?

하영 감사해요.

영수 (농담) 그럼 표현을 좀 하든가.

하영 (어색한데)

영수 (웃다가, 행거 기둥을 살피면)

하영 (거길 왜? 의아한 듯 보는)

영수 (뭔가를 찾은 듯 감식장갑 끼고) 족적이나 지문을 지울 정도로 상황에 차분했다면 계획범일 확률이 높은데 여자 혼자 사는 이런 원룸… 미리 숨어서 기다렸을 수도 있어. 침대 밑이나…(하며 침대로 시선 향하면, 막혀 있는 프레임) 이(행거) 뒤에서.

하영 ! (기둥 살피는 영수 옆에서 지문 키트 뚜껑을 대신 열어주는데)

이내 뭔가를 발견한 듯 기둥에 채취용 분말 묻히고, 조심스레 지문을 뜨는 영수와 이를 지켜보는 하영의 진지한 얼굴에서.

박 반장e (화가 잔뜩) 너 도랐어?!!!

43 ___ 동부서 강력반 사무실 / 낮

박 반장, 하영에게 노발대발 중인데, 하영은 남 일마냥 그저 침착하고 담담한 얼굴.

박 반장 다 마무리한 사건에 지문 조회를 왜 또 의뢰해! (하다가) 방기훈이 니 친구 아니라며!

하영 친구라서가 아닙니다.

박 반장 무슨 사이든 간에!! 이거 다 끝난 사건이라고!!! 방기훈이 지가 인정했어!!

하영 그거야… (박 반장 책상 위 복싱 글러브 보며) 강압(-적, 하려는데)

막내 (하지 말라는 시늉, 손을 뻗어 하영을 조심스레 저지하는)

박 반장 이거(너) 진짜 돌아도 단단히 돌은 놈이네. 방기훈이 바보야? 안 죽인 걸 죽였대게?

하영 안 죽였다고 했잖습니까. 다시.

박 반장 (열 받았다) 아 이 씨발놈이 진짜!! (때릴 기세로 덤벼들고)

막내 (놀라 박 반장을 막아서는)

박 반장 (씩씩거리며) 너 번번이 다니며 사수들 엿 맥이는 게 취미냐?! 뭐가 문젠데 대체!

하영 … 방기훈이 범인이 아닐 수도 있다는 얘길 하는 겁-

박 반장 (OL) 아니면!! 방기훈이 범인이 아니며어어언!!!!! 어쩔 건데!!!!!!!

하영 그렇게 되면 문제가 더 커질 겁니다. 아시잖습니까.

박 반장 알긴 뭘 알아!!!

하영 (글로브 응시하면)

박 반장 (버럭) 저 씨-@$#&#%$^!! (육두문자 날리며 또 때릴 듯 덤비면)

막내 (박 반장의 허리 감싸고 막는) 아, 좀 나가 계세요! (하영 반응 없자 다시) 아 빨리요!(힘에 부치는데) 쪼옴! 가라니까!!

하영 (하는 수 없이 돌아서면)

박 반장 (뒤통수에 대고 소리치는) 너!! 이 생활 오래 하고 싶으면 처신 똑바로 해!!!

44 ___ 복도 / 낮

하영, 아무 일 없는 사람마냥 담담하게 걸어 나오는데, 핸드폰 울린다. 받으면.

"(e) 송하영 경사님, 지문 조회 결과 나왔습니다" 하는 목소리.

45 ___ 지문조회실 / 낮

담당자(씬44의 목소리)를 마주하고 서 있는 하영.
"일단 방기훈 건 아니네요" 하는 담당자의 말에, 기대에 찬 얼굴인데!

46 ___ 서울지방경찰청 야외 휴게실 / 낮

담당자e 근데, 신원 확인이 안 돼요.

영수와 나란히 앉아 믹스커피 마시는 하영.

영수 답답한 마음은 알겠는데, 받아들일 건 받아들여야지 않겠어?
하영 감이… 뭔가 계속 찜찜해요.
영수 형사들 감, 그거 무시 못 하지만 명백한 증거랑 자백이 있잖아.
하영 이대로 넘기기엔 최화연의 지갑이 없어진 거, 옷을 벗겨둔 거, 문을 강제로 딴 흔적, 그리고 범인이 표기한 듯한 숫자까지. 다 걸려요.
영수 (이해 가는) 음… 거기에 신원 미상의 지문까지 나왔고.
하영 그쵸. 계획범이라면, 도대체 옷은 왜 다 벗겨뒀을까요. 흔적을 지우기도 바빴을 텐데.
영수 음… (잠시) 하영이 너 프로파일러라고 들어봤어? 우리 식으론 범죄행동분석관인데.
하영 네?
영수 프로파일러한테 중요한 자질이 너한텐 다 있어.
하영 (무슨 소린가 싶어 보면)
영수 포기하지 않는 거. 지금 너처럼.
하영 그거야 형사로서 당연히- (하는데)

영수 거기에 열린 마음, 직관, 상식, 논리적 분석력, 사적 감정 분리까지 두루 필요하거든. 근데 뭐, 이런 건 둘째치고라도 개인적으론 감수성이 제일 중요하다고 보는 입장인데, (만족스러운) 뭐 하나 빠지는 게 없다, 너는.

하영 감수성이요?

영수 타인에 대한 감수성이라고 이해하면 될라나.

하영 그게 왜 필요하죠.

영수 사람의 마음을 분석하는 일이니까.

하영 … 모르겠는 말씀만 하시네요.

영수 (『마음의 사냥꾼』 건네며) 시간 나면 한 번씩 펴봐.

하영 (받으며) 이게 뭔데요? (하고 펴보는데)

영수 새로운 팀을 하나 만들려고 추진 중인데. 내가 적임자를 찾은 거 같아. 범죄행동분석관, 너 같은 사람이 해야 되는 일이거든.

하영 (책 살피며) 전 지금도 만족하는데요.

영수 (그럴 줄 알았다는, 웃는) 그렇게 고민도 없이 거절하면, 나도 상처받아.

하영 (그러거나 말거나 무표정하게 보면)

영수 (놀리듯 도리질) 하여간 그… 심중을 모르겠는 표정도 프로파일러한텐 장점이구.

하영 … 놀리시는 겁니까.

영수 나 지금 되-게 진지한데? 뭐, 당장 결정 안 해도 돼. 어차피 시간이 좀 걸릴 테니까. 그냥 우선은 (책 가리키며) 그런 분야가 있다-라는 것만 알아둬.

하영, 영수의 당부와 상관없이 책은 손에 들고 있기만.
생각은 온통 방기훈 사건에 가 있는 듯한 얼굴에서.

47 ___ 화연의 집 / 낮

현장 검증을 위해 모여 있는 경찰들과 박 반장, 막내, 하영의 모습이 보인다.
수갑 찬 손으로 바닥에 눕힌 마네킹 목 누르는 시늉하는 기훈. 멍한 얼굴이고. 다음 단계에서 기훈의 행동이 멈출 때마다 "목을 누른 다음에 옷 벗긴 거지?!" 하며 박 반장이 나서서 답답한 듯 상황을 리드한다. 다시 기훈이 마네킹의 옷을 하나씩 벗기기 시작하는데… 그러다 눈물을 뚝뚝 흘리고. 그 모습을 지켜보는 경찰들 사이에 하영의 무표정한 시선이 저만치 어딘가로 가 닿는다. 그런 하영의 시선 따라가 보면,

48 ___ 동부서 앞 / 낮

공간 바뀌며, 고개 떨군 채 포승줄에 묶여 이송되는 기훈이 보이고. 여기저기 몰려든 기자들이 기훈을 향해 카메라 플래시 팡팡 터뜨린다. 멀찌감치 이송 버스에 올라타는 기훈의 모습을 지켜보는 하영. 이내 돌아서 건물 안으로 들어가는 뒷모습에서.

판사e 피해자는 무엇과도 바꿀 수 없는 소중한 생명을 젊은 나이에 잃게 되었고,

카메라가 금방이라도 주저앉을 듯 위태롭게 서서 기훈을 지켜보는 화연母를 비춘다.
양쪽에서 부축하고 있는 제복 경찰의 팔에 겨우 몸뚱어리를 지탱하고 있는 화연母. "아이고 화연아… 화연아…" 부르며 하염없이

흐르는 눈물 멈출 줄 모르고,
손에는 하영의 손수건(씬39의)을 쥐고 있는 그 위로,

판사e 피해자의 가족은 크나큰 정신적 충격과 함께 앞으로 평생 고통 속에 지내게 될 것임이 분명하다.

49 ___ 교도소 수감실 / 밤

자포자기한 듯, 죄수복을 입고 앉아 무릎에 고개를 묻고 있는 기훈.

판사e 사람의 생명을 앗아간 범죄는 용납될 수 없는 중대한 범죄이며, 피고인은 과거 폭행 전력이 있음에도 반성하지 않고, 재차 범행한 죄질이 좋지 않다고 판단하여-

50 ___ 동부서 강력반 사무실 / 밤

사무실에 혼자 남아 있는 하영. 기훈의 사건 파일을 보고 있다.

판사e 재판부는 피고인 방기훈에게 징역 12년을 선고한다.

하영, 보던 파일을 덮으면, 표지에 '사건번호 1011형제29057' 제목 아래 '수사종결' 도장이 찍혀 있다. 파일을 서랍에 넣고 일어서 사무실을 나가는 하영의 모습에서.
사무실 불이 탁! 꺼지면서.

51 ___ 자금성 앞 / 저녁

자막_1999년. '자금성'이라 적힌 오래된 간판을 달고 있는 중국집. 그 옆으로 전봇대에 전단을 붙이고 있는 중년 남. '예수천국 불신지옥'이 붉게 적힌 옷을 입고 있다. 전단지에는 '1999년 지구 종말. 계11:6 단12:12'라고 적힌.

그때, 부르릉- 오토바이 시동 꺼지는 소리 들리고. 자금성 앞에 오토바이 세우며 헬멧을 벗는 강무(18세)가 보인다. (→ 가게 앞에 신호등 없는 좁은 건널목 하나 있는)

강무, 철가방 꺼내 가게 안으로 들어가고.

52 ___ 자금성 안 / 저녁

'딸랑' 소리와 함께 강무 들어서고. 카운터에 있던 사장이 보며, "수고했다. 강무야. 얼른 퇴근해" 한다. 강무, "네" 하며 예의 바르게 인사하고, 다시 가게를 나가면.

주방장 (앞치마 풀며 다가와) 요즘 애들 같지 않게 엄청 성실하죠?

사장 (정산하는 듯 카운터에서 계산기 두드리며) 우리 아들이 강무 반만 닮았으면 좋겠네.

주방장 (웃으며) 10댄 원래 다 그래요. (나간 강무 손짓하며) 쟤가 유별난 거지. (하면)

53 ___ 자금성 앞 + 동네 골목 / 저녁

어리숙하게 걷는 강무의 걸음 위로,

사장e 월급 따박따박 받아서 지 할머니 다 갖다준대. 요즘 그런 애가 어디 있어. (하는데)

자금성에서 멀어질수록 껄렁한 걸음으로 바뀌는 강무. 골목을 지나 PC방으로 향하는.

54 ___ PC방 / 저녁

모니터에 유닛들 떼 지어 다니며 전투 중인 〈스타크래프트〉 화면이 보인다.
정신없이 게임에 몰두하고 있는 강무. 화면에 빨려 들어갈 기세로 잔뜩 몰입했다가 이내 졌는지, 유닛들 일제히 폭발하는 화면에서 욕설을 뱉으며 마우스 탁! 팽개친다. 모니터에 표시된 남은 시간 확인하곤, 야동 사이트에 접속하는 강무. 주위 시선에도 아랑곳없이 야동을 보기 시작하는데… 결정적인 순간, 시간 다 됐는지 화면이 OFF 된다. "아이 씨…" 하며, 연장하려고 지갑을 꺼내 열어 보는데, 텅 비어 있고.
짜증스럽게 PC방을 나가다가 다시 앉았던 자리로 돌아가는 강무. 자리에 두고 간 야구 모자 집어 들고 다시 나가는데… 야구 모자, 빨간색이다!

55 ___ PC방 앞 계단 / 저녁

중학생쯤으로 보이는 남자애들 둘이 계단을 내려오고 있다. 얼굴이 보이지 않게 빨간 모자 푹 눌러 쓴 강무가 둘을 멈춰 세우는 데서 컷 튀고.
강무, 애들 지갑 털어보면 겨우 오천 원인데. 그마저도 챙겨서는 겁먹은 얼굴로 서 있는 중학생 둘에게 빈 지갑만 휙 던져주고 둘 사이를 지나 계단을 오른다.

56__ 거리 일각 / 저녁

강무, 목적지도 없어 보이는 껄렁한 걸음으로 노점상, 여자 행인들과 어린아이 등 눈에 밟히는 약한 것들마다 건달마냥 기웃대며 가는.

57__ 버스정류장 / 저녁

아무 버스에 올라타는 강무. 가다가 인적 없는 정류장에 버스가 멈추면, 내려 주위를 두리번거린다.

58__ 주택가 골목 / 저녁

우영동 주택가를 배회하는 강무. 지나는 여자들을 시선으로 쫓으며 몇 걸음 따라가다 멈추기를 반복하고. 그러다 잔걸음 걷는 중년 여성(원말숙[21])에게 시선을 주는 강무.
이내 천천히 따라가기 시작하는 데서… 어느새 어둑해지는 하늘.

59 ___ 원말숙의 집 앞 / 밤

담벼락에 기대 빨간 모자 눌러쓰고 불 켜진 창문 너머를 기웃거리는 강무.
창문 안으로 원말숙[22]의 움직임이 보이다가 잠시 후, 불이 꺼진다.
멈춰 지켜보던 강무. 그제야 걸음을 떼고, 성큼… 성큼… 집으로 다가가는 모습에서.

cut to
집 앞 골목을 비추며 서서히 동이 트는 아침. 비스듬히 열린 (강무가 지켜보던) 창문 사이로 알몸인 채 쓰러져 있는 중년 여성의 시신이 보인다.
그 위로, 경찰차 사이렌 소리 선행되고.

60 ___ 도로 / 아침

경찰 차량들, 붉은 사이렌 요란하게 울리며 줄줄이 도로를 달리고!

---

21 열쇠가 매달린 장지갑 손에 들고 걷는.
22 왜소한 체형일 것.

61 ___ 하영의 차 안 (도로) / 밤

다급히 현장으로 향하는 하영의 모습에서!

작가 Comment (1)

방송된 오프닝 장면은 촬영 현장 여건상 수정 전후의 내용이 부분적으로 섞여 연출되었으며, 이를 반영한 이후 전개에서 하영은 어린 시절 물속 시신의 '손을 잡아주지 못해' 성인이 될 때까지도 내내 마음을 쓰고 있던 감정으로 풀어냈다.

1-1 _ (과거. 1970년대 초) 놀이동산 / 낮

가족 단위 입장객들로 북적이는 광장 한가운데 어린이날을 축하하는 퍼레이드가 한창이고, 부모의 손을 잡고 잔뜩 들뜬 표정으로 다니는 아이들 손에는 저마다 풍선이며 솜사탕 같은 것들 하나씩 들고 있다. 놀이기구마다 순서를 기다리며 늘어선 긴 줄. 저만치 작은 호수에는 북적임을 뒤로한 채 한가로이 떠다니는 몇몇 오리배도 보인다.

오리배를 즐기는 가족들 사이, 열심히 페달을 밟는 영신(하영母)과 큰 눈을 껌뻑이며 풍선 꼭 쥔 채 닿지 않는 발로 구르는 시늉하는 어린 하영(6세). 어쩐지 6살 어린아이의 얼굴에 표정이 없다.

"재밌어 하영아?" 간간이 하영의 기분을 묻는 영신.

그때마다 하영은 무표정하게 고개 끄떡이며 페달 구르는 시늉만 할 뿐인데. 그런 하영의 시선이 갑자기 물버들 쪽으로 향하면서, 뭔가를 한참 응시한다.

다시, "우리 하영이 재밌어?" 물으려던 영신. 갸웃하며 하영의 시선 따라가 보면. 물버들에 걸려 넘실거리는 아이의 시신. 일순간! 꺄악! 주위 비명 소리 들리고!

동시에 그 장면을 목격한 사람들 하나둘 경악하는 데서.

cut to

순식간에 바뀐 광장 분위기. 구급대와 경찰차 주변으로 건져 올린 시신을 보기 위해 사람들 저마다 끔찍한 표정을 지으면서도 호기심 어린 듯 몰려드는데.
여자아이 하나가 팔다리 뽑힌 인형 아무렇지 않게 머리채 쥐고 공포에 질린 울음을 터뜨린다. 경찰차 옆에 서 있던 영신도 하영의 작은 몸을 돌려세우고.
그 바람에 얼른 구급대원 하나가 시신 위로 하얀 천을 덮어씌우면 고개 돌려 시신을 무표정하게 바라보는 하영.

그때, 영신에게 경찰 하나 다가와 최초 목격한 상황에 대해 묻고.
영신이 경찰과 대화하는 사이 시신이 들것에 실려 구급차에 옮겨진다.
그 모습을 본 하영. 갑자기 영신의 손을 뿌리치며 구급차 쪽으로 달려가는 순간 깜짝 놀라며 "하영아!" 부르는 영신인데…
하영, 들고 있던 풍선을 아이(시신)의 손에 쥐어주길 시도하는 모습에서…
시신을 바라보는 하영의 눈빛을 비추면,
6살 아이가 느낄 공포감 아닌, 마치 연민하는 듯 깊다.

영신, 얼른 하영을 데리러 갔다가 그 모습에 잠시 안쓰러운 듯 멈칫…
하영의 풍선을 대신 구급차 고리에 묶어준다. 그제야 눈시울을 붉히는 하영.
영신, 다시 하영을 보듬으며 안고 돌아서는데.
구경꾼들 사이 상황을 지켜보던 수상한 행색의 한 남자와 눈이 마주치는 하영의 모습에서 암전.

그 위로, "하영이 오늘은 친구들이랑 뭐 했어?" 묻는 상담사 목소리.

2-1 __ (과거. 1970년대 중) 상담실 / 낮

반쯤 열린 창밖으로 까르르- 웃으며 뛰노는 아이들의 모습 비추는 데서.

1970년대 문구류들 놓여 있는 테이블. 별 대답도 없이 스케치북에 그림만 그리고 있는 무표정한 하영(9살)과 그런 하영을 지켜보며 계속해서 대화를 시도하는 상담사가 마주 앉아 있다. 그리기에만 집중하는 하영, 이내 완성한 듯 색연필을 손에서 놓으면

상담사가 완성된 하영의 그림을 살피고. 하영은 또래들 웃음소리에 창밖으로 잠시 시선을 두는데. 시끄러운 건지, 함께 놀고 싶은 건지 좀체 알 수 없는 표정이다.

상담사 (그림을 가만히 지켜보다가) 이 아이는 슬퍼 보이네?

하영 (다시 상담사에게 시선 주고) 네.

상담사 왜? 왜 슬픈데?

하영 … (그림 속 아이를 보는)

3-1 __ (과거. 1970년대 중) 동네 골목 + 하영의 집 교차 / 낮

 # 골목

장대비가 빛바랜 시멘트벽 고스란히 드러난 집들의 낮은 지붕을 세차게 후려치면서, 미용원, 복덕방, 밖으로 연탄을 쌓아둔 쌀집

간판이 드문드문 자리한 동네 언덕길을 비춘다. 그때 인적 없는 언덕을 오르기 시작하는 하영의 뒷모습 보이는데,
작은 우산을 들고 체구보다 큰 책가방을 메고 있다. 그 위로.

하영e　선생님, 깊은 물속이 얼마나 무서운지 알아요?

걸음을 멈추는 하영의 뒷모습.
잠시 펼쳐진 우산을 길 위에 조심스레 내려두는 그 위로.

상담사e　하영이는 알아?

하영e　(끄덕이다가) 물속에는 엄마가 없잖아요.

우산을 뒤로하고 비 쫄딱 맞으며 걷는 하영의 뒷모습이
덩그러니 펼쳐 놓여진 우산과 점점 멀어지면서.

하영e　(씬2의 그림 속 아이의 슬픈 얼굴 잠시 비추며) 엄청 무섭고 슬펐을 거예요.

(이하 생략)

작가 Comment (2)

1화 초반부 하영의 강력반 형사 시절의 활약, 범행 심리에 의문을 갖는 프로파일러로서의 자질 암시, 과거 수사 방식에 대한 언급을 위해 추가한 시퀀스이며, 늦은 밤 흰색을 빨간색으로 착각해 붙였던 별명(빨간 모자)의 설정을 원래 빨간색이었던 것으로 변경했다.

4-1 _ 다세대 주택 골목 / 밤

자막_ 1998년, 3월.

앵커e 마감뉴습니다. 지난 1997년부터 10개월째 다세대 주택에 침입해 여성들을 성폭행하고 금품을 빼앗는 속칭 '빨간 모자' 사건이 잇따르고 있는 가운데-

인적 드문 어두운 골목을 걷는, 긴 머리에 짧은 스커트 차림 여성의 뒷모습이 보인다. 카메라가 뒤에서 여성의 걸음을 따라가고. 이어 무전 소리 들리다가 여성의 앞모습을 비추면 립스틱 진하게 바른 여장한 남자 경찰이다.

여장 경찰1 (조심스레 무전) 여긴 개미 새끼 한 마리도 없습니다. (하며 걸으면)

연달아 다른 길목에서 "여기도요" "여기도 없습니다" 하는 여장한 경찰들이 컷컷컷 비춰진다. 주변에는 자동차, 전봇대, 공중전화 박스에 숨어 무전을 듣는 형사들의 모습도 보이고 앵커e　경찰의 수사는 여전히 제자리를 맴돌고 있어 시민의 불안이 커지고 있습니다.

5 ____ 하영의 차 안 (골목) / 밤

시동이 꺼진 차 안. 골목들 주시하며 잠복 중인 하영과 막내.

막내　아으 추워… 3월인데 왜 추운 거야. 잠복만 하면 이상하게 더 추워. (하며 히터 켜려고 시도하는데)

하영　(막내 손을 탁 치고) 소음에 눈치채면 여태 고생한 거 다 헛수고 돼.

막내　(한숨 쉬며 대신 겉옷 움켜쥐는) 발정 난 놈 하나 잡을라고 형사들 줄줄이 몇 날 며칠을 집에도 못 가고. 이게 뭐냐 도대체…

하영　작년 5월부터 지금까지 장장 10개월이야. 그사이 발생한 피해 여성만 벌써 12명이고. 이 정도 고생은 고생도 아니지.

막내　하긴. 내 동생도 무섭다고 맨날 문 잘 잠겼나 두 번 세 번 확인하고. 불안하다고 나한테까지 난리에요. (하다가) 이렇게 판 깔고 기다리는데도 안 나타나면 어떡해요?

하영　나타나길 바래야지.

막내　휴… 밑도 끝도 없는 함정수사에 이런 잠복 같은 원시적 방법 말고… 21세기엔 경찰도 좀 미래형 방식으로 진화하겠죠…?

하영　미래형이 뭔데.

막내　글쎄요… 답답하니까 바래본다, 그거죠.

하영　무슨 기술이 나오든 형사한테 가장 중요한 자질은 끈기니까. 조금만 더 버티자.

막내　(하는 수 없이 창문 올려다보며) 그래… 누가 이기나 해보자… (졸린 듯 점점 눈이 감기고 어느새 스르륵 잠이 드는데)

하영 (시선 놓치지 않고 밖을 보는 데서)

6 ___ 다세대 주택 골목 / 밤

막연하게 걷기만 할 뿐인, 여장 경찰1, 2, 3. 지친 듯 보인다. 하늘에서 얇은 눈발 날리기 시작하고.

여장 경찰1 (무전으로) 오늘은 여기서 철수할까요.

7 ___ 하영의 차 안 (골목) / 밤

하영의 무전기에서도 소리가 들리고.

형사e 오늘은 여기까지만 하고 철수. 내일 밤 10시에 다시 집합한다.

그 소리에 막내가 잠에서 깨고.

막내 이제 집에 가요? (추운지 몸서리) 으 추워. (차 창밖을 보는) 아니 뭔 3월에 눈발까지 날려. (하영 보며 시동 켜길 기다리는) 가시죠?

하영 (내키지 않는 듯 시계를 보면, 새벽 3시) 아직 너무 이른데.

막내 내가 볼 땐, 이 동네 밤마다 형사 쫙 깔린 거 그 새끼도 눈치챈 거예요. 당분간 우리도 좀 쉬어야 돼. 그러다 예고 없이 다시 떠야죠.

하영 지금도 아무도 예고는 안 했어.

막내 뭐 하긴. 이 개고생을 하고 있는데도 날마다 우리가 아무것도 안

하는 것처럼 수사가 제자리네, 단서가 없네 뭐네. 으휴. 맨날 경찰만 무능하대지. (하며 하영 보는데)

하영　난 좀 더 있을게.

막내　혼자 움직이시면 저 박 반장님한테 욕먹어요.

하영　그래서? 같이 있을 거야?

막내　(잠시 고민하다가) 박 반장님한텐 저 혼자 들어간 거 비밀이에요. (차문 열고) 먼저 들어갑니다. (하며 내리는)

저만치 골목마다 숨어 잠복해 있던 형사들, 하나둘 나와 철수하는 모습이 보인다.
잠시 후. 차에서 내리는 하영.

8 ___ 다세대 주택 골목 / 밤

어느새 눈발은 그쳤고. 혼자 골목을 순찰하듯 돌아다니는 하영. 저만치 다세대 주택 담을 넘길 시도하는 빨간 모자 쓴 남자1를 발견하고! 의심스러운 듯 남자 향해 걸음에 속도를 내는데! 남자1, 하영이 다가오는 기척을 느꼈는지, 담 넘길 포기하고 냅다 달아난다! 남자1을 쫓기 시작하는 하영의 모습에서!

9 ___ 골목 일각 / 밤

골목을 헤집고 필사적으로 달리는 남자1을 빠짝 쫓는 하영!
이내 막다른 골목에 다다른 남자1, 등 뒤에서 칼을 꺼내 하영에게 휘둘러 보인다.

하영, 잠시 주춤 멈춰 섰다가 우스운 듯 다가서는데, 칼을 뺏으려는 하영의 손을 막아내는 남자1, 솜씨가 제법이고.

하영 (순간 놀라며) 너 누구야. (하는데)

칼을 휘두르며 하영에게 달려드는 남자1! 얼떨결에 두 사람의 격렬한 몸싸움이 시작되고, 자신의 공격에 뒤처지지 않는 남자1을 의아하게 여기며, 계속해서 "빨간 모자! 너 누구야!" 하는 하영인데. 답하지 않는 남자1, 계속 하영을 공격하며 도망갈 궁리하고 그때마다 하영이 남자1의 옷자락을 움켜쥐고 다시 잡아채며 공격하는 데서.
이내 남자1에게 수갑을 채우는 하영. 남자1의 옷을 뒤적이며 신분증을 찾는 데 없다.

남자1 (당당히) 나 아직 아무 짓도 안 했는데.
하영 시끄러. (하며 남자1을 일으켜 세우는 데서)

10 ___ 경찰차 안 (거리 일각) / 밤

남자1과 뒤에 타는 막내. 하영이 보조석에 앉아 출발하는 모습 위로.

박 반장e 빨간 모자 흉내 내고 다닌 거라고?
막내e 성폭행에 폭력 전과 5범인데, 빨간 모자 사건 때는 다 알리바이가 있어요. 빨간 모자 쓰고 다니면, 더 겁먹고 저항 못 해서 그랬대요.

11 ___ 동부서 복도 / 낮

수갑을 차고, 형사1, 2에 포박되어 유치장으로 이동하는 남자1. 하영이 그 모습을 말없이 지켜보고 있다. 막내가 나오며 그런 하영을 보는.

막내 왜요?

하영 (남자1 뒷모습 보며) 왜 그랬을까.

막내 뭘요? (하는데)

박 반장도 뒤에서 나오며 들었는지.

박 반장 (저만치 가는 남자1 뒷모습 보며) 난 저런 버러지 같은 놈들 속은 알고 싶지도 않아. (막내 보며) 밥이나 먹으러 가자.

막내 그죠. 잡았으면 됐지. 뭐 한다고 자릴 내줘요.

박 반장 무슨 자리?

막내 (머리 가리키며) 여기요. 가뜩이나 골치가 아픈데 다 끝난 사건은 그만 생각하는 게 정신건강을 위해서도 좋죠.

박 반장 애초 니 머리가 생각이란 걸 하긴 하냐?

막내 (웃으며) 뭐 먹을까요? (하영을 보며 으레) 안 가실 거죠?

하영 먹고 와.

박 반장 (그럴 줄 알았다는 듯 하영을 보는데)

하영 전 빨간 모자 사건 좀 다시 확인해야겠어요.

박 반장 (도리질하는) 그러(시)든가.

하영 (안으로 먼저 들어가면)

막내 (가며 도리질) 내 파트너는 송 경사님 아니고 박 반장님 같아요.

박 반장 까분다.

막내 왜요. 우리 둘이 다니는 시간이 더 많지 않아요? (장난치듯 딱 붙어 서고) 반장님이 더 제 파트너 같은데.

박 반장 3보 옆으로 딱 떨어져라. (하며 가는)

12 ___ 동부서 취조실 / 낮

남자1을 취조하느라 쌓아뒀던 빨간 모자 사건 자료들을 보는 하영. 자료들을 들춰보는 모습에서.

13 ___ 달리는 버스 안 / 저녁

앵커e 빨간 모자를 흉내 낸 모방범죄가 기승을 부리며 수사에 혼선이 가중되고 있습니다. 이에 따라 경찰은 범인 검거에 특진까지 내걸었지만-

버스에서 라디오 뉴스 흘러나오고. 승객 몇 없는 버스 창가에 앉아 "빨간 모자의 공포. 여성을 위협하는 상습 성폭행범. 정체는 여전히 오리무중." 1998년 4월 15일 수요일, 날짜 박힌 신문 1면의 헤드라인을 보는 화연(20대). 신문에 실린 사건보다 차창을 요란하게 두드리는 빗줄기를 보며 더 심란한 표정 짓는데, 보면 우산이 없다. 이내 버스가 인적 없는 정류장에 멈추고 뒷문 열리면, 신문으로 머리를 덮고 내려 뛰기 시작하는 화연.

앵커e 여전히 빨간 모자에 대한 단서가 부족한 것으로 알려졌습니다.

이어 버스 문이 닫히고 출발하려는 그때, 화연의 뒤에 앉아 있던 빨간 모자를 푹 눌러쓴 남자. 급히 일어나 닫힌 문을 두드린다.

앵커e 다음 소식입니다. IMF 사태를 맞으며 우리 정치와 정치권이 달라져야 한다는 요구가 커지고 있습니다-

다시 뒷문이 열리고, 내리는 빨간 모자. 저만치 가는 화연의 뒤를 쫓기라도 하듯 우산도 없이 철퍽철퍽 걷는.

작가 Comment (3)

취조실 장면으로 이어지는 자연스러운 연결을 위해 추가했다.

21-1 _ 포장마차 / 낮

'사정이 있어 당분간 쉽니다' 손으로 커다랗게 적은 공지를 닫힌 포장마차 천막에 붙이는 방기훈. 퀭한 얼굴이다. 그때 저만치 방기훈을 향해 걸어오는 박 반장과 막내 보이고.

박 반장 (걸어오며) 방기훈 씨!

목소리에 돌아보는 방기훈의 표정. 박 반장과 막내가 누군지 감지한 듯 군는다.

막내 (경찰공무원증 보이며) 동부경찰서에서 나왔습니다. 같이 가시죠.

방기훈 (왜 왔는지 아는 듯) 제가 왜 가야 하죠?

박 반장 최화연 알죠?

방기훈 … 제 여자친굽니다.

박 반장 그러니까요.

막내 (수갑 꺼내 채우려는데)

방기훈 뭐하시는 겁니까.

막내 방기훈 씨 당신을 최화연 살인 혐의로 체포합니다. (하며 채우려는데)

방기훈 (손을 뿌리치는) 무슨 소립니까. 전 화연이 남자 친구지 살인범이 아니에요.

박 반장 (방기훈의 손을 잡아채며) 긴지 아닌지, 가서 얘기해보면 알겠지. ('사정이 있어 당분간 쉽니다' 붙여둔 공지 보며 손 더 꽉 잡아 보이며) 도망갈랬는데, 운이 나빴네?

방기훈 (뿌리치지 않고) 도망 안 갑니다.

박 반장 (기훈의 말 믿지 않는 듯 어깨를 올려 보이고, 막내에게 수갑 달라는 시늉하면)

방기훈 (한 손 박 반장에게 잡힌 채) 영장 있습니까.

막내 (기다렸다는 듯, 당당히 영장 보이는)

박 반장 (그제야 방기훈 양팔을 뒤로 잡고 수갑 채우는) 방기훈 씨, 당신은 묵비권을 행사할 권리가 있고. (또박또박 읊어주는) 당신이 한 말은 법정에서 불리하게 작용할 수 있으며. 또한 변호사를 선임할 권리가 있습니다.

어느새 포장마차 주위로 모여든 몇몇 사람들, 수군거리며 그 모습을 지켜보고.

박 반장과 막내, 개의치 않고 방기훈을 연행해 가는 모습에서.

포장마차에 붙어 있는 '사정이 있어 당분간 쉽니다' 공지 다시 비

쥐지고…

작가 Comment (4)

1화 초반 모방범을 검거하는 시퀀스와 함께 이어지는 전개에 혼란을 빚지 않고자 추가했다.

38-1 _ 유치장 / 낮

문 형사, 양용철을 유치장에 밀어 넣고 문을 쾅 닫는다. 주위에서 "저 새끼가 그 난리를 친 빨간 모자야?" "어디 못 하나도 제대로 못 박을 거같이 생겼는데?" "허여멀건 해가지구" 하는 말소리들 들리고. 그때, 형사 하나가 안에 갇힌 양용철을 보며 시비 걸듯 말을 건다.

형사1 야.

양용철 (보면)

형사1 니가 진짜 빨간 모자야?

양용철 (지지 않는) 왜요. 아니면 좋겠습니까?

형사1 말투는 깡이 있네. (하며 가는 데서)

유치장 안이 이미 익숙한 듯 바닥에 털썩 기대앉는 양용철.

2화

1 ___ 하영의 차 안 (지방 도로 어딘가) / 낮

자막_1999년. 한적한 2차선 도로를 달리는 하영의 차량이 부감으로 보인다.

배경 위로 라디오에서 나오는 1999년도 히트곡들 짧게 지나가고, 주파수 돌리는 하영의 손 비춰지면서, "지난 7월 20일 검거된 신창원의 항변기록을 묶은 책이 출간 됐-" 하는 앵커 목소리 들린다. 이내 어수선한 듯 라디오를 끄는 하영.

2 ___ 마을길 / 낮

'1999년 지구 종말'이라 쓰인 로커 낙서 된 빛바랜 교도소 담장 옆, 좁은 도로 들어서는 하영의 차.[1] 높이 전깃줄에는 '지구 종말이

---

1 룸미러에 매달려 흔들리는 묵주(1화), 보일 듯 말 듯. 이후, 하영의 차량엔 계속 묵주 매달려 있음.

도래했다! 회개하라! 천국이 가까이 왔느니라!' '때가 다 되어 하느님의 나라가 다가왔다. 회개하고 이 복음을 믿어라. 마르코복음 1:15' 적힌 현수막들 펄럭인다.

3 ____ 교도소 앞 / 낮

넓은 공터에 덩그러니 있는 커다랗고 휑한 교도소. 하영의 차가 정문 앞에 멈추고.
하영이 차에서 내리는 모습 위로, "면회를 거부했습니다" 하는 교도관 목소리.

4 ____ 교도소 접견대기실 / 낮

면회를 기다리던 하영이 교도관의 통보에 실망스러운 표정 내비친다.

하영 누군지도 모르는데 올 때마다 면회를 거부하는 이유가 뭐랩니까.
교도관 글쎄 모르죠. 그냥 자긴 찾아올 사람이 없답니다.
하영 … (하는 수 없이 일어서 나가려는데)
교도관 (망설이다가) 저기 형사님.
하영 (보면)
교도관 꼭 만나야 하는 거면 이렇게 해보시는 건 어떨지…
하영 ?

5 ___ 교도소 앞 / 낮

허무하게 차에 오르는 하영의 모습 위로.

교도관e 다음번에 오실 땐 영치금 좀 넣으시면 궁금해서라도 나올 거예요.

6 ___ 교도소 접견신청소 + 접견대기실 / 낮

하영, 반복된 패턴이 익숙한 듯, 교도관에게 경찰공무원증 확인시키고, 면회자 목록에 이름을 적는다. 교도관은 이미 결과를 예견한 듯, 그런 하영을 보고 서 있고.
이어, 접견대기실에서 한숨 쉬며 나가는 하영을 안타깝게 보는 교도관.

7 ___ 몽타주 (여러 날)

- (다른 날) 접견대기실 문이 열리는 그 위로, "면회를 거부했습니다" 하는 교도관 목소리 들리면서, (다른 날, 다른 옷차림) 문을 열고 대기실 나가는 하영.
- 마을길. 교도소 향하는 하영의 차량 위로 "면회를 거부했습니다" 교도관 목소리 들리면서, cut to 문을 열고 대기실 나가는 하영의 모습.
- 동부서 사무실. 자리에서 일어나는 하영에게 "어디 가세요?" 묻는 막내. 그 질문 뒤로한 채, 사무실 나서는 모습에서 "면회를 거부했습니다" 교도관 목소리 들리면서, cut to 문을 열고 대기

실 나가는 하영의 모습.

- 하영의 집 거실. 영신과 마주 앉아 저녁을 먹다 말고 집을 나서는 하영의 모습 위로 "면회를 거부했습니다" 교도관 목소리 들리면서, cut to 문을 열고 대기실 나가는 하영의 모습.
- 교도소 건물로 들어서는 하영의 모습 위로, "면회를 거부했습니다" 교도관 목소리 들리면서, cut to 문을 열고 대기실 나가는 하영의 모습.
- 교도소 접견신청소. 익숙한 듯 경찰공무원증 꺼내는 모습 위로, "면회를 거부했습니다" 교도관 목소리에서, cut to 다시 경찰공무원증 챙겨 돌아서는 하영의 모습.
- 마을길, 빗방울이 하영의 차창 문을 두드리고. (씬2의) 현수막이 끊어져 날리며 하영의 앞 유리를 덮는다. 차를 세우고, 비 맞으며 현수막 걷는 그 위로, "면회를 거부했습니다" 교도관 목소리.
- 교도소 앞. 차에 시동 거는 하영의 모습 위로, "면회를 거부했습니다" 교도관 목소리 들리는데, 시동이 안 걸리고. cut to 잠시 후, 내려 어딘가로 전화하는 하영. cut to 견인차에 끌려 교도소를 빠져나가는 하영.
- 접견신청소 앞. 교도관 당연한 듯이 거부했다는 말 대신 고개만 저어 보이는 데서.

8 ____ ATM 앞 / 낮

차르르- 현금 돌아가는 소리 들리고. 하영이 만 원짜리 지폐 뭉치 꺼내 든다.

9 ___ 교도소 앞 / 낮

하영의 차가 정문 앞에 멈추는 그 위로, 끼이익- 육중하게 열리는 교도소 철문 소리.

10 ___ 수감실 복도 / 낮

짧은 머리의 죄수복 입은 수감자 하나가 모습을 드러낸다. 하얀 피부의 왜소한 체격으로 유약해 보이는 외형. 양용철[2]이다. 교도관을 따라 뚜벅뚜벅 걷는 양용철의 걸음 뒤로, 철컹! 무겁게 문이 닫히는 데서.

타이틀, 악의 마음을 읽는 자들 2화

11 ___ 변호인 접견실 / 낮

테이블 하나만 겨우 놓은 좁은 공간에 마주 앉은 하영과 양용철. 하영은 도무지 표정이랄 게 비치지 않는 차가운 인상인데, 반대로 양용철은 어린아이 같은 말간 표정을 하고 있다. 마치 기 싸움하는 듯 말없이 서로를 응시하는 두 사람. 그러다 양용철이 먼저 날 왜 찾아왔나 싶은 얼굴로 갸웃-
하영, 그제야 '동부경찰서 강력반 경사 송하영' 적힌 경찰공무원

---

2 머리를 짧게 밀어서 1화보다 말끔해진 인상.

증 보이는 데서.

양용철 (의아한 듯 보며) 뭔데요?

하영 계속 거부한 이유가 뭡니까.

양용철 그, 머, 찾아올 사람도 없고. 살면서 누가 날 좋은 일로 찾은 적은 한 번도 없그든요. (하며 빤히 보는데)

하영 왜 범인이 아니라고 생각했습니까. (/1화, 씬38 "점마 범인 아인데" 하는 양용철)

양용철 아- (생각난 듯) 와, 형사님 기억력 좋네. 그거 땜에 이래 끈질기게 찾아왔어요?

하영 (받아주지 않고 보면)

양용철 (너스레) 희한하네.

하영 (재차) 듣고 싶습니다. 왜 범인이 아니라고 생각했는지.

양용철 그게 왜 궁금한데요?

하영 (거슬린다) 말 안 할 겁니까.

양용철 (튕기는) 내가 그걸 왜 말해야 되는데요?

하영 (차갑게) 영치금 필요 없습니까.

양용철 (그 말에 뜸 들이다가) 머- 우리끼린 눈빛만 봐도 딱 알그든. 그 감이라는 게 형사들한테만 있는 건 아니그든여.

하영 (괜히 왔다 싶은데)

양용철 (표정 읽고 당시를 떠올리는) 금마, 옷 싹 베끼따믄서요.

하영 (보면)

양용철 홧김에 직(죽)있다믄서요. 홧김에 직(죽)인 놈이 머할라고 옷은 베낍니까.

하영 (!?)

양용철 (답답하다) 애인이라매요.

하영 (질질 끄는 대화에 눈빛 매섭게 바뀌려는데)

양용철 (그제야) 지 애인을 우발적으로 지깄어. 그럼 어쨌든 사랑하는 사이 아입니까. 내 손으로 직(죽)이긴 했어도, 실수였-(하는데)

하영 (실수라는 표현 거슬린다)

양용철 (표정 읽고) 사고. 머 사고라 칩시다, 그럼 베껴진 옷도 입히지, 그기 정상이지.

하영 (정상이란 표현도 어이없고)

양용철 옷 싹 베끼고 그런 건, 하던 놈들이나 하는 짓이란 애깁니다.

하영 ! (집중하듯 자세를 고쳐 앉고)

양용철 (하영의 반응에 태도가 거만하게 바뀌는) 습성이란 말 아시죠? 개 버릇 남 못 준다 아입니까. (하영의 눈치 쓱 보다가) 이미 몸에 밴 게 나오는 거라고요.

하영 그게 이거랑 무슨 상관이죠.

양용철 (다시 거만하게) 내 어릴 때 밥상머리 앞에서 아부지한테 맨날 뚜드려 맞았는데. 왜 처맞았냐면, 꼭 밥을 다 안 묵고 한 숟가락씩 남깄다 말이지. 이상하게 마지막 한 숟가락은 먹기 싫은 거라. 그걸 먹으면 머러 하까, 내 영혼이 이래 나가는 거 같은, (하영 눈치 힐끔 보더니) 아 이건 오바고… 아무튼 간에. 복 나간다고 그리 뚜드려 맞고도 아직도 못 고쳐. 지금이야 머 그거 안 묵는다고 내 때릴 인간도 없지만.

하영 (그럴듯한데)

양용철 (다릴 꼬고 앉으며) 그 아무리 치밀하게 계획을 세아도 그 습성이란 거는 기어-코 나오고야 만다 이런 말입니다. (잠시 생각하는) 분명히 옷을 베끼는 데는 이유가 있을 낍니다. 그 짓을 꼭 해야 직성이 풀리는 놈. 그놈이 진짜 범인일 꺼다 이 말입니다.

하영 (설득이 되는)

양용철 그리 뚜드려 맞는 한이 있어도, 나는 마지막 한 숟가락은 남겨야 직성이 풀리는 것처럼. (하영을 쓱 보며) 제 말이 마즐 낍니다. (부러 또박또박 발음하며 거만한 표정으로 하영을 빤히 보는) 송.하.영 형사님.

12 ___ 동부서 강력반 사무실 / 저녁

하영을 앞에 두고 펄쩍 뛰는 박 반장. 막내도 하영을 보며 '왜 저러나' 싶은 표정.

박 반장 또 시작이야?

하영 수법이 걸립니다. 분명 이번 우영동 원말숙 사건이랑 연관이 있어요.

박 반장 무슨 수법?

하영 살해 방법도 그렇고, 무엇보다 이번에도 강간 흔적 없이 옷만 벗긴 채로 뒀잖습니까. 그건 일부러 굴욕 주려고 하는 짓이랍니다.

박 반장 !!, 랍니다?

하영 (아차 싶은)…

박 반장 너 기어코 양용철이 그 새끼 찾아갔어?!

막내 (헐…)

하영 …

박 반장 이게 진짜. (버럭) 야 송하영! 범인은 형사가 잡는 거야! 유유상종 다른 짐승 새끼가 잡는 게 아니고!

하영 … 아무튼 방기훈이 범인이라는 게 말이 안 됩니다.

박 반장 말은 지금 니가 안 되세요. (하다가) 친구 아니라매!

하영 …

박 반장 열 받는다고 지 애인도 죽이는 놈인데, 그런 새끼들한테 굴욕이 대수냐고!

하영 …

박 반장 너 괜히 양용철이 쓸데없이 던진 말 가지고, 다 된 사건 초 치지 말고!

하영 (보면)

박 반장 이거 당부 아니고 경고야!

하영 …

박 반장 저놈이 범인인 거 같은데? 하는 게 형사야, 저놈은 범인이 아닌 거 같은데? 하는 게 아니고! 그럴 거면 가서 변호사 해!

하영 (포기한 듯 돌아서 나가면)

박 반장 (뒤통수에 대고) 야! 말 안 끝났는데 어디 가! 너 진짜 아무것도 하지 마! 이거 경고랬다!

막내 (하영 나가면 구시렁) 저럴 시간에 밀린 사건이나 하나 더 쫓지 도대체 왜 저런대요.

박 반장 (불똥 튄다) 형사는 2인 1조! 몰라?! 넌 왜 맨날 쟤 혼자 다니게 두는데!

막내 아니… 맨날 말도 없이 다니시는데 저라고 어떡해요.

박 반장 봐, 내가 그랬지? 쟤가 '우릴' 따시키는 거라고. (하다가) 하…저거 진짜 무슨 생각인지 알 수가 있어야지.

막내 (그런가…? 싶고) 항상 느끼는 건데, 송 경사님, 눈빛이 약간 까리하지 않아요?

박 반장 (뒤통수치며) 인마, 선은 넘지 마.

막내 와씨, 반장님이 먼저 잡아먹을 듯이 그러실 땐 언제고…

박 반장 (또 뒤통수치며) 너랑 나랑 같냐? 같애?

막내 (머쓱한)

13 ___ 원말숙의 집 앞(1화. 씬59 동) / 낮

다세대 주택 늘어선 동네 골목으로 진입하는 하영의 차.
이어, 큰 골목에 차를 대고 내려서 좁은 골목으로 걸어 들어가며 주변을 둘러본다.

맞은편 담벼락에 서서 폴리스라인 쳐진 집을 바라보는 하영. 범인의 상황을 재연해보듯 가만히 창문 너머를 주시해보다가 현관으로 다가가 열쇠 구멍 들여다보며 강제로 딴 흔적을 살핀다. 역시 스크래치가 있고. 이어 벽에 숫자 표식이 있는지 찾는데.

하영na 숫자가 없다.

14 ___ 원말숙의 집 안 / 낮

하영, 부엌과 방이 붙어 있는 원룸에 들어서 곳곳을 살펴보는데, 딱히 흐트러진 흔적 없고. 살인 사건 시점으로 돌아가 상황을 떠올려보면, (1화, 씬59의) 알몸으로 쓰러져 있는 원말숙 시신이 환영처럼 나타나 보이고, 그 위로 오버랩되는 양용철의 목소리. "(씬11) 옷 싹 베끼고 그런 건, 하던 놈들이나 하는 짓이란 얘깁니다." 다시 시신의 환영 사라지고, 하영 비어 있는 자리 보며 골몰해 있는 얼굴에서.

15 ___ ○○파출소 안 (1화. 씬30 동) / 낮

순경, 믹스커피 봉지로 휘휘 저은 종이컵을 하영이 앉아 있는 테이블에 내민다.

하영 감사합니다. (하며, 테이블에 놓인 각설탕 두 개 더 넣고 젓는)

순경 (보며 놀라고) 단걸 엄-청 좋아하시나 봐요?

하영 (무표정하게) 네. (하며 커피 입에 대면)

순경 (눈치 보며) 동부서 형사님들 바쁘시니까… 저희라도 엄-청 조사는 했는데-

하영 (알고 있다는 듯) 못 잡으셨을 거예요. 그 좀도둑.

순경 (멋쩍고) 전에 얘기해주신 동네 배달하는 애들도 싹 불러다가 조사했는데. 안 나오든데. 그래도 이놈이 긴장했는지 그 뒤론 잠잠해요. 순찰 빡세게 돌았거든요. 저희가.

하영 … 의심 가는 인물은 없었나요.

순경 음. 좀도둑도 좀도둑인데…

하영 ?

순경 하나 좀 꺼림직한 애가 있긴 했어요.

16 ___ 자금성 앞 (1화, 씬52 동) / 낮

신호등도 없는 좁은 횡단보도. 자금성 건너편에서 누군가를 기다리듯 가게 앞을 주시하고 있는 하영. 잠시 후, 배달 오토바이가 자금성 앞에 세워지고. 그 순간 하영이 자세를 고쳐 세우며 더 자세히 보려고 몇 걸음 다가간다.
누군가 자신을 지켜본다는 걸 모른 채 헬멧을 벗는 배달원. 제법 큰 키. 20대 초반에 노랗게 물들인 머리를 하고 있는데, 강무가 아니다. 그 위로,

순경e 그냥 애들이나 괴롭히면서 코 묻은 돈 뺏는 동네 양아치에요. 불러서 조사도 해보고, 알리바이는 다 확인했어요.

17 ___ ○○파출소 / 낮 (씬15에 이어)

하영 근데요?

순경 애가 빨간 모자를 쓰고 다녔어요.

하영 ?!, 빨간 모잔 잡혔습니다.

순경 그건 그런데, 우리야 일단 의심스러우니까 데려다 추궁은 해본 거죠. 순영댁이 그날 본 남자가 빨간 모잘 썼었다면서요.

하영 목격자 진술은 기밀 사항인데 어떻-(게, 알았냐는)

순경 아… 제가 순영이네 슈퍼 단골이라 그 아줌마랑 친해요. 아무래도 본 게 있으니까. 무섭다고 저한테 부탁하더라고요. 그래서 그 주변으로 순찰을 자주 돌았어요.

18 ___ 자금성 일각 / 낮

주위 눈치 보듯 살피며 서 있는 배달원과 하영.

배달원 그 모자 주운 거예요.

하영 (의심스럽게 보는데)

배달원 진짜예요

하영 니 또래들은 남이 버린 모자 막 주워서 쓰고 그래?

배달원 (퉁명스러운) 명품이니까 줍죠.

하영 (다시 의심스럽게 보면)

배달원 (짜증스러운) 훔친 거 아녜요. 피씨방 앞에 버려져 있길래 줏은 거에요.

하영 보여줄 수 있어?

배달원 버렸어요.

하영　??, 버렸다고?

배달원　(짜증스럽게) 씨-(발) 그거 땜에 파출소 왔다 갔다, 내 꺼 아니라고 해도 안 믿고, 뭔 삥 뜯지도 않은 애들 돈까지 삥 뜯었다 그러는데, 짱 나고 재수 옴 붙어서 버렸어요.

하영　(못 믿겠다는 듯 보면)

배달원　(짜증스럽게) 아 진짜예요.

하영　(보며) 키가 몇이야?

배달원　키요? 78이요.

하영　(그 말에, "(1화, 씬22) 여자마냥 작았어요" 하는 순영댁의 말을 떠올리는)

배달원　인제 가도 돼요?

하영　잠깐. (수첩에 1, 2, 3 써 보이며) 집집마다 문 옆에 이런 숫자가 있던데, 뭔지 알아?

배달원　(보더니) 번지수 아니고요? (아니라는 시늉에 껄렁하게) 그럼 모르죠, 저야.

하영　(다시 수첩을 넣으며 가라는 손짓)

배달원　(얼른 돌아서 가는)

19 ___ 동부서 강력반 사무실 / 낮

사무실 들어서는 막내. 박 반장에게 지문 조회 결과지 들고 오는.

막내　(결과지 보며) 우영동 사건, 사망한 원말숙 지문 말고는 없다는데요.

박 반장　뭐? 뭐야 이 새끼. (순간 "(1화, 씬22) 문! 현관문이 안 잠겨 있었어요" 하던 기훈의 말 떠올라 뭔가 찜찜한)

20 ___ 교도소 앞 / 낮

건물 앞 텅 빈 주차장에 진입해 차를 세우는 하영.

21 ___ 교도소 가족접견실 앞 / 낮

교도관에게 포박된 채, 교도소용 수갑을 차고 있는 양용철.
문 앞에 '가족접견실'이라 적힌 글자를 보며 묘한 기분을 느끼고.
그 위로,

영수e 범인이 잡힌다고 끝나는 게 아니라니까요.

22 ___ 분식집 / 낮

작은 분식집에서 라면을 기다리는 영수, 길표, 준식.

준식 잉?? 잡아 처넣었으면 됐지 뭘 더하?
영수 이놈들이 한 말이나 행동 같은 걸 기록해서 나중에 벌어질 범죄도 대비하고-
길표 (혼잣말) 대비 좋지. 대비. (먹으며) 뭐든지 꿈보다는 해몽. (하는데)
영수 (반찬 집어 먹으며) 아니라니까 거참…
길표 너 그 모냐, 범죄기록 파일도 쓸데없이 요청해서 잔뜩 쌓아두기만 하고, 그거 땜에 서울 31개 경찰서 직원들한테 백 과장님이랑 내가 평생 먹을 욕 한 방에 다 먹었어.
영수 (괜히) 해두면 다 쓸데가 있다니까.

길표 (통명) 언제, 뭘로.

영수 (더 할 말 없고, 도와달라는 눈빛으로 준식을 보면)

준식 그 김에… 강력사건들 정리 한 번 하고 좋았지 뭐… (테이블에 놓인 반찬들 먹으며) 근데… 뭐댕기면서 지 손으로 놈들 손목에 쇠고랑을 채워야 직성이 풀리는 게 형사들인데 프로파… 거시기를 그 적임자도 하겠다고 동의를 한 겨?

영수 (머뭇) 그런 걱정은 말고 만들어주기나 해요.

23 ___ 교도소 가족접견실 / 낮

양용철을 기다리고 앉아 있는 하영, 이내 교도관과 함께 접견실에 들어서는 양용철이 넓은 테이블과 소파가 놓여 있는 공간을 만족스럽게 둘러보며 앉는다.

양용철 (거드름 피우듯) 내 얘기가 쓸모가 있었나 보네. (보며 감이 온 듯) 또 일 났습니까.

하영 (!!, 보면)

양용철 (알겠다는 듯) 맻 층?

하영 (그건 왜?) 1층인데. 다른 집들도 의심이 갑니다. 그중에 2층도 있고.

양용철 그놈 문도 잘 따는 갑네. 담도 자~알 타고. 집이 젤 안전한 장소긴 하그든요.

하영 ?

양용철 걸릴 눈(일)이 없잖아요. 먹잇감이랑 내랑 딱 둘뿌인데.

하영 성폭행 흔적은 없었는데.

양용철 옷 싹 다 베껴야 스는 변태 새끼 같은데, 그게 그거지요. 형사님도 그래서 나 찾아오는 거 아입니까. (하다가) 내도 보이소, 주차장으로 끌고 갔다가 바로 걸렸잖아요. 하도- 꼴려서 안 하든 짓 했드니. (후회하는 표정으로) 하이튼 사람은 이- 매사가 계획적이어야 대.

하영 !, 왜 갑자기 계획에 없는 짓을 했습니까.

양용철 자신이 있었으니까.

/ins. 원말숙의 집 앞(씬13 동)

원말숙의 집 앞에 숫자 표식이 없음을 확인하는 하영.

하영 그럼 절도나 강도 전과 있는 놈들부터 뒤져보는 건?

양용철 (거만하게) 머 것도 방법이긴 하네.

하영 (일어서려고 교도관에게 사인 하면)

양용철 (아쉬운) 벌써 갈라구요?

하영 (보는)

양용철 금마 그거 분명히 (머리 가리키며) 문제 있어요. 옷 베끼는 데 한 맺힌 놈. (하다가 진지하게) 형사님. 또 올 겁니까?

하영 (무슨 소린가 보면)

양용철 (뻔뻔하게) 내 천애 고아로 자라서 영치금 넣어주는 사람 하나 없었는데, 한 번 맛보니까 그게 또 쏠쏠하대요?

하영 (까칠) 천애 고아… 밥상머리 아버지 훈육 얘기, 아직 튄 침도 안 말랐어요.

양용철 아 그야 달리 호칭이 없어서 그래 불렀지여. 그기 모, 아부진가. 지 자식 고아원에 처넣고. 죽었는지 살았는지. 그 기억이 답니다. 나한테 아부지란 인간은.

하영, 눈빛 매섭게 바뀌고, 양용철은 그러거나 말거나 하영을 빤

히 보는.[3]

24 ___ 동부서 강력반 사무실 / 낮

박 반장, 또 하영에게 노발대발 중이다.

박 반장 너 기어코 양용철이 그 새끼 찾아간 것도 모자라서 영치금까지 넣었어?!! 아 나 진짜 망신스러워서!!

막내 (도리질하며 혼잣말) 바람 잘 날 없는 강력반이여…

박 반장 (짜증이 잔뜩) 다 된 밥에 재 뿌리는 게 목적이야? 양용철을 대체 왜 자꾸 만나고 다니는데!!

하영 (태연하게) 범인 마음. 범인이 더 잘 알고 있습니다.

박 반장 (어이없는) 뭐? 막내야, 얘 지금 뭐라는 거냐?

막내 (눈치만 보는)…

하영 그 심리가 궁금합니다.

박 반장 얼씨구?! 야 막내야!!! (막내 움찔) 이게 지금 형사라는 놈이 처할 소리라고 보냐?!

막내 (여전히 눈치만 보는데)

박 반장 아주 지랄을 하네!! 너 내가 뻘짓하지 말라고 경고했지! 문 형사 그게 왜 니가 양용철한테 영치금을 넣어주냐고 묻잖아! 양용철이 그 새끼가 지금 신이 나서 떠벌리고 다닌대!!! 형사가! 씨발!!! 니가! 계속 찾아와서 자기한테 조.언.을! 구한다고!

하영 (그러거나 말거나 표정 하나 바뀌지 않고) 양용철이 하는 말들, 일리

3 정이 그리운 듯 짠함과 어색함이 공존하면서도, 이내 그 감정이 익숙하지 않아 악당의 기질을 숨기지 못하는, 묘하고 복합적인 감정 뒤섞인.

가 있어요.

박 반장 (또 더 크게) 막내야! 얘 지금 내 말 안 듣고 있는 거 맞냐?

막내 …

박 반장 미쳤구나 드디어?

하영 …

박 반장 (애써 차분히) 뭐, 그래. 범인 마음은 범인이 안다 치고. 그래서?

하영 잡아야죠.

박 반장 (막 웃다가) 뭘?

하영 진짜 범인을.

막내 (헐!! 박 반장이 또 흥분할까 봐 눈치 살피는)

박 반장 너 이거 나에 대한 도전이라고 받아들여도 되겠어?

하영 (이해 안 간다) 무슨 말씀이십니까.

박 반장 내가 잡아넣은 범인을, 범인이 아니라고 다시 쑤시고 다니는 거! 이거!!

하영 그게 아니라, 이번 사건이랑 분명 연관이 있을-

박 반장 너 그러다가 양용철이가 쓸데없는 잡소리라도 떠벌리면 그땐 어쩔 건데! 어?! 형사들 얼굴에 먹칠하는 건 둘째 치고! 윗분들 귀에 들어가기라도 하면 어쩔 건데! 그 책임 누가 져야 되는데!!

하영 (당연하다는 듯) 제가 지겠습니다.

박 반장 허!!! 이거 진짜 주제만 모르는 줄 알았더니 분수도 모르네. 니가 무슨 책임을 져? 니가 뭔데 책임을 져! (비꼬는) 책임질 깜냥 되는 놈이라 여기로 잘도 쫓겨 왔지?!!

하영 만일 진짜 범인이 따로 있는 거라면… 방기훈 인생은 누가 책임 집니까. (빤히 보는)

박 반장 (주춤, 뜨끔, 건드렸다) 이 새끼가 진짜…!

막내 (눈치만 보다가 드디어 자리에서 일어나서 박 반장을 말리는)

박 반장 (참는다, 숨 고르고) 차라리 니가 범인 해. 범인 마음 범인이 잘 안

다 싫으면, 니가 범인이 돼 봐. 양용철이 그 쓰레기 같은 새끼 설록 놀이 하게 하지 말고!!! (그냥 확!) 내가 너 확!! 잡아 처넣을라니까!

하영 (눈 하나 깜빡 않는) 방기훈 사건이랑 이번 원말숙 사건, 같은 놈일 겁니다. 게다가 더 대범해졌어요. 여기서 멈추지 않을 겁니다.

박 반장 (옆 팀 눈치 슬쩍 살피며) 너 내 말귀 못 알아들었어?

하영 알몸으로 전시하는 건, 그놈이 못 버리는 습성입니다.

박 반장 (막내 보며) 야!!! 나 지금 누구랑 대화하고 있냐니까?!!

막내, 우물쭈물 난처하고, 박 반장은 머리 쥐어뜯으며 미치겠는 얼굴인데.

하영 (표정 하나 변하지 않는 채로 단호한) 반드시 잡을 겁니다. 그놈.

25 ___ 하영의 방 / 밤

책상머리[4]에서 밤새 용의자 추정해보는 하영. '성적 트라우마? 주거 침입? 강도 전과? 하지만…신원 조회 안 됨' 등을 짧은 연필로 끄적인다.
창문 위의 십자고상이 마치 그런 하영을 지켜보는 듯 잠시 비춰지고.

하영na 수법은 같아 보이는데 이번 범행에는 표식이 없다. 더 대범해진 걸

4 깔끔하게 정리된 자리. 한쪽에 몽당연필 몇 자루 굴러다니고, 읽다 만 듯 밀어둔 『마음의 사냥꾼』은 3분의 1 지점쯤 책갈피 꽂혀 놓여 있다.

까. 아니면 정말 다른 놈일까. (풀리지 않는 숙제처럼 머리 복잡하고)

26 ___ 동부서 강력반 사무실 / 낮

서울의 강도, 강간 전과자 리스트를 손에 든 하영. 보는데, 엄청난 분량. 자리에서 형광펜 칠해가며 그걸 다시 광진구 · 성동구 일대 거주자들로만 추린다.
박 반장, 제 자리에 앉아 그런 하영을 못마땅한 듯 힐끔 보기만.

하영　(막내에게) 원말숙 사건. 용의자 군부터 일단 좁혀봤어.
박 반장　(쓱 보는)
막내　(박 반장 눈치 보는) 이게 다 뭔데요?
하영　주거 침입에 능숙한 놈들. 잠금 문 따위 손쉽게 따는. 지난번 최화연 집에서도 일자형 열쇠 구멍에 뭔가에 긁힌 자국 있었던 거 기억하지?
막내　(하영의 말에 귀 기울이면서도 박 반장의 눈치 계속 보는 중인)
하영　강제로 딸 때 생긴 거야. (씬13의 문손잡이 찍은 사진 내미는데 일자형 열쇠 구멍에 스크래치 보인다) 봐, 이번에도 있어.
막내　(끄덕이며 보다가) 이 정도 기술은 너무 흔하잖아요.
박 반장　(계속 아닌 척 하영을 지켜보는 중이고)
하영　그중에 배달 일 해본 놈들로 다시 추릴 거야.
막내　배달이요?
하영　도둑맞은 집을 포함한 대부분이 가구원 수가 표기돼 있어. (집집마다 표기된 숫자 사진 보이며) 이 숫자들. 놈의 짓이야. 그걸 알 수 있으려면-
막내　!, 배달? (그럴듯하다)

하영 (끄덕이다가 지도 펼치며) 방기훈 사건은 대봉동 214-2, 최근 사건은 우영동 712. 멀지 않은 거리니까 두 지역을 기점으로 거주 반경을 좁혀서 용의자 군을 만들 거야.

막내 (그럴싸한 제안에 박 반장을 힐끔 보면)

박 반장 (둘을 지켜보던 시선 피하며 모른 척)

27 ___ 주택가 골목 + 집 앞 / 낮

주택가 골목. 하영이 형광펜으로 표시해둔 주소지들의 프린트물 들고 있다.
프린트물 주소지와 주택가 즐비한 집들의 주소지를 비교해가며 찾는 하영과 막내.
마침내 두 사람이 우영동 267 번지수 붙은 집 앞에 선다. 잠시 서로를 마주 보다가 따로 벨이 없는 철문을 두드리고. 안에서 "누구세요" 투박한 남자 목소리 들리면, 하영과 막내, 대답 없이 서 있는데. 기다려도 안에서는 나오려는 기미 안 보이자,
하영이 다시 문 두드린다. 그 소리에 짜증 섞인 투로 "누구냐니까!" 하며 슬리퍼 끌고 나오는 용의자1. 문 앞에 있는 하영과 막내를 보더니, 경계하는 눈빛으로 바뀌는.

하영 동부경찰서 강력반 송하영 형삽니다.

용의자1 (괜히 뒤로 주춤 물러서는) 왜요? 나 죄진 거 없는데.

하영 알리바이만 확인하면 됩니다. 그것만 확인하고 갈-(하는데)

용의자1 열심히 사는 사람한테 밑도 끝도 없이 꺼떡 하면 찾아와서 이따구로 죄인 취급하지 씨발. (못마땅한 얼굴로 침 카악- 뱉는 남자의 얼굴에서)

28 ___ 몽타주 (여러 주택가 골목 + 집 앞) / 낮

- 다른 주택가 골목, 또다시 프린트 주소지를 대조하며 찾고 있는 하영과 막내. 벌써 여럿 이름에 가로줄 그어져 있다.
- 이번에도 한 집 앞에 멈춰, 문을 두드리는 하영. 잠시 후, 안에서 남자가 나오는데, 이번에는 어리숙해 보이는 얼굴. 집주인이 따라 나와 질문에 답하며 알리바이를 확인해주는 듯 고개를 끄덕인다.
- 또 다른 집 앞. 덥수룩한 수염의 용의자3. 문틈으로 빼꼼 얼굴을 내민다. 하영과 막내가, 문이 닫히지 않도록 발을 문 사이에 끼워 대화하는 모습. 용의자3, 고개를 가로젓는.
- 팬티 바람으로 게으르게 나오는 뚱뚱한 남자.
- 지친 듯 걷는 하영과 막내의 뒷모습에서.

29 ___ 교도소 외경 / 낮

30 ___ 교도소 가족접견실 / 낮

마주 앉아 있는 하영과 양용철. 반가운 기색 애써 숨기고.

하영　찾다 보니 전과가 있는 놈들이면 지문이 나와야 되는데, 조회가 안 돼요.

양용철　(딴소리) 그거 몇 푼 넣어주고 퉁 칠라고요? 꽁짜 너무 좋아하시는 거 아입니까? 궁금하면 계속 사용료 지불하는 게 상도죠. 세상에 꽁짜가 어딨답니까. (하는데)

하영 (다시 양용철을 매서운 눈으로 보다가… 경고하듯, 반말) 까불지 마.

양용철 (놀란, 태연한 척) 까부는 거 아닌데요. 내가 꽁짜로 물라다가 이래 된 거 아임니까.

하영 (빤히 보기만)

양용철 (하는 수 없다는 듯 거들먹) 거 말 섭하게 하시네. 머, 그럼 그만 들어가 보이소.

하영 양용철. 까불지 마. 진짜로.

양용철 (괜히 더) 와, 저는 형사님 질문에 대답한 거밖에 더 있습니까? 내닌깐 이래 얘기해주지, 어디 딴 쌔끼들은 절대 안 해줍니다. 지들꺼 다 뽀록나는데 만다 해줍니까.

하영 (무시하고 나가려는데)

양용철 하, 참… (아쉬워 마지못해) 알았어요, 알았어. 내 고새 정이 들어버렸는가.

하영 (보면)

양용철 (둘러보며) 가족접견실. (사이) 이런 데서 자-꾸 보니까-

하영 (다시 무시하고 나가려는데)

양용철 아 거 되-게 무섭네.

하영 (나가려다) 마지막 경고야. 선 넘지 마.

양용철 진심을 이렇게 몰라주고 말이지.

하영 (듣기 싫은 듯 다시 나가려고 하면)

양용철 (OL) 이거 하난 분명해요. 한번 맛본 놈들은 절대 그거 못 끊습니다.

하영 (돌아보는)

양용철 금마 못 잡으면- (의미심장하게) 또 일 납니다.

하영 (생각에 빠진 듯 잠시 보다가, 나가면)

양용철 형사님 또 올 겁니-(까? 하려는데, 문 쾅 닫힌다)

31 ___ 교도소 가족접견실 앞 / 낮

접견실에서 나온 양용철. 교도관에게 한 팔 포박된 채로 문 앞에 '가족접견실' 적힌 글자를 돌아보며 훗- 씁쓸한 미소 짓는다.

32 ___ 하영의 차 안 (도로) / 낮

운전 중인 하영. 생각이 다른 데 가 있고. '(씬30의) 한번 맛본 놈들은 절대 그거 못 끊습니다' 하는 양용철의 말 떠올린다. 그 바람에 멈춰선 신호 놓치고, 끼익- 급브레이크 밟는 하영! 쿵- 소리에 보면 이미 앞차와 박았고.
운전자가 내리려는 듯, 운전석 문이 열리는 그 위로.

33 ___ 동부서 강력반 사무실 / 낮

문신 남 어린 노무 쉐끼가!!

험상궂은 얼굴로 씩씩대는 제법 덩치 큰 문신 남 하나가 막내 앞에 앉아 있다.
그 옆으로 문신 남의 덩치에 가려진 20대 여성. 문신 남의 여자 친구다. 겁먹은 얼굴.

문신 남 어디 할 짓이 없어서!! 겁대가리도 없이 벌건 대낮에 쳐들어와!

문신 남이 시선을 둔 곳 보면, (모자에) 정리 안 된 눌린 머리를 하

고 어리숙한 표정으로 고개 푹 숙인 채 앉아 있는 강무. (→ 모자는 없다)

막내 그러니까, 그쪽 여자 친구분이 자고 있는데 문을 따다 걸렸다 이거죠?

20대 여 (겁먹은 얼굴로 끄덕이기만)

문신 남 (대신 답하는) 네.

막내 여기로 오실 게 아니라…

문신 남 (OL, 답답한) 글쎄 저 새끼 저거 주머니에 칼 있다니까요.

막내 (강무를 보는데)

박 반장 (신경 쓰지 않고 앉아 있다가 그 말에 잠시 강무 보는)

강무 (주머니를 손으로 움켜쥐고)

문신 남 (막내 보며) 내가 그때 안 들어갔으면 우리 영숙이 죽을 뻔했어요. (강무 째려보는) 저 새끼한테! (하다가 버럭) 너 그거 살인 미수야 이 새끼야!

박 반장 (자리에서 듣다가) 아이참. 거, 소리치지 마시고요. (강무 향해) 너 꺼내봐. 주머니에 있는 거.

강무 (우물쭈물)

박 반장 (호통) 꺼내 빨리.

강무 (꺼내 올리는데, 칼이 아닌 가위다) 잘못했습니다…

문신 남 (가위 보자마자 흥분하고) 너 이 새끼!!!

박 반장 (다시) 저기요! 언성 높이지 마시라고요.

문신 남 (꾹 참는, 못마땅한)

박 반장 (강무 보며) 너 그거 왜 들고 다녀.

강무 … (고개만 숙인 채로) 잘못했습니다… (반복하는)

그때 사무실로 돌아온 하영. 그 모습을 보는.

하영 (막내에게) 뭐야?

막내 (한숨 푹) 주거 침입이요.

문신 남 살인 미수라니까요!!! 저 새끼 흉기까지 들고 있잖아요!

박 반장 (하다가 골치 아픈 듯) 그거(가위), 증거물로 접수해.

cut to

자리에 앉아 강무 조서 작성하는 막내. 하영은 맞은편에 앉아 제 할 일 중이다.

막내 이름.

강무 (기어들어가는 소리로) 조…강무여…

막내 (재확인) 조. 강. 무. (사이) 나이.

강무 열여덟 살…

막내 (강무 보며) 민증 줘봐.

강무 … 아직 생일 안 지나서 없어요.

하영, 그 말에 뭔가 이상함을 느끼고 강무를 힐끔.

막내 (한 대 쥐어박고) 머리에 피도 안 마른 쉐끼가. (자판 치며) 그 집엔 어떻게 들어갔어.

강무 그냥 문 따서…

막내 그러니까 어떻게. (우물쭈물하는 강무 보며, 다그치는) 어떻게 문을 땄냐고.

강무 … 가위로요…

!!, 강무를 다시 보는 하영.

막내 (잔소리하듯) 하라는 공부는 안 하고, 가위로 문 따는 건 어디서 배웠어.

강무 그냥…

하영 (뭔가 쎄한 기분 드는, 강무 눌린 머리 보며 대뜸) 머린 왜 그래?

강무 (고개 들고 하영 보며) 네?

하영 (모자 라인 따라 눌린 머리 가리키며) 모자 썼던 거 아니야? 그래서 눌린 거 같은데.

강무 (우물쭈물, 머리 모양 추스르며) …아…네.

하영 (주위 보며) 모잔 어딨는데?

강무 (의아한) 네?

하영 모자 어딨냐고. 니가 쓰던 거.

막내 (뭐 하는 건가 싶어 하영을 보는)

강무 … 여기 오다가 잃어버렸는데요.

하영 (뭔가 이상하다)

막내 으이그 이 칠칠맞은 놈아.

하영 (강무 보며) 너 잠깐 일어나 봐.

막내/박 반장?? (왜 그러나 싶어 보는)

강무 (주춤 일어서면, 170이 안 되는 작은 키)

하영 (보며, 고개를 갸웃) 키가 몇이야?

강무 167이요.

막내 (피식 웃는) 저렇게 말하면 165 겨우 된단 얘기예요.

강무 (발끈) 아닌데요. 67 맞는데요.

막내 (우기지 마라) 나랑 서볼까? 내가 75니까 십 센치 딱 차이 나면 인정해줄게.

강무 75라고 하면 70 겨우 넘던데…

막내 (강무 쥐어박는) 이 새끼가…

박 반장 (버럭) 뭐하냐! 노냐?

막내/강무 (다시 멋쩍게 앉으면)

하영 (다시 제 할 일 하는 시늉 보이다가 무심히) 얘 지문 조회 결과는 내일이면 나오지?

막내 (어리둥절) 네?

하영 (일부러) 가위. 증거물 접수했잖아.

막내 아, 그거 아(직- 하려는데)

하영 (OL, 괜히) 내일이면 나오잖아. 지문 감식 결과. (하며 강무 보는)

박 반장 (하영의 행동 의아하게 지켜보는)

강무 (그 말에 잠시 불안한 기색 비치고)

하영 그치?

막내 (어리둥절한데, 일단 맞춰주는) 아… 네. 나오죠. 내일이면. 바로.

강무 !! (애써 놀라는 표정 감추고)

하영 (순간 강무의 표정 캐치하는)

막내 (다시) 집 주소 뭐야.

강무 (정신이 딴 데 간 듯 우물쭈물)

막내 (재차, 버럭) 주소오-!

34 ___ 취조실 / 낮

강무와 마주 앉은 하영. A4 용지 한 장과 모나미 볼펜 한 자루를 강무에게 내민다.

하영 아까 그 집에는 왜, 어떻게 들어갔는지 자세히 적어.

강무 그냥, 아무도 없는 줄 알고 들어갔어요.

하영 적기만 해. 대답은 내가 묻는 말에만 하고.

강무 (우물쭈물 적기 시작하면)

하영　　최대한 자세히 써. (취조실 밖으로 잠시 나가는)

35 ___ 취조실 문 앞 / 낮

하영, 통유리 너머 보이는 강무를 지켜보는데, 긴장한 듯 볼펜만 딱딱거리고 있다.

36 ___ 동부서 강력반 사무실 / 낮

박 반장　방기훈 사건 때, 빨간 모자 목격자 진술에서 키가 작다고 했었나?

막내　　예. 근데 설마 재겠어요? 아직 머리에 피도 안 마른 앤데.

박 반장　(심상치 않음을 감지한)

하영　　(그때 사무실 들어서는) 오기 전에 모자 쓰고 있었는지 피해자한테 확인 좀 해줘.

막내　　예? 예.

하영　　그리고 여기까지 오는 동선에 버려진 모자 있는지도 확인 좀 해줄래?

막내　　(박 반장 눈치 보는데)

박 반장　(퉁명스럽게) 가봐.

막내　　(자리에서 일어서고)

하영　　(사무실을 나가 다시 취조실로 향하면)

박 반장　(전화 수화기 들고) 동부선데, 지금 증거물 하나 접수할 거야. 지문 감식 좀 해줘. (부탁) 급한 껀이니까 최대한 빨리. (하며 끊고, 가위 접수하라는 고갯짓)

막내　　(그런 박 반장을 의외라는 듯 보며 가위 챙겨 나가는)

37 ___ 동부서 복도 / 낮

꼬부랑 할머니가 마주치는 사람마다, "우리 강무 어딨습니까" 묻는데, 형사들 건성으로 모르겠다는 고갯짓만 한다. 취조실로 향하던 하영이 그런 강무의 할머니를 보는.

38 ___ 취조실 / 낮

마주 앉아 있는 하영과 강무인데. 강무, 여전히 어리숙한 얼굴을 하고 있다.

하영 지금 니가 한 짓, 심각한 범죄야. 가위로 문을 따다가 현장에서 걸렸는데, 그게 살인 흉기도 될 수 있었어.

강무 !, 그냥 가윈데요.

하영 가위로도 얼마든지 찌를 수 있으니까.

강무 … (눈치 보다가) 사람을 어떻게 찔러요. 끔찍하게.

하영 (의미심장하게) 끔찍해?

강무 … 네.

하영 찌르는 게 끔찍한 거야, 사람을 죽이는 게 끔찍한 거야?

강무 (??, 보며) 당연히 (고르려다가, 멈칫) 둘 다죠.

하영 (본다. 보다가) 그렇게 남의 집에 몰래 들어간 게 몇 번이나 돼?

강무 이번이 처음인데요.

하영 너 담도 탈 줄 알지? 터는 애들 보니까 3층까진 거뜬하던데. (괜히) 젊어서 그런가 기운들도 좋아.

강무 (적으며, 태연하게) 배관 타면 쉬워요. (하다가 !!, 찔린 듯 멈칫)

하영 배관도 타봤어? 이전에 턴 집은? 몇 층이었는데?

강무 …

하영 처음 아닌 거 알아. 뒤늦게 밝혀지면, 좀도둑이라도 죗값이 더 무거워지니까 이렇게 말할 수 있을 때 다 털어놔. 그게 널 위해 좋아.

강무 (생각하는 듯 망설이다가) 1층이요.

하영 2층은?

강무 …

하영 어떤 집이었는지 기억나?

강무 …

하영 솔직하게 다 적어야 정상참작이 돼.

강무 그냥 평범한 주택이었어요.

하영 그 집엔 사람이 없었나 보네? 안 걸린 걸 보니까.

강무 (머뭇) 네. (괜히 뭔가 적는 척하며) 사람 있는 집은 안 털죠.

하영 (강무 하영의 질문에 넘어오는 듯 보이고) 그렇게 들어갔는데 만약에 사람이 있으면?

강무 (적으며) 뭐 그냥…

하영 한 번도 걸린 적이 없었어? 오늘 말곤?

강무 네. (하다가 뜨끔 보면)

하영 (그럴 줄 알았다는) 다 적어. 지금까지 몰래 들어갔던 집들, 싹 다.

강무 (불안한 기색) 적을 거구요. 자꾸 말 시키니까 헷갈리거든요.

하영 (알았다는 듯 보기만)

그렇게 한참을 강무가 적어 내려가는 걸 지켜보는 하영의 모습에서.

/ins. 동네 일각

골목을 되짚어 걸으며 모자가 떨어져 있는지 주변을 살피는 막내.

저만치 전봇대 사이에 남색 야구 모자 하나 끼워져 있는 걸 본다.

하영 (다시 질문을 시작하는) 할머니랑은 언제부터 단둘이 살았어?

강무 (멈칫) 우리 할머니랑 통화했어요?

하영 미성년자니까 보호자한테 연락해야 되는 건 의무야.

강무 (짜증스럽게 머리를 털며) 아, 씨…

하영 (다시) 할머니랑은 언제부터 단둘이 살았냐고.

강무 (퉁명스럽게) 10살 때부터요.

하영 부모님은.

강무 (짜증스럽게) 연락 안 해요.

하영 두 분 다?

강무 (끄적이며) 네.

하영 이혼하신 거야?

강무 (짜증스러운 한숨, 답하기 싫은) 몰라요. 엄만 도망갔고, 아빤 집 나갔어요. (하다가 보며) 우리 할머니 여기 오셨어요?

하영 왜. 걱정하실까 봐?

강무 (다시 짜증스럽게 머릴 긁적이며 한숨) 아이 씨-

그때, 막내가 취조실로 들어와 조심스럽게 하영을 문밖으로 불러낸다.

39 ___ 취조실 문 앞 / 낮

막내, 남색 야구 모자 들고 있다.

막내 (건네며) 모르고 떨어뜨린 거 아니던데요.

하영　(받아 들어 보며)?

막내　전봇대 뒤에 껴 있더라고요.

하영　이거 비싼 거지?

막내　네?

하영　(모자 라벨 가리키는데, 씬18에서 언급한 것과 같은) 그 브랜드.

막내　아, 예. 꽤 할 걸요. 왜 뭐 있어요? (조심스레) 설마… 방기훈 사건?

하영　(말을 아끼듯) 아까 말한 지문, 바로 감식 요청 넣어줘.

막내　긴급으로 넣었어요. (하영, 알았다는 듯 돌아서는데) 박 반장님이.

하영　(의외다 싶은 얼굴로 잠시 막내 돌아보고 들어가는)

40 ___ 취조실 / 낮

하영　(앉으며 모자 내밀어 보이는) 이거야?

강무　! (당황하는데)

하영　맞지 이거?

강무　… 네.

하영　비싼 건데 간수 잘 해야지.

강무　고맙습니다. (얼른 모자 집어 의자에 내려두고 다시 뭔가 쓰려고, 종이에 시선 두는)

하영　어디서 샀어?

강무　모자요?

하영　응.

강무　(대답 회피하는) 기억 안 나요.

하영　(알아차리고) 기억이 안 난다고?

강무　네. (다시 쓰는 척 종이로 시선) 오래돼서 기억 안 나요.

하영　언제 샀는데?

강무 몰라요. 오래됐어요.

하영 (강무 지켜보다가) 모자 좋아하나 보네.

강무 (시선 안 마주치려고 뭐라도 쓰는 척하며, 볼펜으로 찍찍 긋기를 반복) 네.

하영 (그런 강무 보며) 턴 집마다 번호 매겨서 새로 써.

강무 (우물쭈물하면)

하영 지금 쓴 건 1번. 그 아래로 적는 건 2번.

강무 (그 말에 바로 아래 숫자 '2' 적는데, 꼬리를 물결로 그리는)

하영 (숫자 보며) 그렇구나. (다시 강무 보는) 그럼 그런(비싼) 모자 많겠네.

강무 하나밖에 없어요. 비싼 거라서.

하영 할머니랑 둘이 사는데, 용돈 빠듯하겠다. 비싼 모자 사려면.

강무 (할머니 얘기에 보며, 툭) 용돈 안 받아요. 제가 번 돈으로 사요.

하영 알바 같은 거 하나 보지?

강무 네.

하영 알바까지 하는데도 도둑질을 했어?

강무 … (할 말이 없는데, 짜증은 나고)

하영 용돈이 모자라서?

강무 (계속되는 질문이 귀찮은) 아(씨) 심심해서요.

하영 (헐) 심심해서?

강무 (잠시 당황하면서도 뻔뻔한) 그냥 재미 삼아서 몇 번 그런 거예요. 사춘기에 한 번씩 남에 꺼 훔치고 그러잖아요. 이제 안 할게요. 네? 저 진짜 다시 도둑질 안 한다는 약속하고, 인제 집에 가면 안 돼요? 진짜 다시는 안 할게요. 저 좀 그냥 보내주세요.

하영 그건 안 돼. 아까 들었잖아. 살인 미수도 될 수 있다는 거.

강무 (짜증 팍! 발길질) 이게 무슨 살인 미수예요- 그냥 돈이나 좀 훔치려고 한 건데. 걸리는 바람에 정작 훔친 것도 없잖아요.

하영 흉기 소지는 단순 도둑질이 아니라, 특수절도에 속해. 징역 10년까지 처벌될 수 있는 중범죄란 얘기야. 거기다가 오늘만 한 게 아니라며.

강무 (말렸다, 짜증)…

하영 그동안 얼마나 훔쳤는지, 훔친 돈이랑 물건들은 어디에 어떻게 썼는지, 다 알아야 돼. 그러니까, 언제, 어느 집을, 몇 시에, 어떻게 들어가서, 뭘 훔쳤는지 꼼꼼히 적어.

강무 (한숨) 솔직히 애들 겁주면서 돈 뺏는 거보단 낫잖아요. 빈집이나 터는 게.

하영 (보며) 그렇게 생각해?

강무 동네에 그런 애들 천진데 걔네들한텐 이렇게까지 안 하잖아요.

하영 너희 할머니도 그렇게 생각하실까?

강무 (차마 대답하지 못하고 조용해지는)

하영 적어 얼른.

강무 (다시 적는 시늉하는데)

하영 (쓱 보며) 니네 또래들은 주로 무슨 알바를 해?

강무 (짜증) 적으라는 거예요, 말라는 거예요? 저 그냥 묵비권 행사해도 돼요?

하영 (훗) 뭐 그건 니 마음인데.

강무 자꾸 질문하는 거 짜증 나서요.

하영 그게 너한테 더 불리할 수도 있어.

강무 (잠시 고민하는)

하영 (의미심장하게) 차후. (사이, 일부러 강조하는) '모든' 범행 사실이 수사에 의해서 밝혀질 경우 (강무, 긴장하고) 더 가혹한 처벌을 받을 수도 있다는 얘기야.

강무 (망설이다가 끝내) 배달도 하고…

하영 !

강무 (모른 채) 서빙도 하고…그랬어요.

하영 (그 말에 대뜸, 쓰던 종이 뒤집는다. 다시 백지) 내가 부르는 숫자 받아 적어. (도둑맞은 집들에 표기된 숫자 차례로 부른다) 이(2), 이십이(22), 이십삼(23), 다시 이(2).

강무 (차례로 받아 적는데, 전부 2의 꼬리가 물결) 뭐에요. 이게?

하영 (물결 꼬리에 확신하는) 뭔지 알 텐데.

강무 ?

하영 잘 봐.

강무 (별생각 없이 보고 있으면)

하영 대봉동 214-2는 이(2). (사이) 여자 혼자 사는 집. (하며 강무 표정 응시하면)

순간 당황한 강무. 눈을 수차례 빠르게 깜빡이는데.[5] 하영이 그 순간을 캐치한다.

강무 (애써 태연한 척) 그게 뭐요.

하영 (1화, 씬36. 현관문 옆 숫자 사진들 보여주는데, 강무 필체와 비교해보면 똑같은)

강무 (사진 보더니 불안함에 다리를 떨기 시작. 테이블이 작게 흔들리는) 뭔데요, 이게.

하영 숫자 2는 성인 여자, 3은 어린아이, 1은- (하는데)

강무 (테이블 좀 더 크게 흔들리는)

하영 (그런 강무를 보며) 성인 남자. (흔들리는 눈빛에 확신하는) 불안해?

강무 (당황해 다리 떠는 걸 멈추고) 뭐가요.

---

5 눈 깜빡임은 긴장과 불안을 느낄 때 하는 행동.

하영　(단호한) 조강무. 재미로 도둑질을 한 거 치곤 너무 치밀했어.

피해자 원말숙의 사진(1화, 씬59의)을 강무에게 보이는 하영.
강무, 사진을 보며 당황한 기색 역력하고.
하영, 그 모습에 빠르게 최화연의 사진을 하나 더 내밀어 보인다.

하영　두 사람 다, 알지?
강무　(시신 사진을 보고도 놀라는 대신 애써 시선을 피하는) 모르는데요.
하영　우리한테 살인 사건 현장에서 발견한 지문이 있어.
강무　(찔리는지 움찔한다) 그걸 왜 저한테 말해요.
하영　내일 아침이면, 그게 니 지문과 일치한다는 결과가 나올 거거든.
강무　!!!
하영　옷은 왜 그랬어.
강무　(머뭇대다가 참담한 듯) 그 새끼가 하던 짓이었는데…
하영　그 새끼…?
강무　…(내키지 않는) 아빠요…

/ins. 과거
강무父, 불같이 화를 내며 알몸의 강무母를 문밖으로 내쫓으면, 강무母가 두려움에 떨며 부끄러운 듯 웅크리고 앉는다. 어린 강무, 공포 어린 시선으로 그 모습 지켜보는.

강무　… 씨(발-) 멍청하게 당하고만 있는 거 볼 때마다 (증오하는) 짜증 났어요.
하영　(빤히 보기만)
강무　(그런 하영 보며 의심스럽게) 진짜 있는 거 맞아요? 내 지문? (하는데서)

/ins.

- 버스정류장 앞(1화, 씬5), 버스에서 내려 신문으로 머리를 덮고 내려 뛰기 시작하는 화연을 뒤따르는 빨간 모자 쓴 강무.
- 다세대 주택가(1화, 씬6), 화연을 쫓으며 '순영이네 슈퍼'를 지나는 강무. 그때, 셔터를 내리던 순영댁이 철퍽철퍽 걷는 강무를 잠시 돌아본다. 기척을 느낀 화연도 뛰다 말고 강무를 돌아보면, 의식한 듯 방향을 바꾸는 강무.
- 화연의 집 + 문 앞, 긴 소매를 손끝까지 내려 쥔 강무. 지문이 묻어나지 않게 화연의 집 현관문을 잡고 가위로 돌려 따고 있다.
- 화연의 집 + 내부 (→ 1화, 씬9. 강무의 시선으로)

  샤워 중인 화연. 욕실 밖으로 물소리 들린다. 집 안에 들어온 강무[6]가 아무도 없는 내부를 조심스럽게 둘러보고 있는데. 기훈이 문 두드리는 소리에 놀라 재빠르게 커튼에 가려진 행거 안으로 몸을 숨긴다. (→ 이때, 행거 기둥 잡느라 지문이 남는다) 강무, 긴장한 채 커튼 틈 사이로 침대에 앉아 있는 기훈을 보면, 화연이 나오길 기다리며 바닥의 물기를 보고 수건으로 닦는다. 이내 욕실 문이 열리자, 기훈이 냉장고 뒤로 몸을 숨기고. 샤워를 마치고 나온 화연은 아무것도 모른 채 가스레인지에 냄비 물을 올리는 그때! 기훈이 냉장고에 붙어 있던 마그넷을 툭 떨어뜨린다. 그 바람에 기훈, 화연, 강무! 동시에 놀라는 모습 보이면서, 컷 튀고!

  커튼 밖으로 들리는 화연의 목소리.

화연　　번번이 포장마차 얘기 나올 때마다 민감해져서 이러는 거, 자격지

6　젖은 옷에서 빗물이 조금씩 떨어지는.

심처럼 보여.

기훈 (자존심 건드렸다. 발끈) 뭐?!!

이어, 기훈이 벽을 치는 쿵! 소리와 함께 "자기야!" 하며 기훈을 부르는 화연 목소리 연이어 들린다. 현관문 쾅! 닫히면서 집 안의 정적이 이어지다가.
잠시 나갔던 화연이 들어오며, 다시 문 잠그는 소리 들린다.
커튼 틈 사이로 화연을 보는 강무. 슬그머니 몸을 일으켜 커튼 밖으로 나가고.
소리를 죽여 화연에게 천천히… 다가간다.
라면 봉지 뜯으려다 먹기를 포기하는 화연. 물 끓는 냄비에 불을 끄려는 그 순간!!
덥석!! 화연의 입을 틀어막으며 달려드는 강무의 모습에서!!

41 ___ 교도소 수감실 / 저녁

교도관이 기훈에게 우편 봉투 건네면, 그 자리에서 기대 어린 표정으로 서둘러 뜯어보는 기훈의 표정이 참담하게 바뀐다. 망연자실한 얼굴로 서류[7] 쥔 손, 힘없이 떨구는.

42 ___ 취조실 / 밤

7 서울지방법원이라 쓰인 문서 맨 아래 '피고인의 항소를 기각한다'는 내용.

그제야 강무의 손에 수갑을 채우는 하영.

강무 (표정 어둡다가) 거짓말했죠. 나한테.

하영 무슨 거짓말. (왜 그런가 싶어 보면)

강무 분명히 다 지웠는데…

/ins. 강무의 회상 (1화. 씬9에 이어지는)

화연의 집. 욕실 두루마리 화장지 잔뜩 뜯는 강무가 벌거벗은 화연의 시신을 옆에 둔 채 엎드려 집 안 바닥을 꼼꼼히 닦는다.

하영 완전범죄 같은 건 없어. 내가 널 떠본 건지 아닌지는 내일이면 알게 될 거야.

강무 … (왠지 말렸다 싶은 얼굴)

43 ___ 동부서 강력반 사무실 / 밤

강무의 팔을 잡고 사무실 들어서는 하영. 박 반장과 막내, 그런 두 사람을 보면.

하영 자백했습니다.

!!, 막내, 순간적으로 박 반장의 표정부터 확인하는데. 박 반장, 강무를 보기만 할 뿐인.

그때, 저만치 앉아 있던 강무의 할머니가 손에 수갑을 찬 강무를 보곤 "아이고 강무야. 우리 강무 무슨 일이여…!" 하며 안쓰러운 표정으로 다가오고.

그 모습에 하영이 강무를 지켜보는데,
강무, 할머니를 바로 보지 못하고, "할머니 집에 가" 한마디 뱉어 내며 고개만 숙인.

44 ___ 화연母의 집 / 밤

이부자리 위에서 잠들지 못하고 뒤척이기만 하는 화연母.
이내 자리에서 일어나 머리맡 화연의 사진(액자) 옆에 둔 물과 수면제 한 알 먹는다. 다시 누워보지만, 여전히 뒤척이는 모습에서.

45 ___ 동부서 외경 / 아침

46 ___ 동부서 복도 / 아침

지문 감식 결과지 들고 급히 사무실 향하는 막내.

47 ___ 동부서 강력반 사무실 / 아침

막내 (들어서며) 나왔어요!
박 반장/하영 (기다렸다는 듯 막내를 보면)
막내 그때 그 신원 미상… 조강무 지문 맞네요. 이러니(미성년자) 조회가 안 됐지…

48 ___ 화연母의 집 / 아침

수척한 얼굴로 TV 앞에 밥상 펼쳐놓고 혼자 물 말은 밥 겨우 먹는 화연母.

앵커e 오늘 아침 첫 소식입니다. 범행의 혼선을 주기 위해 빨간 모자 행세를 하며 살인 행각을 저지른 10대 소년의 잔혹한 일탈범죄가 세상에 드러났습니다.

그때, 집 전화벨이 울리고. 화연母, 힘없이 다가가 받으며 '여보세요' 하는 모습에서.

49 ___ 동부서 복도 / 낮

앵커e 평소 성실한 이미지로-

강무 할머니, 하영과 막내에게 포박된 채 이동하는 강무를 보며 계속해서 옆에 있는 아무나 부여잡고 강무가 딱한 듯 울부짖는다. "형사님들…! 우리 강무가 심성이 못된 애는 아닌데, 제가 잘못 키워 그래요. 제 잘못이에요. 우리 불쌍한 강무 제발 한 번만 용서해주세요…"

50 ___ 동부서 앞 / 낮

양팔 포박된 채 포토라인에 선 강무. 눌린 머리에 마스크, 고개는 푹 숙이고 있다.
“왜 죽였습니까!” “몇 명이나 살해했습니까!” 등 쏟아지는 기자들의 질문 속에 연신 카메라 플래시 터지는데. 그때, 기자 하나가 “억울하게 교도소에 있는 방 씨는 어떻게 되는 겁니까!” 묻는다.
하영의 시선이 그 목소리를 향하고, 동시에 옆에 있던 박 반장의 표정이 구겨진다.

51 ___ 교도소 / 낮

수감실 앞. 조심스레 기훈을 부르는 교도관의 모습.

52 ___ 교도관 사무실 / 낮

소파에 앉아 있는 기훈에게 조심스레 진범이 잡혔다는 소식을 전하는 교도관.
기훈, 믿기지 않는 표정이고. 이어, 교도관이 TV 뉴스를 틀어 기훈에게 보여주면,
화면 속에 포토라인에 선 강무의 모습(씬50)이 나온다.
뉴스를 보는 기훈, 아직은 좋으면서도 억울함 깃든 복잡한 얼굴인데.

53 ___ 시청역 앞 / 다른 날, 아침

각종 신문 진열된 가판대. 저마다 「빨간 모자 모방한 10대 강도」

「잔혹한 10대의 일탈범죄」「18세 조 모 군. 좀도둑으로 시작해 엽기적 살인 행각까지」「혼자 사는 여성 노린 조 모 군, 두 차례나 살인」「10대 소년의 비틀어진 욕망」 등의 헤드라인으로 1면 채우고 있다.

54 ___ 호프집 / 저녁

테이블 몇 개 없는 좁고 허름한 동네 호프집. 카운터에 놓인 볼록 TV 화면에 〈경찰청 사람들〉 오프닝과 함께 비지엠 작게 들린다. TV 시청 중인 사장.

영수　(보며) 세상이 저렇게 범죄 사건에 관심이 많은데, 범인 잡긴 왜 이리 힘드냐.

하영　(역시 카운터 쪽 힐끔 보면)

영수　어쨌든 수고했어. (맥주잔 들어 올리면, 하영도 콜라 잔 들어 짠-) 이제라도 잡아서 진짜 다행이지. (하는데)

하영, 착잡한 얼굴로 강무가 딱한 듯 울부짖던 강무 할머니(씬49) 떠올리는.

영수　그놈 못 잡았으면 아마 제3의 피해자도 나왔을 거야.

하영　그랬을까요.

영수　피해자들한텐 미안한 말이지만 두 번이나 같은 살인을 저지른 놈한텐 세 번도 어려울 게 없어. 알잖아.

하영　(답답한지 콜라를 술처럼 따라서 원샷)

영수　나이도 어린놈이… (도리질하며) 인간의 잔혹함엔 연령이 없나 봐.

/ins. 원말숙의 집 / 낮

하영, 박 반장, 막내 외 형사들 여럿 모여 있고, 강무가 범행을 재연 중이다.

강무, 바닥에 눕힌 마네킹 목 조르는 시늉 하다가 옷을 하나씩 벗기기 시작하면, 별안간 달려드는 중년 남이 강무의 멱살 잡으며 "내 동생!! 살려내!!!" 소리친다.

막내와 하영, 달려드는 중년 남을 말리는 모습에서 현장 검증 분위기 아수라장되고.

55 ___ 다시 호프집 / 저녁

하영 　조강무… 두 번째 범행에서 이미 대범함을 보였어요.

/ins. 1화, 씬58

버스에서 내린 강무, 주택가를 배회하며 지나가는 여자들을 시선으로 쫓는다. 몇 걸음 쫓다가 멈추길 반복하고, 그러다 잔걸음 걷는 중년 원말숙에게 시선을 주는데.

언뜻 장지갑에 달린 키를 보는 그 위로, "집 열쇠를 들고 있는 걸 보고 혼자 산다고 판단한 거예요" 하는 하영의 목소리.

하영 　욕실에 있는 휴지로 흔적을 지웠어요. 다시 보니까 최화연의 집에서도, 원말숙의 집에서도 화장실 두루마리 휴지가 심지만 있었는데. 바보같이 그걸 왜 놓쳤을까…

영수 　완벽할 순 없지. 최대한 단서를 많이 찾는 게 우리의 일이니까.

하영 　…

영수 　그보다도 난 이런 사건들이 여기에서 끝나면 안 된다고 생각해.

하영 ? (보면)

영수 범죄자들의 범죄 행동을 연구해야지.

하영 연구요?

영수 조강무의 특이 행동은 부모에게서 온 원망과 혐오에서 비롯된 거고. 그 어린 나이에도 살인이라는 행각에 죄책감이 없어.

하영 (진지한) 어디서부터 잘못된 걸까요.

영수 그래서 범죄행동분석에 관한 연구가 필요하다는 거야. 그걸 찾아야지.

하영 (진지하게 듣는)

영수 게다가 이런 놈들은 감옥에 간다고 끝나지 않잖아. 잡는 것도 중요하지만 다시 사회에 나올 때를 대비할 필요가 있어.

하영 그걸 어떻게.

영수 비슷한 범죄 유형들을 연구해서 카테고리화해두면 그 자료들이 분명 도움이 될 거야. 니가 조강무를 잡겠다고 양용철을 찾아갔던 것처럼.

그 말에 양용철의 말 떠올리는 하영. "(씬11) 분명히 옷을 베끼는 데는 이유가 있을 낍니다. 그 짓을 꼭해야 직성이 풀리는 놈. 그놈이 진짜 범인일 꺼다 이 말입니다."

56 ___ 교도소 / 저녁

재소자들이 나무 밥상에 둘러앉아 밥 먹는 모습 보이고, 그 사이

에서 양용철이 다 먹은 듯 숟가락을 내려놓는데, 플라스틱 식기[8]
에 밥 한 숟가락이 남아 있다.

57 ___ 거리 일각 + 하영의 차 안 / 밤

영수 (걸으며 조심스레) 박 반장이랑은 어때? 방기훈. 박 반장이 자백받은 거잖아.

하영 달라질 거 없습니다.

영수 (은근 걱정되는) 그럼 다행이고.

하영 (차 앞에 도착한) 내려드릴게요.

영수 아냐. 좀 걷고 싶어. 들어가.

하영 (잠시 보다가) 조심히 들어가세요.

영수, 하영에게 손 인사 하고, 걷기 시작한다.
차에 오른 하영은 다른 생각에 잠긴 듯 한참을 출발하지 못하는데. 두 사람 모두 범인을 잡았음에도 개운치 않은 표정이다.

58 ___ 동부서 앞 / 낮

이송 버스에 오르는 강무 주위로 형사들과 기자들 잔뜩 몰려 있다. 그 사이에서 강무를 처참하게 지켜보는 화연母와 안타까워 울부짖는 강무 할머니의 모습이 나란히 보인다. 그런 두 사람의 아

8 교도소 내 수저, 식기 모두 플라스틱 사용.

이러니한 모습 대비되고.
곧, 기자(남) 하나가 화연母를 알아본 듯 갸웃하더니 화연母에게 다가가는 모습에서.

59 ___ 몽타주

- 인쇄소에서 신문 찍어내는 기계 소리 요란하게 들리면서. 「경찰의 강압수사 의혹」「억울하게 옥에 갇힌 방 氏의 사연」으로 헤드라인(분위기) 바뀐 각종 신문 1면들.
- 가판대에 차례로 꽂히는 신문들. 출근길 행인들, 저마다 신문 집어 드는.

60 ___ 서울지방경찰청 앞 / 낮

'강압수사 근절!' '경찰청장 사과하라!' 피켓 들고 서 있는 무리의 모습 위로. "시민 사회는 이번 사건으로 드러난 경찰의 강압수사를 강력히 규탄하며 경찰청장의 사과를 촉구했-" 하는 앵커 목소리.

61 ___ 서울지방경찰청 청장실 / 낮

TV 끄며, 리모컨 팽개치는 청장(50대 남). 화가 잔뜩 나 있다.

62 ___ 동부서 앞 / 낮

정문 앞에서 '정의를 구현해야 할 경찰, 폭력이 웬 말인가! 강압수사가 웬 말인가!' '억울한 시민 옥에 가둔 경찰 신상 당장 공개하고, 징계하라!' 피켓 든 시민들.

63 ___ 동부서 강력반 사무실 / 낮

여기저기 요란하게 울리는 전화벨 소리. 일부 받으며 "자리에 안 계십니다" "알려드릴 수가 없습니다" 하는 목소리 두서없이 이어진다. 짜증스럽게 책상 위에 신문 내팽개치는 박 반장. 앉으려다 말고 책상 발로 힘껏 차면, 막내가 박 반장의 눈치를 보는데. 그와 대조적으로 하영은 별 신경 쓰지 않는 눈치다. 이때, 하영의 자리에도 전화벨 울리고, 하영이 받으려고 손을 뻗으면, 도리질하며 받지 말라는 시늉하는 막내.

cut to

늦은 저녁. 아무도 없는 강력팀 사무실. 어둠 속에 여전히 울려대는 전화벨 소리.

64 ___ 교도소 외경 / 새벽

65 ___ 교도소 복도 / 새벽

교도관과 함께 보관실로 향하는 방기훈.

66 ___ 교도소 보관실 / 새벽

교도관이 방기훈의 신원을 확인하고, 옷가지와 낡은 운동화, 검은 배낭, 담배 담긴 소지품 바구니를 건넨다. 방기훈, 소지품 하나씩 챙겨 배낭에 넣는 모습에서.

67 ___ 교도소 앞 / 새벽

새벽 5시.[9] 적막한 어둠 속에 크고 두꺼운 교도소 철문이 끼익- 열리면서 문밖으로 배낭을 메고 모습을 드러내는 기훈의 초췌한 모습이 보인다.
기훈, 나오다가 멈칫. 저만치 기훈을 기다리던 화연母를 발견한다. 어색하게 기훈에게 다가와 말없이 검은 봉지 속 두부를 내미는 화연母.
기훈이 어색하게 두부를 받아 한입 베어 물면,
화연母, 그제야 말없이 돌아서 가고.
기훈은 화연母의 뒷모습 보며 발걸음 떼지 못한 채, 먹먹하게 바라만 보고 서 있다. 앞서가던 화연母를 비추면, 담담한 얼굴에 이내 눈물이 주르륵 흐르는.

68 ___ 임무식의 차 안 (도로) / 낮

9 전국 교도소 만기 출소 시간.

"경찰의 강압수사 행위에 대하여 인권위원회도 인권침해라는-"
라디오 DJ 목소리 흘러나오면, 운전 중인 임무식(30대 남)이 볼륨을 높인다.

69 ___ 동부서 외경 / 낮

차에서 내려 안으로 들어서는 임무식.

70 ___ 동부서 강력반 사무실 / 낮

사무실 안을 기웃거리는 임무식. 어깨에 큼직한 카메라 가방 메고 있다.

임무식 (두리번) 송하영 형사님 여기 근무하십니까?
막내 ??, 지금 안 계신데요. 어떻게 오셨습니까.
임무식 (《대한일보》 임무식 기자 박힌 명함 건네는)

그때, 사무실 들어오며 막내와 얘기 중인 임무식을 보는 박 반장.
카메라 가방 멘 임무식을 알아보기라도 한 듯, 표정 좋지 않다.

박 반장 (퉁명스럽게 막내에게) 왜.
막내 (받은 명함 건네 보여주는데)
임무식 (얼른 끼어들며) 《대한일보》 임무식 기잡니다.

박 반장 (보며 못마땅한) 아직 수사 중인 사건이니까 때 되면 풀(Pool)[10]하겠습니다.

임무식 (박 반장을 알아본 듯) 방기훈 수사한 박 반장님이시죠?

박 반장 !! (임무식 떠밀며 버럭) 나가쇼! 할 말 없어요!

임무식 (떠밀리며 다급히) 아뇨, 송하영 형사님 뵈러 왔습니다.

박 반장 (!?, 그 말에 멈칫)

임무식 (옷매무새 추스르며) 이번에 검거한 조강무 사건과 관련해서 교도소에 있는 빨간 모자 양용철한테 도움을 받았다고 하던데. 맞습니까?

박 반장 그런 일 없어요. (하고 무시하며 자리에 앉으려는데)

임무식 양용철을 만나고 오는 길입니다.

막내/박 반장 (놀라 임무식을 보는)

막내 그런 쓰레기 같은 놈 말을 믿어요? (성가신 듯) 돌아가세요. (하는데)

박 반장 (앉아 잠시 고민하더니) 따라와요. (하며 회의실 향하고)

임무식 (얼른 그 뒤를 따르는)

막내 (그런 두 사람을 걱정스럽게 보는 데서)

71 ___ 신문사 사무실 / 낮

기사 쓰는 임무식. '강력 사건 해결 범죄자에게 떠민 동부서 강력반 송하영 경사.' 하영의 실명까지 노출하며 특종을 잡은 듯 들떠 있는 모습에서.

10 사건 팩트를 여러 언론사 기자들에게 제공하는 행위.

72 ___ 몽타주 / 낮

- 지상철 가판대에 진열된 신문들. 저마다 「교도소에 갇힌 빨간 모자의 활약」「알고 보니 경찰 아닌 수감자가 사건 해결」「조강무 사건 해결한 수감자는 누구?」 등 헤드라인 걸고 있다.
- 하영의 집. 거실 TV에서 "형사는 죄 없는 사람에게 억울한 누명을 씌우고, 진범은 교도소에 갇힌 범죄자가 잡는-" 앵커 목소리 흘러나온다. 이어, 하영의 경찰공무원증에 박혀 있던 증명사진 크게 뜨는데, 뜨개질하다 고개 들어 그 장면을 보는 영신.

73 ___ 동부서 앞 / 아침

'경찰은 강압수사하고, 사건 해결은 수감자가 하고!' 시위 중인 시민들의 피켓이 바뀌어 있다. 그때, 하영이 정문 들어서고. 시위대 중 한 명이 하영에게 계란을 던진다. 잠시 멈춰 손으로 닦아내는 하영. 아무렇지 않은 얼굴로 다시 안으로 향하면, 그런 하영을 향해 "니가 경찰이야!!!" 소리치는 시민. 덩달아 다른 이들도 외치기 시작하는.

74 ___ 동부서 강력반 사무실 / 아침

하영, 자리에 앉아 휴지로 얼굴을 마저 닦고, 박 반장과 막내는 하영의 눈치 살핀다.

75 ___ 서울지방경찰청 야외 휴게실 / 저녁

벤치에 나란히 앉아 있는 하영과 영수. 영수는 하영을 안쓰럽게 보는데.

하영 (초콜릿 까먹으며, 영수에게 무심하게 하나 건네는) 드실래요?

영수 (하영의 이런 모습 보면 또 애 같다) 아니.

하영 (괜히 봉지 부스럭거리고 있으면)

영수 괜찮아?

하영 (안 괜찮아 보이는데) 네.

영수 (걱정스러운) 분위기가 쉽게 가라앉을 거 같지가 않아. 그러게 내가… (하면)

하영 (OL) 어차피 저 좋아하는 사람도 없는데. 그냥 조금 더 늘어났을 뿐입니다.

영수 무슨 그런 말이 있어.

하영 걱정 안 하셔도 돼요. 정작 걱정해야 될 건 피해자와 가족들이죠.

영수 (하영이 안타까운 듯 보는)

하영 같은 상황이 또 벌어진 데도, 전 다시 똑같이 행동할 겁니다. 후회 안 해요.

76 ___ 거리 일각 / 저녁

집으로 향하는 하영. 힘없는 시선 저만치 아래를 향해 있고, 걸음은 터벅터벅.

77 ___ 하영의 집 거실 + 하영 방 교차 / 저녁

거실

하영의 신문 기사를 보고 있던 영신. 현관 들어서는 하영 보며, 얼른 신문을 덮고, 애써 무관심한 척 "왔니" 묻는다. 하영 역시 무심하게 "네" 답하고 방으로 가는데,

그 등에 대고 "밥은" 하고 영신이 되물으면, 아무렇지 않은 듯 "먹었어요" 답하며 방으로 가는 하영.

하영의 방

담담한 얼굴로 겉옷을 벗어 옷걸이에 거는 하영.

거실

영신, 하영의 걱정에 방문 앞에서 노크를 하려다 말고, 다시 하려다 말고… 그러다 포기하고 돌아서는.

하영의 방

잠들기 이른 시간임에도, 침대에 누워 무표정한 얼굴로 가만히 눈을 감는 하영.

78 ___ 서울지방경찰청 청장실 / 낮

앵커e 얼마 전 억울한 시민을 범인으로 내몬 것도 모자라, 18세 조 모 군 검거에 현직 형사가 교도소 영치금을 넣어주며 특수강간으로 복역 중인 수감자의 도움을 받은 사실이 있는데요. 그 수감자가 빨간 모자임이 밝혀져 시민들이 분노하고 있습니다.

TV에서는 뉴스 진행하는 아나운서 목소리 들리고. 준식과 길표, 잔뜩 화가 난 청장의 눈치를 보느라 차마 가까이 다가가지 못하고, 문 근처에 어물쩍 서 있다.

청장　여론 이거 어쩔 거야!! 기수대가 가지고 와서 마무리 잘했으면 애초에 이런 일 없었을 거 아냐!!

준식　거 동부서 애들이 잡은 걸 우리가 건드리는 건 상도가 아니지유…

청장　(할 말 없고 괜히) 가뜩이나 엄한 사람 1년이나 잡아넣었다고 난린데! 전과자가 범인 잡는단 소리까지 들어야 되겠어?!!

준식/길표 …

청장　무능한 것도 정도가 있지!!! 빨간 모자라는 건 도대체 누가 유출했어!!!! 누구야!!

길표　… 누가 유출한 게 아니라… 그놈이 그렇게 주목받고 싶어 옘병을 떤답니다…

청장　경찰씩이나 되는 놈들이 도대체 제대로 하는 게 뭐야?!!! 동부서 애들 싹 다 징계- (하다가, 씩씩) 징계로도 될 게 아냐 지금!

준식/길표 …

청장　(미치겠고 다그친다) 이거 어떡할 거냐고!!!!!

준식　(길표를 툭툭 치는데)

길표　??

준식　(뜸들이다가) 파일럿 그거 있잖여… (말하라는 신호)

길표　아…

청장　둘이 뭐 하는 거야?

길표　(망설이다가) 방법이 하나 있을 거 같긴 한데요.

청장　(순간적으로 ?!) 무슨 방법.

79 ___ 유흥가 일대 (포장마차 앞) / 밤

술집, 나이트, 유흥주점들 즐비한 골목. 리어카에서 인기 가요가 크게 흘러나오고,
길바닥엔 각종 명함과 '강호동' '돼지엄마' 같은 웨이터 찌라시 잔뜩 굴러다닌다.
피곤한 기색으로 어딘가로 향하는 하영. 기훈의 포장마차 앞에서 걸음을 멈춘다.

기훈 (조리하다가 기척에) 어서 오세- (하고, 고개 들어 보면 하영이다) 요.
하영 (별말 없이 빈 테이블에 앉는)

cut to
라면 먹는 하영. 테이블에 콜라 하나 놓여 있고.
그릇 들어 국물까지 다 마신 후, 빈 그릇 내려놓으면.

기훈 (어느새 하영 앞에 와서 기다렸다는 듯) 더 드릴까요.
하영 (콜라나 따르며) 아냐 됐어.
기훈 (지켜보며 서 있고)
하영 (콜라 마시고 지갑 꺼내는데)
기훈 됐어요. 안 받아요.
하영 (기훈 올려다보는)
기훈 그냥 가세요.
하영 (계속 보다가 다시 지갑에서 돈 꺼내려는데)
기훈 됐다고. 송하영.
하영 (다시 보는)
기훈 (그제야 웃으며) 그냥 가. 친구한텐 돈 안 받아.

하영 (친구라는 말에, 지폐 꺼내려다 멈칫)

기훈 잘 지내고 있는지 걱정돼서 온 거잖아.

하영 …

기훈 너 옛날에도 그랬어. 사람한테 관심 없는 척. 그러면서 뒤에서 맘 써주던 거.

하영 (그 말에도 별 표정이 없다)

80 ___ 건물 주차장 / 밤

포장마차 맞은편 멀리 건물 주차장에서 나오는 하영의 차가 보인다. 그 위로,

하영e 내가 다시 널 찾아올 일이 없길 바래.

기훈e 매정한 놈. (사이) 진범 찾아줘서 고맙다.

81 ___ 포장마차 / 밤

기훈, 기어코 하영이 테이블에 두고 간 돈을 본다.
그 옆에 수첩을 뜯어 적은 메모도 놓여 있다. '친구면 받아.'

81-1 _ 하영의 방 / 밤

침대에 눕는 하영의 모습 위로,
"(씬79)친구한텐 돈 안 받아." 하는 기훈 목소리 들리고.

하영, 어딘가 홀가분한 기분으로 누워 잠드는 평온한 모습에서.

82 ___ 하영의 집 앞[11] / 아침

영수가 시계를 들여다보며 초조하게 하영을 기다리고 서 있다.
이내 출근하려고 모습을 나타내는 하영. 차로 향하는데.

영수 (기다렸다는 듯 불쑥- 하영의 앞에 서는) 빨리 좀 나오지.

하영 (화들짝 놀라 보며 농담이랍시고) 설마 잠복하신 거 아니죠?

영수 (그러거나 말거나 들뜬) 책 좀 읽어봤어?

하영 ?

영수 내가 전에 줬던 거. (대답하려는데 안 듣고) 범죄행동분석팀 말이야. 드디어 만들 수 있을 거 같아. (사이) 너만 오케이 하면 돼.

하영 네? (무슨 영문인지 모르겠고)

83 ___ 동부서 사무실 / 낮

하루 종일 생각이 다른 데 가 있는 하영. 책상[12] 한쪽에 읽다 만 듯 덮어 밀어둔 책[13]을 가만히 응시하다가 이내 집어 들어 (펼치지 않고) 보는.

---

11 주공아파트 정도의 외경.

12 하영의 방과 마찬가지로 깨끗하게 정리된 자리 한 켠에 모아둔 몽당연필 몇 자루 보인다.

13 영수가 건넨 『마음의 사냥꾼』 들고 다니며 제법 읽은 듯 뒤쪽에 책갈피 꽂힌.

/ins. (씬82에 이어지는)

영수　(들뜬) 전에 말한 프로파일러, 기억하지? (또 대답 안 듣고) 만약에 조강무를 못 잡았다면, 살인이 연쇄로 이어졌을 거라고. (하영, 끄덕이면) 우리가 그걸 막을 수 있어. (들떠 제 할 말만) 뭐, 조강무도 막은 거나 마찬가지지.

하영　알아듣게 설명을- (하는데)

영수　정식으로 수감자들 면담도 다닐 수 있게 됐다고. 양용철을 찾아간 게 꽤 도움이 됐다고 했잖아.

하영　그게 어떻게 가능-(합니까)

영수　양용철을 만난 게 범죄행동분석팀의 일이었다고 둘러대면 돼. 위에선 여론을 진정시킬 명분이 생기는 거고, 내 입장에선 드디어 제대로 일을 시작해볼 수 있어 좋고. 분명 유사 사건 해결에도 도움이 될 거야. 사실 늦었지. 진즉에 생겼어야 했는데.

하영　(망설이는) 전 프로파일러가 뭔지도 잘 모르는데요.

영수　괜찮아. 지금처럼만 해. 남들은 이해 못 해도 반드시 필요한 일이란 걸 넌 본능적으로 알고 있어. 끝까지 양용철을 찾아간 것도 그렇고. 공부는 이제부터 하면 돼.

하영　…

영수　(단호한) 누군가 언젠가는 반드시 해야 할 일이야. 나는 그 적임자가 바로 너라고 확신한다.

차가우면서도 어딘가 깊게, 영수를 바라보는 하영의 눈빛이 반짝이면서!

84 ___ 하영의 차 안 (동부서 앞) / 저녁

동부서를 빠져나가는 하영의 차. 조수석에는 짐이 가득 담긴 박스 놓여 있고, 맨 위에는 『마음의 사냥꾼』도 얼핏 보이는 데서.

85 ___ 분석팀 사무실 / 저녁

뚜벅뚜벅, 발걸음 소리 들리고. 이내 어둠 속에 문이 열리면 짐이 담긴 박스를 들고 안으로 들어서는 남자. 잠시 멈춰 어둠 속 공간을 가늠하듯 서 있다. 이내 어둠에 익숙해지며 서서히 모습을 드러내는 남자. 낯선 공간을 마주하고 있는 하영이다!

86 ___ 공원 꽃밭 / 낮

자막_2000년 봄. 화창한 봄 햇살 내리쬐는 놀이터. 놀러 나온 아이들의 모습 보인다. "오늘 낮 최고기온이 24도까지 오르는 가운데, 화창한 주말 도심 곳곳 나들이를 나온 시민들의 발길이 이어지고 있습니다" 하는 라디오 DJ 목소리 들리면서-

꽃구경에 한창인 수현(5세)이 옆으로 작은 강아지 한 마리가 다가온다. 수현이의 시선이 강아지에게 쏠리며 조심스레 쓰다듬으면, 그 손길에 꼬릴 흔드는 강아지. 다시 어딘가로 이동하고. 자연스럽게 강아지를 따라 이동하는 수현이의 모습에서.

남자e　아저씨가 아이스크림 사줄까?

87 ___ 공원 어딘가 / 낮

수현이가 한 남자를 올려다보고 서 있다. (→ 이후, 계속 남자의 얼굴 보이지 않게)

수현　　아이스크림이요?

초라한 행색의 남자, 고개를 끄덕이며 손을 잡으라는 듯 내미는데. 두툼하고 거친 손에 중지와 약지가 없다.

88 ___ 슈퍼 앞 / 낮

남자, 수현이에게 동전 건네면, 수현이가 남자를 올려다본다.
수현이에게 안으로 들어가서 사 오라는 손짓하는 남자.
돈을 받은 수현이가 신이 난 얼굴로 슈퍼 안으로 들어간다.
슈퍼 앞에서 성큼 떨어져, 주변을 두리번거리며 수현이를 기다리는 남자.

89 ___ 슈퍼 안 / 낮

수현이의 키보다 큰 아이스크림 냉장고 앞. 애들을 위한 발판이 포개져 있다.
자연스럽게 발판에 올라서서 간당간당 보이는 냉장고 안을 들여다보는 수현.
그때, 슈퍼 주인이 다가온다.

주인 뭐 줄까? (냉장고 안을 보는)

수현 (진지하게 고민하다가, 하나 가리키며) 저거요.

90 ___ 슈퍼 앞 / 낮

아이스크림 먹으며 나오는 수현. 그 모습을 보며 남자가 다정하게 "맛있어?" 묻는다.
천진하게 고갤 끄덕이는 수현이에게 "아저씨 집에 더 많은데, 같이 가서 골라볼래?" 하며 수현이의 손을 잡는 남자… 수현이 남자를 따라 걷기 시작한다.
햇볕에 녹아내릴까 봐 아이스크림을 부지런히 핥으며 걷는 수현이의 해맑은 모습에서.

91 ___ 남자의 집 외경 / 저녁

외딴 컨테이너 하나가 보인다.
주변에는 잡동사니처럼 보이는 박스와 중고 전자제품들이 제법 정돈되어 있고, 빛이라고는 낡은 컨테이너 창밖으로 새어 나오는 노란 조명이 전부.
잠시 후, 그마저도 불이 툭- 꺼진다.
캄캄한 어둠 속, 덩그러니 놓인 낡은 컨테이너 한참 비춰지다가…
별안간 어린아이의 비명 소리 짧게 들리는 그 위로!
굵은 빗줄기 쏟아지기 시작하는 데서.

작가 Comment

청장실에 가서 프로파일러 이야기를 꺼내는 준식과 길표의 흐름을 매끄럽게 하기 위해 추가했다.

77-1 _ 형사과장실 / 낮

영수　진범은 양용철이 잡은 게 아니라, 송하영이가 잡은 거예요. 걔 아니었으면 억울한 사람이 교도소에서 꼬박 형 채울 뻔했어. 알죠?

길표　그건 니 생각이고!

영수　(답답한) 범죄자 만나서 면담하는 방식은 이미 20년도 더 전에 FBI에서 먼저 시작했어요. 잘못된 게 아니라니까? 오히려 아무도 가르쳐주지 않은 걸 혼자 한 거라고요.

준식　그래도 밖에선 그런 사정 모르잖어.

영수　모르면 알려야죠. 지금이 딱이에요. 범죄행동분석팀을 만들 수 있는 타이밍.

길표　국영수! 분위기 파악 좀 해! 우리 둘 다(준식, 길표) 당장 청장실에 불려갈 판이야!

영수　잘됐네!

길표　(아휴, 도리질하고)

준식　… (고민하는데)

영수　나 한 번 믿어보라니까요.

3화

1 ____ 범죄행동분석팀 건물 외경 / 아침

서울지방경찰청 건물 옆으로 보이는 낡은 컨테이너 창고 하나.
범죄행동분석팀 사무실(이하, 분석팀)이다.

2 ____ 분석팀 앞 + 사무실 내부 / 아침

'범죄행동분석팀' 팻말이 붙어 있는 허름한 입구. 우주, 들어가기 전 옷매무새 다듬는 중인데 먼저 벌컥 문이 열린다. 우주와 안에서 나오려던 하영, 동시에 놀라고.
우주가 먼저 어색하게 "안녕하세요" 인사 건넨다. 무표정하게 으레 묵례로 답하며 휙 지나쳐버리는 하영. 우주가 '뭐냐…' 싶은 씁쓸한 표정으로 들어가려던 그때,
다시 영수가 다급히 나오다가 우주를 마주친다.

우주 (주춤, 다시) 안녕하세요.

영수　(가려다 멈칫) 누구?

우주　오늘부로 범죄행동분석팀 발령받은 통계분석관 정우주입니다.

영수　아. (하더니) 반가워요. (하며 다급하게 어깨 툭) 이따 봅시다!

영수, 정신없이 가버리고, 우주, 당황하며 뭐지… 싶은 얼굴로 사무실 들어서는데, 시멘트 그대로 노출돼 금방이라도 귀신 나올 듯한 허름한 공간 마주한다.
우주, 자연스레 인상이 찌푸려지다가 하영의 책상에 수북하게 쌓여 있는 ABC 초콜릿 껍질들 발견하고. 앞으로의 고생을 직감한 듯, 초콜릿이나 까먹는 모습에서.

3 ____ △△파출소 / 아침

순경　여기 지키고 계셔도 방법이 없으니까 일단 집에서 기다리세요. 실종 접수했으니 수현이 소식 들어오면 연락을 드릴게요.

데스크 사이에 두고 순경의 얘길 들으며 겨우 버티듯 서 있는 수현父와 수현母의 뒷모습이 보인다. 순경 앞에 놓인 수현이의 해맑은 사진이 붙어 있는 실종 아동 보고서 비춰지는 데서.

수현母　벌써 일주일도 더 지났는데… (잠시) 우리 수현이 설마… 잘못된 건 아니겠죠?

수현父　(정색) 그런 소리 마.

순경　(달래듯) 고만한 애들 길 잃었다가 보호소에서 연락 오는 경우 많으니까 너무 불안해 마시고 일단 기다려보죠.

기운이 다 빠져 걸음을 겨우겨우 떼며 돌아서 나가는 수현母와 수현父.

4 ____ 하영의 차 안 (고속도로) / 아침

파랗고 청명한 하늘에 드문드문 떠 있는 뭉게구름들. 그 풍경이 빠르게 지나는 하영의 차 안. 룸미러에 매달린 묵주가 대롱대롱 흔들리며 고속도로를 달리는 중이다.

영수 날씨가 이렇게 좋은데, 하필 가는 데가 교도소라니. 그냥, 확 다른 데로 빠져버릴까?

하영 (진지하게) 첫 면담인데요.

영수 농담이다 농담. 정색하긴. (웃고)

창문 열어 날씨 만끽하는 영수와 달리, 무덤덤하게 운전만 하는 하영의 모습에서.

5 ____ 주택가 골목 / 낮

차곡차곡 포개 쌓은 박스, 각종 잡동사니와 고물들 두서없이 실린 리어카를 힘겹게 끌고 주택가 골목을 돌아다니는 노인(70대 여). 어느 집 앞에선 어지럽게 내놓은 박스들 테이프 일일이 뜯어 접고 차곡차곡 리어카에 쌓는가 하면, 다니는 길목에 장화, 낡은 책가방, 다리미 같은 걸 내놓은 집들 보일 때마다, 리어카 세우고 주워 싣는다. 그렇게 골목을 돌다가 어느 전봇대 쓰레기 더미 앞 커다란 등산용 배낭을 발견하는 노인. 가방을 열어 안에 있는 내용물을 꺼내보기 시작하는데. 배낭 안에서 나오는 묵직하고 까만 비닐봉지 3개. 노인, 배낭을 리어카에 싣고, 괜히 궁금했는지 바닥에 내놓은 봉지들 풀어보면… 두 겹씩 쌓인 봉지마다 어린아이 팔다리가 잘린 채 뒤엉켜 있다! 비닐봉지 손에서 놓치며 놀라 자빠지는 노인!
그 바람에 밖으로 튀어나온 아이의 팔이 보이는데… 손가락마저 잘려 나가고 없는!

타이틀, 악의 마음을 읽는 자들 3화

6 ____ 교도소 앞 / 낮

높고 휑한 담벼락 아래 차량 몇 없는 주차장. 하영의 차가 들어서면서 영수와 하영이 내린다. 둘 다 흰 운동화에 캐주얼한 옷차림. 하영은 두툼한 서류 가방을 들고 있고, 영수는 파란 하늘 올려다보며, "날씨가 아깝다 아까워" 한탄.

7 ____ 교도소 수감실 / 낮

교도관 (수감실 재소자들 향해) 3429!

지워질 듯 바래진 3429 수번 달고 있는 장득호(50대 남)가 다크서클 짙게 내려앉은 퀭한 눈으로 고개 들어 교도관을 본다.

8 ___ 교도소 접견실 / 낮

나란히 앉아 수감자를 기다리는 하영과 영수. 테이블에 서류와 함께 구식 녹음기 놓여 있고, 영수가 녹음기 만지작거리며 투덜댄다.

영수　어떻게 된 게 제공 물품은 맨날 젤 구닥다리야. (하고 녹음기 켜보는 그때)

장득호가 교도관과 함께 모습을 드러내고, 하영과 영수를 낯설게 보는.

영수　(교도관에게) 다 되면 얘기할게요. (하면, 끄덕이며 자리를 뜨는 교도관)

장득호, 영수와 하영을 번갈아 보다가, 하영에게 시선 고정.
하영, 그런 장득호의 시선 피하지 않고.

영수　(두 사람을 잠시 보다가 먼저 장득호에게 말을 건네는) 앉아요.
장득호　(경계하듯 느린 걸음으로 자리에 앉으며 녹음기에 잠시 시선)
하영　(테이블에 명함을 올려 보이는) 서울지방경찰청 소속 범죄행동분석관 송하영입니다.(명함에 '범죄행동분석팀 범죄행동분석관 송하영' 새겨진)
장득호　(명함 대신 하영을 빤히 보기만)
영수　(명함 보이며) 범죄행동분석팀장 국영수예요. ('범죄행동분석팀 팀장 국영수' 새겨진)
장득호　(명함에 시선 내지 않는) 뭐라는 거지.
하영　범죄자들의 범죄 심리를 연구하는 경찰입니다.

장득호 경찰이면 경찰이지 뭔 설명이 이렇게 복잡해.

하영 6년 전 사건에 대해 왜 그런 일이 벌어졌는지 알고 싶어서 왔습니다.

장득호 ??, 갑자기 찾아와서 6년 전 얘길 듣겠다고?

하영 말했다시피 범죄자들의 심리를 연구하기 위해서예요.

장득호 (관심 없는 듯 턱 괴고, 속내 짐작해보다) 말해주면 나한텐 뭐가 떨어지나?

영수 그런 건 없어요.

장득호 담배라도 넣어주든가.

영수 다시 말하지만 그런 건- (없, 하는데)

장득호 그럼 내가 무슨 덕을 보겠다고 이제 와서 그걸 다시 말해야 되지?

하영 … 우린 그저 오답 노트를 작성하려는 겁니다.

장득호 허, 오답 노트 오랜만에 듣네. 시험만 끝나면 애들한테 시키던 짓인데.

하영 (굳고, 테이블에 놓인 서류 확인하며) 부경초등학교 재직 당시 말이죠?

장득호 … 다 알면서 뭘 듣겠다는 거요?

하영 기록은 있죠. 근데 우리가 알고 싶은 건 장득호 씨의 생각이에요.

영수 그런 건 기록에 안 나와 있으니까요.

장득호 경찰들이 만나자고 해서 재밌을 줄 알았는데, 재미가 없네.

영수 (못 참겠다) 뭘 그렇게 튕겨요. 그 입에서 지금 말하고 싶어 군내가 진동하는데.

하영 (!, 잘못됐다)

영수 기회 줄 때 자랑해요.

장득호 (언짢고) 새끼들이… 교도관! (손짓) 여기 시마이!! (일어나려는데)

하영 (그러거나 말거나) 내연녀 이금주 씨를 정확히 스물세 조각으로 토막 냈죠.

장득호 (비웃고) 다 아는 것도 아니네.

하영/영수 (보면)

장득호 스물넷이오.

하영 (기록 확인하는) 아뇨, 여긴 분명히 스물세 조각으로- (하는데)

장득호 (태연한) 팔다리 쓱쓱 썰어서 둘 둘로 나누면 총 몇 조각이지?

영수, 그 말에 머릿속에 상상이 되는지 순간 미식 올라오는데, 애써 참고.
하영, 장득호의 표정을 태연하게 응시하는데
장득호, 짧은 순간 영수와 하영의 각기 다른 반응 캐치한.

장득호 (두 사람 내려다보듯) 아홉이잖아. 산수가 그렇게 안 돼?

하영 (지지 않고 똑바로 보며) 알아요. 거기에 목 자르고, 눈알 뽑고, 코 자르고, 귀 자르고, 입술 위아래, 가슴 두 쪽, 엄지손가락, 엄지발가락, 그럼 스물셋 맞잖아요.

영수 (하영을 낯설게 보는)

장득호 (비웃듯) 하나가 빠졌잖어.

하영 ? (기록을 뒤적이고, 보면)

장득호 (혀 내밀어 약 올리듯 흔드는)

하영 (침착히) 혀를 잘랐습니까?

장득호 말이 좀 많아야지.

하며, 손을 맞은편 앞으로 훅! 뻗어 목 조르는 시늉 하는데.
순간 영수는 놀라고, 하영은 반응 없는.

장득호 분명히 뒈졌는데 왜 계속 떽떽거리냐고.

영수 (할 말 잃고 보기만)

장득호　(두 사람의 다른 반응 캐치한 듯하고) 그거 씹으니까 좀 살 거 같드라고. (쩝쩝대다) 껌 있음 하나 줘봐.

영수　(윽! 하는 인상 팍) 씹었어요? 혀를?!

장득호　(쓰윽 보며) 왜요?

하영　(차갑게 보며, 작은 한숨 빠지는)

영수　(미치겠고)

장득호　오늘은 여기까지 하실까? 나 화장실이 급한데.

하영　다녀오세요. 아직 10분도 안 됐습니다.

장득호　(그러거나 말거나) 아쉬운 사람이 또 찾아오겠지, 뭐.

하영　(못마땅한데)

장득호　이 정도 주도권은 있어야 나도 얘기할 맛이 나지 않겠소?

하영　(차갑게 보는) 여기 있는 게, 저 안(수감실)보다는 숨통이 트일 텐데요.

장득호　나중의 더 큰 숨통을 위해서 까짓거 킵하지 뭐.

영수　(할 말 잃은)

장득호　(영수와 하영을 빤히 보다가 다시 보란 듯 손짓) 교도관!

cut to

한동안 면담 충격에 넋이 나간 듯 멍하게 앉아 있는 하영과 영수. 이내, 하영이 먼저 서류 정리하며 일어서는 모습에서.

9 ___ 교도소 주차장 / 낮

말없이 차에 올라타는 하영과 영수. 올 때와는 정반대의 분위기. 하영, 무거운 표정으로 시동 걸고 출발하는데, 영수의 표정도 마찬가지.

10 ___ 하영의 차 안 (고속도로) / 낮

충격에 한참을 말없이 가는 하영과 영수. 영수는 창밖을 보고 있지만, 날씨와 상관없이 정신이 다른 데 가 있고. 그저 얼굴에 부딪히는 바람을 느끼기만 할 뿐인.
그러다 룸미러에 매달려 흔들리는 십자가(묵주)를 본다.

영수 교회 다녔나?
하영 가톨릭 신자에요. 성당은 잘 안 가지만.
영수 난 이 일 하면서부턴 신을 믿는 게 안 되던데.
하영 사람을 믿는 거보다는 낫죠.
영수 (그렇긴 하다 싶은 얼굴로 흔들리는 십자가 손가락으로 통통 건드려보는) 진짜 종말이라도 왔으면 장득호 같은 놈들도 싹 사라졌겠지?

다시 말이 없어진 두 사람의 모습에서.
푸르른 날씨와 만개한 봄꽃들. 그 사이의 도로를 가르며 달리는 하영의 차.

11 ___ 주택가 골목 (씬5 동) / 낮

배낭이 발견된 주변으로 빠르게 폴리스라인 치는 경찰들과 장비 꺼내는 감식반원들의 분주한 모습 보이고, 벌써 온 기자들 몇은 놓치지 않을세라 현장 사진 찍는 중이다.

12 ___ 서울지방경찰청 기수대 회의실 / 저녁

백준식, 허길표, 남일영 외 여럿 줄줄이 회의실 들어서며 착석하고. 가운데 화이트보드에 '창의동 주택가 토막 시신 발견' 크게 적혀 있다.

준식 (다들 앉으면, 둘러보며) 윤태구 팀장은 어디 간 겨??

일영 윤 팀장님 잠깐 감식계장님(인탁)이랑 통화 중이세요. 금방 오실 겁니다. (그 위로)

13 ___ 기수대 복도 / 저녁

뚜벅뚜벅, 회의실로 향하는 발걸음 비춰지다가 이내 모습이 보이는데, 태구다.

긴 머리를 펜으로 말아 올리는 모습마저 강단이 느껴지는 태구의 모습에서.

14 ___ 서울지방경찰청 기수대 회의실 / 저녁

회의실 문을 열고 들어서는 태구. 모여 있는 사람들에게 간단히 묵례하고.

태구 사건 보고 시작하겠습니다. 오늘 낮 십삼 시 이십 분경, 창의동 94번지 주택가 골목에서 72세 고물 수집상 이춘영 씨에 의해 피해자의 사체 일부가 발견됐고, 근처에 거주 중이던 신문기자에 의해 소식이 빠르게 전파돼 전국적으로 이슈가 커져 조금 전, 십칠 시를 기점으로 기수대로 넘어온 상황입니다.

길표 다른 부위는?

태구 현재까진 봉지 세 개에 나눠 담긴 팔과 다리 여덟 토막만 발견됐고, 또 다른 시신 일부가 유기됐는지 인근을 샅샅이 수색 중입니다.

/ins. 주택가 골목

골목의 쓰레기, 하수구 안 등을 조사하며 나머지 신체 일부를 찾는 경찰들의 모습.

준식 인근 관할서에 지원 요청도 싹 다 돌려.

태구 네.

준식 신원은?

태구 국과수에 DNA 감정 의뢰했고, 내일 오전이면 확인이 될 것 같습니다. (일동 끄덕이면) 팔과 다리의 크기로 볼 때, 8세 이하의 미취학 아동일 것으로 파악해 인근 실종자 접수 상황 확인한 결과 지난 20일에 창의동에서 5세 이수현 양의 실종 신고가 접수된 바 있어 확인 중입니다.

15 ___ 수현의 집 앞 / 저녁

띵동- 벨을 누르는 경찰 둘, 이어 문이 열리고, 수현母가 안에서 나온다.

수현母 (보자마자) 찾았나요?! 우리 수현이?!

경찰, 수현母에게 설명하는 모습에서, 다리에 힘이 풀린 수현母가

주저앉는다.
뒤이어 모습을 드러내는 수현父. "왜 그래, 무슨 일인데" 하며 수현母 부축하는데. 수현父 역시… 답을 예견한 듯 불안감이 역력히 드러난 얼굴로 경찰을 보는.

16 목욕탕 / 저녁

푸- 하고 참았던 숨을 뱉으며 잠수했던 탕 밖으로 고개를 내미는 영수와 어깨선까지만 드러낸 하영. 한참을 말이 없는 두 사람인데.

영수 (번뜩) 아! 맞다!!
하영 (영수를 보는)
영수 신입!

17 분석팀 / 저녁

영수와 하영의 책상 두 개뿐인 공간에서 하영의 책상에 엎드려 잠든 우주.
움찔하며 잠에서 깨면, 여전히 혼자만 있는 휑한 사무실. 부스스한 모습으로 시계를 보는데, 저녁 9시고. 하영의 초콜릿은 우주가 다 까먹은 듯 빈 껍질 잔뜩 쌓여 있다.

우주 (입이 달아 쩝쩝대다가) 아, 진짜 뭐야… (하는데, 배에서 꼬르륵-)

그때, 어디선가 따르릉 사무실 전화벨 소리 울린다.
우주, 소리가 나는 방향으로 두리번거리는데 전화기 도무지 보이지 않고.

우주　뭐야, 어디서 나는 소리야. (하고 보면, 비품들 잔뜩 쌓여 있는 잡동사니 사이에서 울리는 전화기. 겨우 찾아 받으며) 네, (뭐라고 할지 잠시 머뭇) 범죄행동분석팀 정우주입니다.

18 ___ 목욕탕 탈의실 + 분석팀 교차 / 저녁

 # 탈의실

하영, 드라이기로 머리를 말리는 중이고. 영수, 수건으로 허리를 감싸고 전화 중인데, 안 받아서 끊으려다가

영수　(우주 받으면) !, 어? 퇴근 안 했네?

 # 분석팀

우주　(엉거주춤 서서 통화 중인) ??, 누구…세요?
영수e　아, 국영수 팀장이에요.
우주　(군기 들어) 예. 팀장님.
영수e　(미안한) 알아서 퇴근하지 그랬어요.
우주　이따 보자고 하셔서…

 # 탈의실

영수　미안해요. 정신이 없어서 못 챙겼네. 오늘은 얼른 퇴근하고. 내일 제대로 인사합시다.

하영, 뒤에서 옷을 입는 중인데, 거의 다 입었다.
영수는 전화 끊고 이제 막 옷을 입으려는데, 말없이 먼저 나가버리는 하영을 힐끔.

영수　(피식 웃으며) 행동이 인상에서 한 치를 안 벗어나.

19 ___ 하영의 차 안 (목욕탕 앞) / 늦은 저녁

하영이 차에 오르고, 영수를 기다린다.

영수　(타며) 어휴, 배고프다. 밥 먹자.
하영　저는 생각이 없어서 먼저 들어갈게요.
영수　밥을 생각으로 먹나. (하다가 아쉬운) 아… 나 집에서 혼자 먹기 싫은데.
하영　?, 가족들 기다리시잖아요.
영수　몰랐나? 작년부터 혼잔데.
하영　(이혼인가, 조심스럽게 보는데)
영수　아냐. 그런 건 아니고. 애 엄마랑 애들 외국 나갔어.
하영　외국이요?
영수　거 뭐래더라. 들어도 맨날 까먹네. 싱가포르 무슨 학교에서 애들 학비 지원해준다길래 일단 보내고 봤어.
하영　애들이 똘똘한가 봐요.
영수　다행히 집사람을 닮아서(웃고). 암튼 우리 같은 직업 항상 불안하잖아. 잘됐다 싶어서 얼른 보냈지. 근데 이건 모, 홀아비가 따로 없어. 다들 부럽네 어쩌네 난린데, 모르고 하는 소리. 자유 만끽하는 것도 딱 한 달 가더라.

하영 (듣긴 들었나 싶게, 시동 걸며) 어디 내려드릴까요.

영수 가는 길에 아무 데나 세워줘. 식당들 문 닫기 전에 뭐라도 먹고 들어가야겠다.

20 ___ 분석팀 / 밤

거미줄에 먼지도 털고, 여기저기 쌓인 잡동사니와 아무렇게나 놓인 어수선한 박스들 전부 정리한 우주. 마침내 뿌듯해하며 공간 둘러보는데, 덕분에 귀신 나올 것 같은 분위기가 그나마 나아졌다. 우주, 시계를 보다가 "첫날부터 야근이네" 하며 사무실을 나가면, 범죄행동분석팀의 어둑하고 차가운 공간이 한눈에 비춰지는 데서…

21 ___ 식당 앞 / 밤

통유리 안으로 혼자 국밥을 떠먹는 영수의 모습이 보인다. 어딘가 허무해 보이는.

22 ___ 하영의 집 / 밤

어두운 방에 들어서서 여전히 십자고상을 먼저 올려다보는 하영. 잠시 바라보다가… 맥없이 옷을 벗기 시작한다.

23 ___ 부명동 골목 일각 / 새벽

(씬14 인서트에 이어지는) 정복 입은 순경들과 사복 경찰들 각자 손전등 들고 다니며 가로등 불빛이 닿지 않는 곳곳을 수색하고 있다. 잠시 후, 전봇대 아래 쓰레기 더미 앞에서 뭔가를 발견한 순경1이 "이 형사님!" 하며 형사1을 부른다. 형사1 다가오면, 순경1이 일회용 장갑 넘기고 두 사람 함께 쓰레기 봉지, 아이스박스 등을 치워내며 쓰레기 더미 뒤지는데… 안쪽에서 묵직한 검정색 비닐봉지 하나가 나온다. 조심스럽게 검은 봉지를 꺼내는 형사1. 묶여있는 매듭을 풀기 시작하면, 아이의 머리로 보이는 머리카락 살짝 보이고! (→ 아이의 얼굴은 안 보였으면 좋겠습니다)

24 ___ 영안실 / 아침

수현이의 시신을 덮고 있는 하얀 천. 수현父가 떨리는 손으로 조심스럽게 들춘다.
겁먹은 얼굴로 수현父의 옆에 꼭 붙어 서 있던 수현母.
수현父의 손이 천을 다 들추기도 전에… 수현을 알아본 듯 무섭게 오열을 터뜨리고. 수현父는 참담한 얼굴로 떨리는 숨을 내쉬며 눈을 질끈 감는다.
옆에 서 있던 태구와 검시의, 안타까운 얼굴로 그 모습을 지켜보고 있다.

25 ___ 서울지방경찰청 기자실 / 아침

앵커e 오늘 새벽 경찰이 시신의 일부로 추측되는 몸통과 머리를 추가로 발견해 신원 확인에 나섰습니다.

TV에서는 관련 뉴스가 흘러나오는 중이고, 서울지청에 모인 캡[1]들은 저마다 전화기 붙들고 뉴스에 한 번씩 시선 주며 "야, 이거 어떻게 된 거야!" "내용이 보고에 왜 빠져 있어?" 짜증스럽게 통화 중이다. 한쪽에선 홍보실장(남)에게 "기수대장님 캡 기자실로 오시라 해서 브리핑 좀 해달라고 하시죠" 요청하는 소란하고 어수선한 분위기.

26 ___ 분석팀 / 아침

우주가 제일 먼저 출근해 있는 사무실. 어디에 앉아야 할지 몰라 어슬렁대다가 다시 하영의 책상에 앉는데. 때마침 하영이 출근한다.

우주 (얼른 일어나서) 안녕하세요.

하영 (으레 묵례로 받아주고 자리로 다가가는데 우주가 비킬 생각을 안 하자 말문 떼는) 내 자린데요.

우주 아 죄송합니다. 앉을 데가 없어서.

하영 (주위 둘러보는데, 우주가 앉을 책상이라고 할 만한 게 없고)

우주 (혼자 착각하며 뿌듯한 표정) 어제 제가 싹 정리 좀 했어요.

하영 (?, 다시 주변 둘러보는데 뭐가 달라졌는지는 눈치 못 챘다가) 아… 감

---

1 서울지방경찰청 기자실 출입 기자(사회부 현장 반장인 '캡틴'의 준말).

사합니다.

자리에 앉아 서랍들 뒤적이며 초콜릿 찾는 하영을 보고
우주가 가방에서 새 ABC 초콜릿 봉지 꺼내 건넨다.

하영 ? (보면)
우주 어제, 제가 하나만 먹는다는 게…
하영 (무심하게) 안 사 와도 되는데.

그때, 사무실 들어오는 영수.

영수 (들어오자마자 다급히) 뉴스 봤지?
하영 (뭔지 안다는) 네. (하며, 서랍에 초콜릿 넣어두는데, 이미 초콜릿 봉지들 더 있고)
우주 (영수 보며 부러 크게) 안녕하세요.
영수 (그제야 우주에게 시선 주는) 아! 어젠 미안했어요. 이름이… 뭐랬죠…?
우주 정우주입니다. 범죄행동분석팀 통계분석관으로 발령받았고요. (하는데)
영수 잘 부탁해요. 국영수 팀장이에요. 여기는 범죄행동분석관 송하영 경위.
우주 (인사하려는데)
영수 (다시 하영 보며) 피해자가 5살 여자애라는데.
하영 (미간 찌푸리는) 5살이요?
영수 (심각하게, 끄덕)
우주 (서서 눈치 보며 끼어드는) 저기…요.
하영/영수 (보면)

우주　제가 앉을 책상이 없는데…

27 ___ 경찰청 화장실 / 낮

화장실 가는 길표를 또 쪼르르 따라가는 영수.

영수　이번 사건, 분석팀도 투입시켜줘요.

길표　나 지금 너무 정신이 없어. 이틀째 똥도 못 눴을 정도다.

영수　그러니까 도움이 되겠다고요. 그러려고 만든 팀 아녜요?

길표　(부탁하는) 나중에 얘기하자 응? (하며 개인 칸 들어가는데)

영수　나중이 어딨어요!

길표　(머리 아픈지, 안에서 목소리만) 알았어. 팀에 얘긴 해볼게. (끙- 힘주는데)

영수　아 형님, 얘기는 해보다뇨.

길표　(끙- 힘 빠지고) 너 또 시작이냐. 지금 상황이 아니잖아. (아씨… 안 나오는)

영수　우리 장득-(하다가, 표현 싫지만 하는 수 없이) 토막살인범 면담했어요.

길표　(물 내리는 소리 들리고. 안에서 나오며 대뜸 버럭) 이게 애들 장난이야?! 가뜩이나 머리 아파 죽겠는데.

영수　! (바짝 다가가며 더 버럭) 내가 지금 장난 같아요?!

길표　(깜짝)…얘기해보겠다잖아! (하며 화장실 나가려는데)

영수　(소리 꽥!) 형님!!!

길표　(돌아보며, 지지 않고) 왜!!!

영수　또 그냥 나간다! 똥 눈 손은 좀 씻으랬죠 내가!

길표　안 쌌다 안 쌌어!! (하며 양 손바닥 펴 보이더니 짓궂게 영수의 볼 감싸

쥐고)

영수 !!, (피하며 질색) 아으-

길표 (억울한지 손 대충 씻고) 너야말로 때마다 똥 누는 데까지 따라오는 거! 이것도 노 매너야!! (하며 휙 나가버리는)

영수 아 형니임- (따라가는)

28 ___ 분석팀 / 낮

우주, 혼자 낑낑대며 커다란 책상 끌고 들어오는데, 하영은 달랑 한 페이지뿐인 창의동 사건의 당직 보고 띄워놓고, 인터넷 기사들 찾아보는 중이다. 그 옆에서 책상을 어디에 배치할지 이리저리 소리 내 끌어보는 우주.

우주 (안 되겠는지) 저… 어디에 둘까요?

하영 (그제야 고개 들어 보고, 무성의하게) 앉고 싶은데 둬요. (다시 제 할 일)

우주 (삐죽, 고민하다가 하영과 영수를 바라보는 상석에 배치하고 힐끔 반응 보는데)

하영 (별 신경 안 쓰는)

우주 (자리에 앉고, 하영 보며) 혹시 B형이세요?

하영 (무심하게 대답만) 네. (하다가 문득) 혹시 욕한 거예요?

우주 (당황) 아하하. 설마요. 저도 B형입니다.

하영 아. (아니구나, 뭔가를 적느라 보지도 않고) 분석팀은 왜 지원했어요.

우주 폼 나서요.

하영 (그제야 얼굴을 보는) ?

우주 범죄행동분석팀. 이름만 딱 들어도 벌써 폼 나잖아요. 서울지방경

찰칭, 형사과 직속, 범죄행동분석팀, 통계분석관. (만족스러운)

하영 (건성으로 끄덕이며) 폼.

29 기수대장실 / 낮

길표, 뭔가를 찾는 듯 책상에 쌓인 서류들을 서서 뒤적이는 중이다.

영수 (옆에 딱 붙어 서서 투덜) 좌천마냥 어디 구석 창고에 떡 박아놓고, 팀원도 달랑 둘. (하다가) 아니 이제야 겨우 셋! 이게 무늬만 범죄행동분석팀이지 뭐야.

길표 (계속 서류 뒤적이며 하소연) 기수대 지금 정신없다고. 알만 한 애가 왜 이러냐.

영수 우리가 무슨 방해꾼이에요? 수사에 도움 되자는 얘길 하잖아.

길표 (찾은 서류 보며) 아직 일러. 알잖아. 범죄행동분석팀 정체성에 대한 인식도 미미하고.

영수 (버럭) 미미할 수밖에!! 다 무너져가는 창고에 박아두고, 있는 듯 없는 듯!

길표 (앉아 서류 보며 수화기 드는) 예산도 없고, TO도 없는데 번갯불에 콩 궈 먹듯 만들어서 당장 비어 있는 데가 거기뿐인 걸 어떡하냐 그럼.

영수 (협박하듯) 어차피 형사과 직속인데 나 바로 백 과장님한테 가요?

길표 콱 그냥. 직속이고 뭐고 너 이제 계장도 아니고, 나 거쳐야 되는 거 몰라? 보고 체계 무너뜨리지 말자?

영수 아 어쩌라구!

길표 (고소한 듯 피식) 그러게 남들은 위로 못 올라가 안달인 걸 누가 자

진해서 내려가래?

영수　계급장 내려둘 만큼 이 일이 중요하단 의미예요. 내가 직접 팀장 만나볼래요.

길표　(어딘가 전화하다 말고) 됐고. 일단 다음 기회 보면서 면담이나 열심히 다니고 있어.

영수　(하…) 그럼 일일 수사 보고 내용[2]만이라도 공유해주든가.

길표　(수화기 든 채로) 그걸 어떻게 내 맘대로 공유하냐.

영수　(짜증) 나 참. 되는 건 뭐유! 도대체!

길표　?!, 너 자꾸 말이 짧아진다?!

30 ___ 분석팀 / 낮

하영, 책상 위 라디오에서 흘러나오는 앵커 목소리. "돈을 요구하는 협박 전화가 없었던 점 등에 비춰 정신병자의 소행일 가능성이 있는 것으로 보고 수사에-"
그때 영수 들어오는데, 얼굴에 짜증이 잔뜩.

하영　(라디오 볼륨 줄이고) 어떻게 됐-(영수 표정 읽었고) 수사 자료 공유도 안 됩니까?

영수　기수대 팀장 좀 만나볼라구.

하영　… 윤태구 팀장이죠?

영수　어. 같이 근무한 적 있나?

하영　네. 중부서에서 잠깐… (잠시 고민) 저도 같이 갈게요.

2　형사들이 당일 수사한 특정 사건(=창의동 사건) 진행 사항을 보고한 내용.

31 ___ 기수대 회의실 / 낮

하영과 영수, 나란히 앉아 태구를 기다리고 있다.

32 ___ 기수대 회의실 앞 / 낮

태구, 회의실 유리 너머 자신을 기다리는 하영을 보며 순간, 멈칫- 잠시 보고 섰는데, 그때 지나가던 다른 팀 형사1(남), 영수와 하영을 보며 못마땅한 표정 짓는다.

형사1　(영수, 하영 쪽 고갯짓하며) 아까 기수대장실에서 나오던데, 사건 공유해달라고 온 거 같더라. 숟가락 못 얹게 단도리 잘 해. (하는데)

태구　(복잡한 심경인 듯) 제가 알아서 해요.

그때, 앉아 있던 하영과 눈이 마주치고.

/ins. 과거 회상

태구의 목에 칼을 댄 정수창과 잔뜩 얼어붙은 태구.
순간, 하영이 그 모습을 발견하고, 하영을 보는 태구의 겁에 질린 시선이 비춰지는.

33 ___ 기수대 회의실 / 낮

불편한 기색으로 문을 열고 들어오는 태구를 보며, 자리에서 일어서는 영수와 하영.

태구 무슨 일이시죠.

영수 (명함 건네며) 국영수예요. 전에 감식계에 있었어요.

태구 (명함 보며) 네. 국 계장님 워낙 유명하셨으니 잘 알죠.

하영 오랜만입니다. (명함 건네면)

태구 (냉담한 눈빛으로 명함만 보며) 네. (하고) 범죄행동분석관?

하영 범죄행동심리를 연구하는 일입니다. 교도소 수감자들을 직접 만나 인터뷰하고 그 내용들을 데이터화하고 있어요.

태구 (왠지 삐딱한데) 만나서 뭘 하는데요? (하영을 슬쩍 보며) 심리 테스트라도 하나?

하영 (그 말에 기분 상한)

태구 농담인데. 기분 상하셨음 죄송해요.

영수 (눈치 읽고) 아직 우리 팀에 대해 잘들 모르니까 이해해요. 앉을까요? (하는데)

태구 (불편한 기색 비치며) 바로 들어가야 해서.

하영 (본론) 토막살인범과 첫 면담을 했습니다.

태구 (예상한 듯 보는)

영수 범죄자들의 심리를 알면, 그다음 범죄를 예방할 수 있어요.

태구 (달갑지 않고) 우린 예방보다 당장 해결이 더 급한 거 아시죠?

영수 (끼어들며) 그건 그런데.

하영 궁극적으로는 범인을 잡아넣는 것보다 유사 범죄가 또다시 발생하지 않게 하는 게 범죄행동분석팀의 목적이지만, 말씀대로 당장은 수사에 도움-

태구 (순간, 피식) 우리 같은 직업 굶어 죽는 한 있어도 그런 날 오면 좋긴 하겠네요.

하영 (태구의 태도가 마음에 안 들지만, 참는) 이번 수사에 도움이 되고 싶습니다.

태구 담당 형사들도 충분히 유능한데요.

하영 (그러거나 말거나) 정신병자의 소행이 아닐 겁니다.

태구 (!, 하영과 말 섞기 싫은 듯 영수 보며) 선을 넘으시는 거 같은데.

하영 왜 이렇게 삐딱합니까?

태구 … (머뭇)

영수 (당황, 끼어들며) 두 사람 왜 다른 얘길 하고 있어요. 지금 우리가 윤 팀장님을 찾아온 건, 수사에 도움이 되고 싶어서예요. 다른 뜻은 없으니 오해 말아요.

태구 도움이 될지 안 될지는 저희 쪽에서 판단합니다. 지금은 아시다시피 용의자 특정조차 안 되는 빌어먹을 토막살인범 때문에 너무 정신이 없고요, 그래서 두 분 범죄 심리인지, 하는 원대한 작업에 협조할 여력이 없네요.

하영 (짜증이 나려는데)

영수 (참으라는 신호로 하영을 슬쩍 잡는다) 수사 보고 내용[3]이라도 공유 안 될까요?

태구 안 되는 거 알고 물으시는 거겠지만, 안타깝게도 공유해드릴 만한 내용이 없어요. 눈에 불을 켜고 있다가 뭐라도 나오면 족족 실어 나르는 기자들 덕분에요.

영수 … 우리가 용의자를 추정할 수 있도록 도-(와, 하는데)

태구 (말 자르고) 저는 아시다시피 일이 많아서 들어가 봐야 할 것 같네요. (일어서면)

영수 (아쉽지만 예의 갖춰) 혹시 마음 바뀌면 연락 주세요.

태구 (대답 없이) 국영수 팀장님 만나뵙게 돼서 반가웠습니다. (하며 먼저 나가고)

영수 (태구 가는 뒷모습 지켜보다가) 일단 가자. 방법이 있겠지.

---

3 형사들이 당일 수사한 특정 사건(=창의동 사건) 진행 사항을 보고한 내용.

하영　제가 괜히 왔나 봐요.

영수　그게 무슨 상관이야.

하영　(유리창 밖으로 태구가 가는 뒷모습을 보기만)

34 ___ 분석팀 / 낮

우주, 뭘 해야 될지 몰라 이면지에 그림이나 그리고 있는데, 하영을 그린 듯 솜씨가 제법이다. (→ 초콜릿도 그려 넣은) 그때 하영, 영수 들어서면 그림 얼른 뒤집는 우주.

영수　정우주 통계분석관님.

우주　네?

영수　드디어 할 일이 생겼어요.

우주　!! (기대 어린)

영수　창의동 사건 기사들 중에 단서가 될 만한 내용 하나도 빠짐없이 정리해줘요.

우주　?, 창의동 사건요?

영수　(이렇게 말하기 싫은데) 5세 여아 토막살인 사건.

우주　아…네. (하다가 친근한) 팀장님 말씀 편하게 하세요.

영수　(끄덕) 그리고 이제부터 우리 팀은 끔찍한 표현 대신 창의동 사건이라고 지칭합니다.

우주　(알아들었고, 마음에 드는 듯) 넵.

cut to

우주는 인터넷에 관련 기사들 전부 검색해서 프린트 중이고. 이어폰으로 장득호 면담 자료를 다시 들어보며 녹취 정리 중. (→ 이어폰 밖으로 "팔다리 쓱쓱 썰어서 둘 둘로 나누면 총 몇 조각이지?" 하는 장득호 목소리) 영수는 어딘가에 전화하는.

영수 어, 그래 인탁아.

35 ___ 서울지방경찰청 옥상 / 낮

영수, 옥상 문을 열고 들어와 먼저 기다리고 있던 인탁에게 자판기 커피 건넨다.

인탁 (받으며) 갑자기 이런 데서 보자고 하시고. 무슨 일 있으세요?
영수 나 범죄행동분석팀으로 옮긴 거 알지?
인탁 듣긴 했는데, 뭐 하는 데에요? 선배님 좌천된 거냐 말들 많았어요.
영수 (명함 건네며) 당장은 설명해도 이해 안 갈 거야.
인탁 (명함 봐도 모르겠는)
영수 일단 내가 보자고 한 건, 창의동 사건에서 혹시 뭐 단서 좀 나온 게 있나 궁금해서.
인탁 ? (잠깐 떠올리다가) 5살짜리 애 토막 사건이요?
영수 (…) 응.
인탁 그걸 왜 저한테.
영수 설명하긴 복잡하고… 우리 팀 하는 일 중 하나가 용의자 추정인데.
인탁 (조심스레)… 좌천 아니시죠?
영수 야 인마! 내가 좌천이나 될 인물이냐?!
인탁 (안심) 아니죠. 감식계 대부님인데. 승진도 부족하지.
영수 현장이나 시신에서 전혀 나온 게 없어?

인탁 (그러잖아도 골치 아픈) 없어요. (에휴…) 애 손가락까지 다 잘라놨더라구요.

영수 (!!, 끔찍한) 손가락?

인탁 이놈의 일은 겪어도 겪어도 (도리질) 매번 끔찍해. 적응이 안 돼요. 도무지.

영수 적응이 되는 게 이상하지. (/팔다리 쓱쓱 썰어서 둘 둘로 나누면 총 몇 조각이지? 하던 장득호의 모습 짧게) 멀쩡하면 그게 정상인가.

인탁 세상은 좋아지는데, 범죄는 어째 점점 더 극악해질까요? 으휴. (치 떠는)

영수 검은 비닐봉지에 싸서 배낭에 넣고 유기했다는 거지?

인탁 (끄덕이다가) 아, 발견 당시 냉동 상태였어요.

영수 냉동?

인탁 뭘로 잘랐는지 깔끔하게 잘렸더라고요. 어떤 건 좀 거칠기도 한데…

영수 잠깐. (받아 적으며 읊는) 냉동 후 절단. 깔끔한 절단면. 일부는 거칠고. 시신 일부 검정 봉투에 나눠 담음.

인탁 (영수가 적는 걸 의아하게 보는)

영수 실종 장소랑 유기한 시간대는? 혹시 사진 같은 것도 볼 수 있을까?

인탁 (왜 이러나 싶고) 그거야… 사무실에 있죠.

영수 (사무실로 가자는 무언의 눈빛)

36 ___ 감식계 사무실 앞 / 낮

영수, 인탁을 기다리고 서 있다. 곧, 인탁이 나오며 조심스레 주변을 두리번거리다가 주머니에서 꺼낸 현장 사진들 영수에게 내보인다. 배낭이 발견된 골목, 배낭, 검은 봉지, 봉지에서 꺼낸 아이의 (손가락 없는) 팔과 다리, 팔다리 절단면을 확대한 사진, 몸통과 머리 사진… 전부 보여주는데, 영수의 표정 일그러지고.

영수 화장실 좀 가자.

인탁 네??

37 ___ 경찰청 화장실 / 낮

개인 칸, 변기 뚜껑 덮고 그 위에 사진들 펼쳐놓는 영수.
주머니에서 일회용 카메라 꺼내 들고는 사진들 다시 찰칵찰칵 찍는다.

인탁 (그 소리에 놀라 닫힌 문 두드리며) !!, 뭐 해요 선배.

영수 (찍으며) 너 인마 감식계장 단 거 내가 좌천 소리 들어가며 자리 옮긴 덕인 거 알지?

인탁 (고맙긴 한데) 그거야…

영수 걱정 마. 금방 나가.

문밖에 서 있는 인탁, 난처한 듯 화장실 밖을 살핀다.

38 ___ 분석팀 / 낮

하영, 수현이의 인터넷 기사들 검색하며 읽고, 우주는 그 기사들을 프린트하고 있다.

하영　들키지 않으려고 훼손했다면 굳이 왜 가까운 곳에 유기했을까요.

우주　(어리둥절) 저한테 물으시는 거죠?

하영　(일어서며 차 키 챙겨) 나갔다 올게요. 늦을 거예요. 혹시 팀장님도 안 오시면 먼저 퇴근해요. (하며 나가는)

39 ___ 화장실 앞 (씬36에 이어) / 낮

영수, 사진들을 건네며 도망가듯 얼른 돌아선다.

영수　고맙다! 내가 조만간 또 연락할게!

인탁　(난감한 얼굴, 휙 가버리는 뒷모습에) 아… 낚인 거 같은데…

그때 저만치 지나가던 준식과 길표가 영수를 본다.

준식　어이, 국 팀- (장-!, 하는데 다급하게 돌아서 가는 영수)

길표　(갸웃하며 혼잣말) 또 뭔 꿍꿍이야…

40 ___ 하영의 차 안 (고속도로) / 낮

고속도로를 달리는 하영. 혼자다.

41 ___ 사진관 안 + 밖 / 낮

사진관 유리 너머로 현상이 완료되길 기다리며 앉아 있는 영수의 모습이 보인다.

이내 완성된 필름과 사진[4] 봉투에 담아 건네는 주인. 끔찍한 사진들에 잔뜩 미심쩍은 얼굴을 하고 있다. 영수, 그 심정 이해한다는 듯 주인에게 경찰공무원증 내보이며 "사정이 좀 있어서요" 하면, 주인 그제야 "아휴… 고생이 많으시네요" 말 건넨다.

영수, 기다렸다는 듯 사진들 꺼내 한 장씩 확인하며 사진관을 나서고.

42 ___ 교도소 접견실 / 낮

장득호와 마주 앉아 있는 하영. 테이블엔 구식 녹음기가 돌아가는 중이다.

장득호 (주도권 잡은 듯 거만하게) 이거 봐. 아쉬운 사람이 먼저 찾게 돼 있다니까.

하영 이제 얘기할 맛이 납니까.

장득호 (녹음기 보며) 아니 아직.

하영 ?

장득호 그건 끄지?

하영 (고민하다가 끄는 척 주머니에 넣는) 이제 됐어요?

장득호 (괜히 튕기며) 뭐, 조금은.

하영 (태도가 못마땅한) 죄책감 같은 거 없습니까? 사람을 그렇게 잔인하게 죽였는데.

---

4 씬37의 화장실에서 재촬영한 사진들.

장득호 있지. 나도 사람인데.

하영 (사람이라는 말에, 훗-)

장득호 어차피 죽었는데, 뭐, 별수 없잖아. 지나간 과거 붙들고 후회해야 뭐 하나.

하영 (매섭게 보며) 후회가 아니라 반성이죠.

장득호 (반성이라는 말에 역시 훗- 하다가) 그거 알아요? 형사님 눈빛, 되게 익숙해.

하영 (무슨 소린가 싶은)

장득호 눈동자가 텅 비었어.

하영의 눈을 뚫어지게 보는 장득호. 하영도 그 눈빛을 매섭게 받아준다. 그런 두 사람 사이에 잠시 긴장감 돌다가… 하영이 먼저 입을 떼는.

하영 시답잖은 소리 그만하시고.

장득호 나 진지한데. 나도 사람이라 죄책감이 문득문득 생기긴 한단 말이오.

시선 너머를 꿰뚫어 보듯 다시 하영을 빤히 응시하는 장득호.
일순간 원하는 뭔가를 찾은 듯 옅은 미소가 스친다.

장득호 형사님도. 여차하면 괴물이 될 수 있다 이 얘기요.

하영 (가소로운) 한 끗 차이다?

장득호 그렇지.

하영 (비웃고) 죄책감과 살인을 동급으로 치면 안 되지.

장득호 (피식)

하영 (태도에 화가 난 듯) 그게 당신 같은 악마와 인간의 차이야. 엄청난 범죄 행위를 도덕성과 동급이라고 여기는 끔찍한 발상.

장득호　끔찍한, 발상? (비웃는) 진짜 끔찍한 게 뭔지 알아?

하영　(보면)

장득호　시체를 (시늉하며) 자르는 거. (떠올리며 도리어 끔찍하다는 듯 도리질하는데) 으-

하영　(무덤덤하게) 근데 왜 잘랐어요.

장득호　(찰나, 피식) 나라고 심심해서 했겠냐고. 시간도 걸리고 힘도 드는 일을.

하영　(장득호의 표정 캐치했고)

장득호　생각을 해봐. 그 큰 시체를 어떻게 이고 가서 (하는데)

하영　!!

장득호　얻다가 숨기나. (회상하듯) 아휴, 자르는 데도 엄청 애먹었지 그년.

하영　이동하기 쉽게 잘랐다? (매섭게 장득호를 보는) 단지 그 이유였다면 눈과 혀까지 건드릴 필욘 없었을 텐데.

장득호　(제법인데? 하는 눈빛으로) 반은 맞고. 반은 틀리고.

43 ___ 하영의 차 안 / 저녁

운전 중인 하영. 생각이 다른 데 가 있고. "눈동자가 텅 비었어. (사이) 형사님도. 여차하면 괴물이 될 수 있다 이 얘기요" 하는 장득호의 말 떠올린다.

44 ___ 분석팀 / 저녁

일회용 도시락 먹는 영수와 우주의 뒤로, 화이트보드에 영수가 현상한 사진(씬41)과 함께 사건 내용[5] 빼곡하게 적혀 있다. 밥을 먹으면서도 시선은 화이트보드에 가 있는 영수. 먹으며 아무렇지도 않게 일어서서 아까 적어둔 '시신 일부 검은 봉투에 나눠 담음. 냉동 후 절단, 깔끔한 절단면. (일부 거친 부분 있음)' 추가로 더 적는데. 우주는 먹다가 그 모습을 보며, 찡그리고. 그때, 사무실 들어서는 하영.

영수 어디 갔다 왔어?

하영 장득호 좀 만나고 왔습니다.

영수 혼자?

하영 네.

영수 (하영이 혼자 간 게 걸리는지) 웬만하면 혼자 다니지 말자.

하영 아… 그럴게요. (화이트보드 붙어 있는 사진 보더니) 어떻게 구하셨어요?

영수 인맥 찬스.

하영 (다가가서 사진 들여다보다가) 장소랑 시간이 안 적혔네요.

우주 아! 적을게요.

무의식적으로 먹다 말고 음식물 씹으며 일어선 우주. 화이트보드에 붙은 사진들 보며 순간 멈칫하다가 이내, 적응하려는 듯 장소, 시간 적어 넣는 모습에서 오버랩되는.

---

5 '5월 20일(토) 5살 이수현 실종. 5월 29일(월) 70대 고물상이 주택가 골목에서 배낭에 유기된 이수현 양의 팔과 다리 발견. 5월 30일(화) 인근에서 경찰이 몸통과 머리 추가 발견. 5월 30일 오전 사체 신원 확인.'

45 ___ 서울지방경찰청 외경 / 밤-새벽

어두운 밤. 환하게 불이 켜진 기수대 사무실 창 안으로 사건 내용 정리된 화이트보드를 턱을 괸 채 서서 뚫어져라 보고 있는 태구의 모습이 보인다.
이내 허름한 분석팀의 창고 건물과 경찰청 건물이 대조되는 데서 건물 곳곳 환하게 불 켜진 여러 사무실과 다시 그 창 안으로 분주히 오가는 기수대 팀원들 비춰지면서.

46 ___ 몽타주 / 새벽

- 주택가 골목, 하수구 등을 조사 중인 경찰들의 모습.
- 밤새 불이 켜진 기수대 사무실. 준식, 길표, 태구, 일영 외 경찰들 몇 더 보이고. 길표, 태구 "주변에 원한 관계인 사람 없대?" "더 알아봐" "손가락은 아직도 못 찾은 거야?" 등의 대화 주고받으며 분주하게 움직이는.

47 ___ 분석팀 / 새벽

밤새 화이트보드에 적힌 내용을 보며 회의하는 하영, 영수, 우주.

하영　돈이나 금품을 요구한 정황이 없으니 금품 목적의 유괴는 아닐 겁니다. 잔인성을 고려하면 부모와 원한 관계인 인물을 추측해볼 순 있는데, 그건 기수대에서도 아직 못 찾은 거 같고-

영수　그래서 정신이상자라고 방향을 좁힌 거 같아.

하영　정신이상자의 짓이라기엔 시신 처리가 너무 단정해요.

우주　(무슨 소린가 보는)

하영　(사진 보며) 보세요. 마구잡이로 훼손한 게 아니고, 나름 방법을 알고 잘랐어요. 관절을 이용해서.

우주　(상상만 해도 끔찍한데)

하영　봉지에 나눠 담은 것도 그렇고요.

영수　한 번에 안 담겨서 그런 거 아냐?

하영　뭔가… 자르는 게 익숙한 직업 같아요.

우주　그런 직업이 뭐가 있죠? 의사? 아니지 의사는 절단이랑은 거리가 좀 있겠다.

영수　그것보다 의사면 낮에는 환자를 보고 있지 않았을까?

하영　그쵸. 실종 시간이 대낮이었고. 실종 장소와 멀지 않은 서민 주택가에 유기했고.

영수　다시 돌아가는 질문이긴 한데, 왜 근처에 버렸을까? 발견도 쉬운데.

하영　이동수단이 마땅치 않았을지도 모르죠. (하며 사진을 들여다보다가, 순간) !!, (바짝 다가가 살피고) 이거 두 겹이죠?

영수/우주 ?? (다가가서 보는) 그러네.

하영　(골몰히 생각하다가) 두 겹으로 싼 이유-

우주　!!, 도축업자 아녜요?!?

하영　가능하겠네요. 절단 기계를 사용했을 수도 있고. 냉동 처리한 방법도 그렇고. 근데 도축업자들이 이렇게 봉지에 정갈하게 나눠 담기도 하나?

영수　음…

하영　정육점 직원?

우주　!!, 맞네! 고기 사러 가면 검은 봉지에 이렇게 두 번씩 싸주잖아요. 생선도 그렇고.

하영 관절 부위 절단을 고려하면 생선보다 정육업자에 더 가깝겠죠.

영수 그치만 정육업자들도 낮엔 일할 시간이었을 텐데?

하영 자영업은 시간이 좀 자유로울 수 있죠. 아니면… 과거에 그런 일을 했던 사람이거나.

영수/우주 !!, 현재는 백수고?

하영 (끄덕)

48 ___ 몽타주 / 낮

- 근처 정육점들 일일이 찾아다니며 주인 신상 확인하는 태구.
- 정신병원에서 환자 목록 자료 들고나와서 차에 올라타는 일영.
- 절단 기계 보유한 인근 공장 인부들 확인하는 태구.

49 ___ 주택가 골목 (씬5 동) / 낮

배낭이 발견된 현장을 둘러보는 하영. 주변 분위기 살피며 골목을 천천히 돌아보기 시작한다. 빼곡히 들어선 집들 살피며 눈에 띄는 현관들 위치 체크해두고.

50 ___ 서울지방경찰청 외경 / 낮

범죄행동분석팀 창고를 지나, 경찰청 본 건물로 향하는 하영.

51 ___ 경찰청 복도 / 낮

하영, 기수대 사무실로 가는 중에 손에 파일 하나 들고 앞서 걷던 태구를 발견한다.

하영 윤 팀장님.

태구 (뒤돌아보면)

cut to

복도에 서 있는 두 사람.

태구 (짜증 애써 참는) 수사 방법이나 과정 모르시지 않으면서 대체 우릴 어떻게 보고 이러시는 거죠? 팀이 아니라 나를 무시하는 건가?

하영 적어도 정신이상자는 아니라는 얘길 하는 겁니다.

태구 또 선을 넘으시네. 정신이상자라고 단정한 적 없는데요. 모든 가능성을 열어둔단 얘기지.

그때, 일영이 "팀장님!" 하고 뒤에서 태구를 부르는.

태구, 일영을 보지도 않고, 뒤로 '나중에' 하는 손짓.

태구 돕고 싶다고 하지 않으셨나요?

하영 도우려는 겁니다.

태구 (도리질) 아니요. 이건 돕는 게 아니라 방해를 하러 온 느낌인데요. 우리 일은 우리가 잘 알아서 하고 있으니, 경위님은 그쪽 일을 신경 쓰세요. 정육점, 우리도 이미 확인 끝냈어요. 송 경위님만 이 사건을 주시하고 있는 게 아니란 말입니다. 그쪽 팀한텐 이 사건이 단지 관심이겠지만, 우리 팀한텐 의무예요.

하영 (반박하려는데)

태구 (OL) 교도소에 수감자들 면담 다닌다고 했죠? 이럴 시간에 한 명이라도 더 만나야 되지 않아요? 강력반 관두고 포지션을 바꾸셨을 땐, 그럴 만한 이유가 있었을 텐데 그 이유가 뭔진 몰라도 먼 미래의 범죄 예방하셔야죠.

하영 (짜증스러운) 말끝마다 가시가 있네요. 저희도 단지 호기심으로 이러는 게 아닙니다. 같은 경찰인데 어떻게 그런 식의 오해를 하실 수 있죠? 제가 못마땅한 겁니까. 우리 팀이 못마땅한 겁니까.

태구 (찔리는 듯한) 왜 못마땅해서 그런 거라고 생각하시죠?

하영 …

태구 !! (더 자존심이 상한 듯) 선 넘는 재주가 아주 탁월하시네요. 분명히 말해두지만, 이 사건의 담당 수사관은 접니다. 그러니 기수대 능력 의심하지 마시고, 저의 능력도 (멈칫) 부디 의심치 마시고. 정말 돕고 싶으면 송 경위님 자리에서 본인의 할 일을 하세요.

하영 … (보기만)

52 ___ 기수대 사무실 / 낮

자리에 돌아온 태구. 뭔가 찜찜하고 후회스러운 듯 개운치 않은 얼굴이고.
일영이 옆에서 "팀장님" 부르는데. 태구, "잠깐만" 하며, 아직 말 걸지 말라는 손짓.

53 ___ 하영의 방 / 밤

골몰하는 하영. "(씬51의) 송 경위님만 이 사건을 주시하고 있는 게 아니란 말입니다. 그쪽 팀한텐 이 사건이 단지 관심이겠지만, 우리 팀한텐 의무예요" 하던 태구의 말이 마음에 걸린다.

하영na 수현이를 죽인 범인을 잡아야 한다. (하다가, 연필로 노트에 정리해 보는) 절단면 깔끔. 냉동 후 절단. 톱 등의 절단 기계 사용 가능성. 일부 거친 면. 시신을 담은 검정 비닐 봉투. 두 겹의 포장. 절단 도구를 다루는, 포장이 익숙한 직업… 정육업자? 허나 낮 시간 동네 공원에서 실종됐다. (사이) 그리고… 인근 주택가에 유기했다는 건 가까운 곳에 거주하는 자이며 일정한 시간에 근무하지 않는…

생각이 막히는지, 벽에 걸린 십자고상 올려다보는 하영.

하영na 범인을 잡는 건 모든 형사에게 사명이고 의무다. 수현이를 죽인 범인을 잡아야 한다. 겨우 5살짜리 아이를 살해한 범인을. 잡아야 한다. (매섭고 진지한 얼굴로 바뀌면서)

54 ___ 서울지방경찰청 기자실 / 낮

씬26보다 어수선하게 테이블들 두서없이 움직여진 공간.
각 언론사 캡들, 지친 듯 저마다 셔츠 단추 풀어 헤치고 소매를 걷어 올린 채 더위를 버티는 중이고, 일부는 길표에게 수사 진행 과정 알려달라고 보채는 모습 보인다.

캡1 어느 정도 진행이 됐는지 브리핑 좀 해주시죠.

캡2 거 용의자 특정은 됐어요?

길표 진전이 있으면 알려드릴게요.

캡3 여태 아무 진전이 없다는 말씀이십니까?

길표 우리도 발바닥에 부리나케 뛰고 있는 거 알면서들 그러시네. 일단 알려진 것 외엔 기밀 사항이라 공유 불가한 점 양해 부탁합니다. 자 그럼- (다급히 나가는)

55 ___ 몽타주

 # 주택가 골목 (씬5 동) / 낮

하루도 빠짐없이 수현이의 시신이 발견된 현장에 가는 하영의 모습. 주변을 걸으며 분위기를 눈으로 담아 익힌다.

하영na (맑은 날씨) 폭 3미터쯤 되는 좁은 골목. /(다른 날, 비 내리고) 성인 남성 가슴 높이의 낮은 담장, 붉은 벽돌. /(다른 날, 해가 쨍쨍, 셔츠에 땀이 흥건하고, 전단지 스티커 붙은 검은 철제 대문이 보이는) 이삿짐센터 홍보 전단지… (걸으며) 왜 납치했을까. 왜 시신을 토막 냈을까. 범인은 어떤 특징을 가진 사람인가?

하영의 상상. 검은 대문 옆으로 (발견된) 배낭이 나타났다가 다시 사라지는 그 위로.

하영na 범인은 누구인가.

 # 분석팀 / 밤

영수 (혼자 남은 듯, 화이트보드에 붙은 사진[6] 보며) 왜 이 아이였을까.

 # 공원 꽃밭 (2화, 씬86 동) / 낮

태구na 어디에 숨었을까.

다른 날, 평화롭게 뛰노는 아이들의 모습을 보는 태구. 그때 핸드폰 울리고, 받으면. "팀장님! 부검실로 빨리요" 하는 일영의 다급한 목소리에 급하게 발길을 돌리는 태구의 모습에서.

56 ___ 부검실 / 낮

태구, 일영 안으로 들어서면, 부검의와 함께 영수와 하영이 수현이의 등을 골몰히 보고 있다. 카메라가 잘린 시신 일부 비추면, 제법 넓고 평평한 부위에 눌린 듯 흐릿하게 보이는, 일정한 간격의 가늘고 긴 흔적 드러나고.

일영 (분석팀이 찾은 게 내키지 않지만, 한편 다행이다 싶고) 국영수 팀장님이 찾았어요.

태구 냉장고라고요?

영수 냉동 상태였으니까 냉장고 선반에 눌린 자국일 거예요.

태구 !!

6 씬41의 사진들 보다가, 등에 눌린 자국 흐리게 찍힌 몸통 사진 떼어서 가까이 보는.

57 ___ 고물상 / 낮

등의 흔적 흐릿하게 찍힌 즉석 사진을 또다시 복사한 흑백의 A4용지. 용지 위에 빨간 펜으로 줄 간격 표시해뒀고.

일영 (보이며) 이 정도 간격의 선반이 달린 냉장고 있을까요?

고물상 (가게 안 냉장고 하나하나 열어보며 갸웃. 대조해보다가 없는지 고개 젓는 데서)

58 ___ 형사과장실 / 낮

준식과 길표, 쉽게 말문 열지 못하고 태구 눈치를 보는.

태구 (웃으며) 무슨 말씀 하시려고 이렇게 뜸을 들이세요.

준식 (진지한) 윤 팀장.

태구 네.

준식 국영수 좀 도와줘.

길표 뭐… 꼭 그러라는 건 아니야. (눈치 보는) 지시는 아니니까 너무 부담 갖진 말고.

태구 무슨 말씀이신지.

준식 알겠지만, 걔가 허당은 아녀. 뭐가 있으니까 저러는 겨. 들어보면 하나 틀린 말도 아니더라구.

태구 …

길표 다들 분석팀 어떻게 생각하는지 분위기 모르는 건 아닌데, 일단 우리끼리라도 한 번 기회는 줘볼 수 있지 않을까? 국영수가 단서도 찾았다며.

태구 …

준식 윤 팀장도 알겄지만, 남이 안 간 길 갈라믄 외로운 법이잖여. 개들도 외로울 겨. 그니께 윤 팀장이 잘 좀 도와줬으면 하는 건데. (눈치 보며) 그…, 명령은 아닌 겨…

준식, 길표, 조심스럽게 말하며 태구 눈치를 보고.
태구, 생각하는 듯 별 대답이 없다.

59 몽타주 / 낮

- 태구, 무덤덤하게 흑백 복사용지 건네며 "저희는 고물상부터 돌 거예요" 하면, 영수가 받으며 "그럼 우린 전자대리점들 다니면서 확인할게요" 답하고. 다시 "네. 부탁드립니다" 하는 태구에게 "윤 팀장도 수고해요!" 하며 돌아서는 영수 모습에서.
- 전자제품 대리점. 영수와 하영, 대리점 직원에게 똑같은 흑백 복사용지 보여주며 묻고. 직원, 잘 모르겠다는 듯 역시 가웃
- 다른 고물상. 역시 복사지 내보이며 묻는 일영과 태구의 모습. 고물상 안 냉장고들 비교해보며 고개 젓는 주인.
- 전자상가. 복사지 보이며 묻는 하영과 영수의 모습. 직원들마다 모르겠다는 표정.
- 또 다른 고물상 앞, 안으로 들어가는 일영과 태구. 일영은 더운 듯 손부채질하고.
- 또 다른 대리점, 아이스크림 빨며 걷는 영수와 덤덤하게 걷는 하영. 대리점 안으로 들어서고 복사지 보이면, "냉장고 만드는 제조사를 찾아가 보세요" 하영과 영수 "그게 어디죠?" 하는 모습에서.

60 ___ 마을길 / 낮

비포장도로를 달리는 하영의 차.

61 ___ 우성전자 건물 앞 + 내부 / 낮

 # 건물 앞

단층 조립식 건물 앞 한 귀퉁이에 주차되는 하영의 차. 이어 하영과 영수가 내린다.

비스듬하게 세워진 ㈜우성전자 간판이 보이고, 간간이 기계 돌아가는 소리가 들리는 건물 안으로 들어가는 하영과 영수.

 # 건물 내부

기계 소리 요란하게 울리는 제조사 내부. 문이 채 달리지 않은, 문이 한 짝만 달린, 문손잡이가 없는 등의 미완성 냉장고 본체들이 곳곳에 세워져 있다.

작업 중인 50~60대 직원 대여섯 명 보이고.

하영　　(점잖게) 실례합니다.

기계 소리에 묻혀 아무도 못 들었는지, 다들 작업에만 열중.

영수　　(크게) 실례합니다!

그제야, 저만치 한 사람이 겨우 돌아보며, '어떻게 왔냐'는 시선 보낸다.

영수 (다가가며, 크게) 냉장고 제품 확인 좀 하려고 하는데요!

직원 (큰 소리) 작업반장한테 가봐요!

영수 (크게) 어디 계신데요! (하면)

직원 (더 안쪽으로 들어가라는 시늉하며 손가락으로 방향을 가리킨다)

영수, 하영 안을 보며 더 들어가는.

62 ___ 사무실 안 / 낮

트로트가 흘러나오는 두 평 남짓한 사무실. 작업반장으로 보이는 60대 남이 모니터 보며 뭔가에 열중하고 있다.

하영 실례합니다.

작업반장 (두 사람 보면)

영수 (넉살 좋게) 어이구, 반장님 되십니까?

작업반장 ??, 어떻게 오셨어요?

하영 서울지방경찰청 범죄행동분석팀에서 나왔습니다.

작업반장 (경찰청이란 말에 일단 긴장) 왜…요? (모니터 화면을 끄는데, 카드게임 하고 있던) 무슨 일로 오셨어요? (일어서면)

하영 여쭤볼 게 있습니다.

영수 (작업반장 경계하는 듯 보이자) 아이구, 이 노래 제18번인데.

작업반장 (그제야 약간 긴장을 푸는)

하영 (영수, 뭔 소리 하나 싶은데)

영수 아, 더 듣고 싶지만 잠깐만 좀 꺼주시겠어요? (작업반장, 툭 끄면 / 영수 너스레) 다름이 아니라 저희가 냉장고 모델 하날 찾고 있는데, 냉장고 박사시라고 들어서요.

작업반장 (우쭐해지는) 대한민국에서 나만큼 냉장고 잘 아는 사람 없긴 하죠. 제가 열일곱 살 때부터 공장 다니면서 삼성, 엘지, 옛날에 골드스타 알죠? 하여간, 대한민국 냉장고는 내 손을 죄다 거쳐갔다고 여기면 되니까.

하영 (기다렸다는 듯 프린트 내보이는) 그럼 혹시 이게 어떤 제품인지 아실까요?

작업반장 (한참 뚫어져라 보다가) 연식이 한참 된 거 같은데. 잠깐 있어 봐요. (하며 나가고)

하영/영수 (믿어도 되나 싶은데)

잠시 후, 사진 하나를 가지고 들어오는 작업반장. "이건가?" 하며, 냉동실 바닥 사진과 프린트를 번갈아 비교해본다. 하영, 영수도 덩달아 고개를 내밀고 보는.

작업반장 (계속 비교해보더니) 맞네 이거! 선반이 아니라 내부 바닥이에요. (뿌듯한)

63 ___ 우성전자 건물 앞 / 낮

다급히 차에 올라타는 하영과 영수. 그 위로,

작업반장e 1988년 생산 모델이에요. 우리한텐 없고, 회사로 찾아가 보면 있지 싶은데.

태구에게 전화하는 영수. 핸드폰 너머로 벨 소리 울리다가 태구 받으면,

영수 윤 팀장! 모델 찾았어요! (하는데)

태구e (OL, 더 다급한) 아이 시신 일부가 있다는 신고가 들어와서 전 지금 거기로 갑니다.

영수 !!

64 ___ 도로 / 낮

- 사이렌 울리며 도로를 달리는 기수대 차량이 보인다.
- 비포장도로를 빠져나온 하영의 차량도 부-웅 속도를 내고.

65 ___ ○○여관 앞 + 여관방 / 저녁

여관 앞

차에서 내려 급히 안으로 들어가는 준식, 길표, 태구, 일영.

여관방

폴리스라인 안으로 이미 도착해 조사 중인 감식반원들 모습 보이고. 경찰1, 여관 주인 얘기 듣고 있다. 준식과 길표는 문밖에서 어수선한 상황 지켜보며 서 있고, 태구와 일영만 덧신 신고 들어서는.

여관 주인 물 넘치는 소리가 들려서 들여다봤더니 뭐 묵직한 게 변길 막고 있드라구요.

태구 (다가와 경찰공무원증 보이며) 경찰입니다.

여관 주인 나는 무슨 고깃덩어리 같은 걸 버렸나 했네. 아무 생각 없이 끄냈

다가 얼마나 식겁했는지… (끔찍한) 아휴…아가씨, 난 아직도 심장이 벌렁거려요.

경찰1 ('아가씨'란 말에 태구 눈치 힐끔 보는데)

태구 (익숙한지 상관 않고)

66 ___ 여관 앞 / 저녁

여관 근처를 어슬렁거리는 백팩 차림의 최 기자. 주변을 어슬렁 살피며 통화 중이다.

최 기자 네 국장, 윗대가리들까지 다 떴어요. 틀림없어요. (사이) 아, 제 정보통 확실하다니까요. 여기 아직 저밖에 없어요. (사이) 그럼요. 드디어 단독 갑니다! (하는데)

뒤에서 최 기자의 전화기를 뺏어 드는 하영. 영수는 모른 척 먼저 들어가고.

최 기자 !! (보며) 뭐에요?!

하영 지금 공무집행 방해하는 겁니다. (하며 그대로 들고 건물 안으로 들어가려는데
핸드폰 너머로 "여보세요?! 최 기자?" 하는 중년 남 목소리)

최 기자 무슨 말도 안 되는 소리예요! (하다가, 핸드폰 너머 국장에게 소리치는) 국장-!! (하다가, 다시 하영에게) 그거 이리 안 줘요?! (하는데, 순간 갸웃)

하영 (건물을 지키고 있는 경찰2 향해) 저 사람 얼씬도 못 하게 잘 막아주세요. 부탁드립니다. (하며 핸드폰에 대신 답하는) 단독은 없습니다.

(끊고)

최 기자의 핸드폰, 경찰2에게 쥐어주고, 하영은 안으로 들어가는데, 하영, 가다가 갸웃- 최 기자를 잠시 돌아보며 가는.

최 기자 (짜증 확) 아씨 뭐야. 무례함이 하늘을 찌르네. (경찰2에게 신경질) 주세요 내 꺼. (경찰2, 당황하며 머뭇거리면) 빨리 줘요! 내 핸드폰-! (하는 데서)

67 ___ 여관방 문 앞 + 방 안 / 저녁

 # 문 앞

문 앞에서 준식, 길표와 마주치는 영수.
준식은 개의치 않는 얼굴인데, '왜 여기까지 왔어?' 하는 길표 눈빛에 순간 주춤.

영수 (괜히 준식에게 시선 주며) 우리 백 과장님도 오셨네요? (하다가 당당하게) 우리가 냉장고 모델 찾았어요.

길표 !, 뭔데?

영수, 준식과 길표에게 설명하려는데, 뒤이어 오는 하영.
간단히 묵례하고 먼저 안으로 들어선다.

 # 방 안

덧신 신고 들어서며 태구와 눈이 마주치는 하영. 서로 어색하게 인사하는.

태구 모델 찾으셨다고요.

하영 88년도에 생산한 대성 냉장곱니다. (모델명 메모한 쪽지 내미는) 여기 모델명.

영수 (뒤늦게 덧신 신고 들어오는)

여관 주인 저기 나도 장사는 해야 돼서… (하며 태구에게) 아가씨 이거 얼마나 더 걸려요?

하영 (주인에게) 형삽니다. 이 사건 담당 팀장님이에요.

여관 주인 (멋쩍게) 아… 하여튼 빨리 좀 해줘요… (하며 빠지는)

일동, 그런 태구의 눈치를 살피는데,
태구, 여전히 아무렇지도 않은 듯, 오히려 하영에게 놀란 눈치다.
그때, 문밖에서 준식이 못 참겠는지 큰 소리로 묻는다.

준식 우리도 인제 그만 들어가면 안 되는 겨?

영수 괜히 밟고 만지고 하시지 말고, 두 분은 그냥 거기 계시는 게 도와주는 거예요. (태구 보며) 이런 상황은 짬 되는 사람이 짤라줘야죠?

태구 (감사하다는 듯 끄덕)

길표 (밖에서 투덜) 우리가 형사 하루 이틀 해? (하고) 담배나 피시죠. (준식과 나가는)

다시 방 안을 둘러보는 영수의 시선 비추면, 각종 시약 뿌리고, 사진 찍고, 머리카락 등을 집어 봉투에 담으며 방 구석구석 샅샅이 조사하는 인탁과 감식반원들 보인다.
그때, 침대 곁에 있던 인탁이 영수를 보고 "어?, 선배님!" 부르는.

국/송/윤/남 (동시에 보면)

인탁 잠깐 이것 좀 보세요.

영수 (다가가면)

인탁 이놈 이상하지 않아요? (침대 가리키는데, 흐트러짐 하나 없이 가지런히 놓인 이불)

영수 뭐지 이놈.

일영 (보면서도 모르겠는) 왜요? 뭐가요?

하영과 태구, 반듯하게 놓인 이불 가만히 응시하고.
영수와 인탁, 침대와 가구 살짝 들어 옆에 옮겨둔 후, 그 아래 바닥과 옆면 살핀다.
그때, 침대 밑에서 나오는 어린아이의 옷가지!! 인탁이 흐트러지지 않도록 조심스럽게 꺼내는데 상하의 단추와 지퍼가 모두 채워진 채, 역시 반듯하게 접혀 있다.
영수, 이상하다는 듯 보다가 옷가지 꼼꼼히 살피고.
하영과 태구, 가지런히 개어둔 이불과 상의를 번갈아 보는 의미심장한 모습에서.

68 ___ 서울지방경찰청 강당 / 아침

태극기 액자만 하나 달랑 걸린 경찰청 백드롭 하나 설치되지 않은 부실한 공간.
단상에서 수사 브리핑 시작하는 청장과 그 옆으로 나란히 선 준식, 길표, 태구, 일영.
좁은 공간 가득 채우고 있는 기자들 일부는 서서 찰칵찰칵 플래시 터뜨리는 중이고, 일부는 바닥에 주저앉아 수첩에 메모하는 자세. 맨 뒤에는 심각하게 브리핑 지켜보는 최 기자, 영수, 우주, 내외하듯 서 있다.

청장 지난 5월 29일 월요일, 서울 창의동 주택가 골목에서 토막 난 시신으로 발견됐던 5살 이수현 양의 신체 일부가 6월 26일 어제, 경성동의 모 여관에서 추가로 발견됐습니다.

듣다가, 참담한 얼굴로 강당을 나가는 영수의 모습에서.

청장 여관 주인 김 모 씨는 오후 세 시경 3층 302호 화장실 변기에 어린이의 사체 일부가 들어 있는 것을 발견해 경찰에 신고했으며-

69 ___ 분석팀 / 아침

청장e 김 씨에 따르면 25일 오전 7시쯤 40대로 보이는 노동자 차림의 한 남성이 이 방에 투숙했다고 합니다.

사무실[7]에 혼자 남아 라디오에 흘러나오는 브리핑 듣는 하영.
청장의 말이 끝나기가 무섭게 기자들 "수사는 어디까지 진행된 상태입니까" "범행 동기는 어떻게 되나요" "원한 관계인가요" 질문이 쏟아지고. 하영이 라디오를 끈다. 이어 서랍에서 사진을 하나 꺼내 진지하게 보는데, 그 사진 비추면,
5살 수현이의 활짝 웃는 얼굴이 찍혀 있다. 그 위로,

---

7 하영의 자리에 『마음의 사냥꾼』 놓여 있고, 거의 다 읽었는지 책갈피는 맨 뒤에 꽂혀 있다. 페트병을 자른 듯한 투명한 플라스틱 통에는 몽당연필들 쌓여가는.

하영na (수현이의 사진을 보는) 목격자가 최초 등장했지만, 범인의 검거로 이어지지 않았다.

손에 들고 있던 사진을 자신의 수첩에 붙여두는 하영의 모습에서.

70 ___ 기자실 / 낮

하영na 오히려 범인의 정체는 더 흐릿해졌다.

기자실에 설치된 여러 대의 TV 화면에 토론하는 패널들 비춰진다. "범인이 훼손한 시신을 주택가에 유기한 것은 지능범의 과시욕에서 비롯된 행동일 것입니다." "살인의 방법이 너무 잔인무도합니다. 정신질환자일 가능성이 높아요!" "시간이 지났는데 아직도 범인의 행방이 묘연합니다." "경찰은 단서조차 찾지 못했어요. 머리가 좋은 지능범이지 않겠습니까." 저마다 말을 보태는 장면 이어지는.

71 ___ 분석팀 / 낮 (다른 날)

화이트보드에 빨강, 파랑으로 깨알같이 추가된 정보들 잔뜩 적혀있다. 정보들 눈으로 담는 하영의 진지한 모습 위로.

하영na 프로파일러는 경찰 같은 심리학자가 아니라, 심리학자 같은 경찰이다. 프로파일러는 범죄 현장에서 어떤 일이 벌어졌는지 알아야 한다.

72 ___ 공원 꽃밭 + 슈퍼 + 주택가 골목 / 낮

하영의 상상. 하영, (2화의) 범인과 수현을 저만치 떨어져 지켜보는. (→ 범인의 모습은 가슴 아래로만 보여지게)

공원 꽃밭

상반신이 보이지 않는 범인과 그 손을 잡고 따라가는 수현이의 모습이 그려진다. 밝고 천진한 표정의 수현. dis

슈퍼 안

아이스크림을 고르는 수현이의 해맑은 모습이 비춰지고,
그 뒤로 가게 문밖 저만치 떨어져 수현이를 기다리고 있는 범인의 뒷모습이 보인다.
불안함에 서성이다가 수현이를 보려는 듯 돌아서는 모습에서. dis

주택가 골목 (씬5)

늦은 밤. 배낭을 메고 있는 범인. 주변을 두리번거리다가, 전봇대 쓰레기 더미 옆에 버려두고 가는. dis

73 ___ 분석팀 / 밤 (다른 날)

밤을 새우며 회의하는 하영, 영수, 우주의 모습에서. 두서없어 보이지만, 일목요연하고 빼곡하게 정리된 화이트보드 정보들 차례로 비춰진다. 화이트보드에는 'BS-80'이라고 적힌 업소용 냉장고 사진 붙어 있는데, 어린애 한 명쯤 들어갈 사이즈의 구형 디자인.

하영na (노트에 메모하는 모습과 동시에) 냉동 후 사체 절단. 정육점 등의 중대형 냉장고 이용. (/냉장고 사진 옆으로, 등의 흔적 흐릿하게 찍힌 사진 비춰지고) 비교적 깔끔하게 처리된 시신의 절단면. 절단 형태와 단면 등을 볼 때 냉동식품 등을 절단하는 일을 하는 자로 판단. (/그 아래로 다시, 깨끗하게 잘린 시신의 절단면이 찍힌 사진을 비추고) 시신을 나눠 담은 7개의 검정 비닐 봉투. (/시신의 팔과 다리가 검정 비닐봉지에 담긴 사진 비추고) 봉지는 모두 깨끗하며 두 겹의 비닐봉지 사용. 보통 냉동된 물건을 판매할 때 두 겹으로 담아주는 행태가 있음을 근거로 판단하면, 직업적 습성이 무의식적인 행동으로 나타난 것으로 볼 수 있어 범인은 냉동 물건 판매 경력이 있거나… 혹은… 현재 정육점, 생선 판매업소 등에서 일하고 있을 확률이 높음.

우주 시간을 두고 절단했다는 얘기죠?

야식을 먹으면서도 여전히 프로파일링 중인 팀원들.
우주, 어느새 먹으며 사건 사진들 보는 게 익숙해졌고.

하영 (골몰하는 표정 비추며) 냉동 후에 절단했다는 건, 시체 절단에 장시간을 소요했다는 의미니까. 범인은 가족 없이 혼자 생활하거나, (혼자) 일하는 사람일 거예요.

영수 애를 데리고 먼 거리를 이동하긴 위험 부담이 따랐을 테니까.

하영 (끄덕) 도보 가능한 가까운 곳에 거주할 확률이 큽니다.

74 ___ 서울지방경찰청 건물 앞 / 아침

분석팀 창고 건물에서 나와 경찰청 본 건물 계단을 오르는 하영. 손에 프로파일링 분석 파일 들고, 급히 기수대 사무실로 향하는 중이다. 그 뒤로 영수와 우주도 보이고.

하영na 범인이 실종 시간 이전에 현장에 도착해 있었다면, 일상적인 직장 생활을 하는 자는 아닐 것이다. 따라서 자영업자나 범행 당시 일용직 혹은 무직자였을 가능성이 높다.

75 ___ 경찰청 복도 / 아침

경찰들 사이를 지나 기수대를 향하는 하영. 그 위로,

영수e 시체를 부위별로 질서 정연하게 담았어요. (/씬67. 반듯하게 개어둔 이불과 상의 비춰지면서) 여관에서 발견된 피해자의 옷가지랑 이불까지 단정히 정리돼 있었던 걸 보면, 범인은 깔끔한 성격임이 틀림없어요.

하영e 주거지는 물론이고, 범행에 사용된 도구 등도 잘 정리해 보관하고 있을 겁니다.

76 ___ 기수대 회의실 / 아침

프로파일링 보고서를 진지하게 읽는 중인 준식, 길표, 태구, 일영. 다들 영 못 미더운 얼굴을 하고 있다.

길표 (소리 내 읽는) '성을 목적으로 성인이 아닌 어린 피해자를 납치했다면, 소아 강간 살인 피의자에게서 공통적으로 나타나는 특징인, 내성적이고 말주변이 없으며, 성적인 콤플렉스가 있는 자일 수 있…'다?

기수대 (막연한 추정에 일동 갸웃)

일영 조루나 뭐 발기부전 같은 거요?

하영 (끄덕)

일동 (미간 찌푸려지는)

준식 요약하면 성적 콤플렉스를 가진 깔끔한 성격의 독거남이 범인일 거다 이거여?

하영 네.

길표 (내키지 않고) 이게 무슨…

하영 (확신하는) 피해자가 납치된 장소는 지리적 감각이 없는 사람은 찾기 어려운 곳입니다. 게다가 울거나 반항하는 피해자를 납치해서 먼 거리를 이동하기도 쉽지 않았을 거고요. 이 두 가지 상황을 추측해봤을 때 범행 장소나 주거지는 실종 장소에서 도보 이동이 가능한 가까운 곳입니다. 근방에 거주할 확률이 매우 큽니다.

태구 그 동네는 저희도 이미 다 조사했어요. 의심 가는 건 없었고요. (보고서 보며) 정육점도 마찬가지예요. 다 조사했어요.

준식 기여. 우리도 놀지는 않은 겨.

하영 그렇다면 과거에 일했거나 일용직처럼 한곳에서 오래 일하지 않는 자일 겁니다.

태구 음… 그런 이론이면 횟집 같은 데서 심야에 교대로 근무하는 사람일 수도 있겠네요.

하영 그것도 상당히 가능성이 있죠.

길표 근데, 이건 너무 막연하지 싶다. (하며 보고서 읽는) '납치, 성추행, 사체 절단, 유기 등의 행동으로 보아 연령대는 30대 중후반에서 40대 초반, 학력은 중퇴거나 중졸 정도로 추정. 전과가 있다면 폭력이나 사기 같은 대인 범죄보다는 절도 등으로 학창 시절 처벌 받은 경력이 있는 자일 것.' 무슨 근거로?

하영 미국 FBI에서 분석한 범죄 분석 유형을 토대로-

길표 (OL) 또 미국이야 또. (하며 영수 보는) 여긴 한국이다 한국.

준식 절단한 시신을 보란 듯이 동네에 버렸는데, 지능범이 아니라고?

하영 보란 듯이 버린 것 같지만, 시신을 토막 내는 가장 큰 이유는 발견되지 않기 위함입니다. 게다가 범인은 그걸 여러 장소에 나눠서 유기했어요.

길표 (못 미더운) 이건 뭐… '거의 B형은 성격이 까칠하고 이기적일 것이다' 그런 거랑 동급 아니야? 차라리 난 혈액형 분석이 더 신뢰가 가는데?

일영 (혼자만 피식)

우주 (혈액형 얘기에 움찔, 하영의 눈치를 보는)

하영 (그 말에 별 관심 없어 보이고)

길표 그나마 젤 그럴듯한 게, 난 이거야. (하며 읽는) 성적 콤플렉스가 있는 자로, 부근에서 일했거나 거주한 적이 있으며 (강조) '가까운 친구가 별로 없을 것임.'

하영 성범죄자 대부분이 내성적 성격의 성적 콤플렉스를 가졌습니다. 성인이 아닌 아이를 표적으로 삼았다는 건 자신에게 거부감이 없을 손쉬운 상대를 찾았다는 의미에요.

준식 (잠시 고민하다가, 길표에게) 안 되겠지?

길표 (아마도…) 안 돼요. 안 돼. 이걸 가지고 어떻게 수사 지시를 내려요. (단호) 안 돼.

영수 아 혀-(엉님 하려다 길표 째려보면) 기수대장님. 밑져야 본전인데 수사라도 해봅시다.

준식 전과자들 말여. 죄다 조사할라믄 수사 인원도 엄청 투입돼야 하고. 안 그려?

하영/영수 (답답한데)

준식 아무러케도… '공식적'으론 불가능하지 않여? (비공식으론 가능하다)

하영 !!

순간적으로 하영과 눈이 마주치는 태구, 고민하는 얼굴에서.

77 ___ 몽타주 / 낮

- 전산실. 직원에게 성범죄 전과자 자료를 건네받는 일영. 자료 보면, 주소지 함께 표기된 30여 명의 명단이다. 그 위로,

준식e 비공식이니께 조용히 움직여야 하는 겨.

- 기수대 사무실. 일영이 성범죄 전과자 목록을 태구에게 건네면, 탐문할 인원수를 네 등분해서 빨간 펜 표시한다. 하영, 영수, 일영에게 똑같은 명단 나눠주는 태구 모습 위로.

길표e 윤 팀장, 처음이자 마지막이다 생각하고 분석팀한테도 기회 한 번 줘보자. 그걸로 수사에 도움이 되면 우리도 손해 볼 거 없잖아.

- 각각 다른 동네를 다니며 주소지 일일이 찾아다니는 네 사람. 명단 확인할 때마다 일일이 빗금을 쳐가며, 전과자들 집 안으로 들어가 냉장고 모델을 확인하는 태구, 영수, 일영. 전부 허탕이고.
- 마지막 집을 나서는 하영 역시, 낭패라는 얼굴 하고 있다. 그 위

로 선행되는.

하영na 뭐가 잘못된 걸까.

78 ___ 서울지방경찰청청 옥상 / 저녁

간이의자에 앉아 자판기 커피 마시는 태구, 영수, 일영, 우주. 지친 기색이 역력한데.
하영, 혼자만 여전히 생각이 온통 프로파일링에 집중된 채, 검지 손톱으로 엄지손가락을 꾹꾹 눌러가며 수첩에 붙여둔 수현이의 사진을 가만히 들여다보고 있다.

태구 (그런 하영을 잠시 지켜보다가) 도장 깨기 말곤 우리도 어차피 방법 없어요. 혼자만 자괴감 갖지 말아요.

영수/일영 (하영을 대하는 태구의 태도에 내심 놀라고)

하영 (여전히 수현이의 사진만 보는)

우주 (소심하게, 손을 들려다 마는)

영수 (우주 보며) 왜?

우주 (머뭇대다가 용기 내서) 인근에 거주하는 성범죄자 명단은 확인했으니까, 이번엔 거꾸로 지역에 혼자 사는 사람들 중에서 성범죄 전과자를 찾아보는 건 어때요? 누락된 명단이 있을지도 모르잖아요.

영수 (제법인데?)

일영 그건 너무 오래 걸려요.

하영 !, 일리가 있어요. 최근 전입신고를 한 사람이면 명단에 없을 수도 있으니까.

영수 30대, 40대 독거 남성 명단부터 뽑아봅시다.

태구 (에라 모르겠다) 어차피 시작한 거, 모로 가든 해보죠. 딱히 수도 없는데.

79 ___ 동사무소 / 낮

일영 서울지방경찰청에서 나온 남일영 경장입니다. 창의동에 거주하는 30~40대 독거 남성 명단 좀 싹 다 주세요.

직원에게 30~40대 독거 남성 120여 명의 명단을 건네받는 일영.

80 ___ 기수대 사무실 / 저녁

종일 120명의 전과를 일일이 조회해보는 일영.
마지막 조회를 끝내고 명단을 보면, 4명으로 추려진 미성년 성범죄 전과자.

일영 !! 팀장님! 이것 좀 보세요. 얘네들 경찰청 전과자 조회 명단에 없었던 놈들이에요.

태구 (명단 보며) ??

일영 주소지 이전 신고 시점 차이로 조회가 안 됐던 거 같아요. 이야- 진짜 누락이 있었네. 이거 생각보다 쉽게 끝나겠는데요?

일영의 말이 채 끝나기도 전에 명단 들고 자리에서 일어서는 태구. 덩달아 얼른 따라나서는 일영.

81 ___ 경찰청 주차장 / 저녁

태구, 하영에게 명단 건네는 모습 위로,

태구e 넷이 각자 한 곳씩 맡아서 가보기로 해요.

태구, 일영, 하영, 영수 각자의 차에 오르고, 차례로 출발하는 4대의 차량.

82 ___ 공터 / 밤

하영이 혼자 탄 차량이 어느 공터 앞에 멈춘다.

83 ___ 남자의 집 외경 (2화, 씬91 동) / 밤

캄캄한 어둠 속, 덩그러니 놓인 낡은 컨테이너 하나.
어둠 속에서도 제법 잘 정돈된 주변 잡동사니들이 하영의 시선에 차례로 들어온다.

하영n 사체가 처음 발견된 창의동 골목과 가까운 집, 제법 잘 정돈된 물건들…

의미심장한 눈빛으로 컨테이너를 응시하는 하영.

하영 (태구에게 전화, 나지막이) 찾은 것 같습니다.

전화기 너머로 “기다려요!” 하는 태구 목소리 들리는데.
하영, 끊으며 컨테이너를 향해 이내 성큼, 성큼, 다가간다.
그때 갑자기 컨테이너 창문에 노란 조명이 툭 밝혀지고!!
순간 걸음을 멈추는 하영. 깊고 서늘한 눈빛으로 불빛을 응시하는데서.

하영n 이자가 범인이다.

작가 Comment

최초의 프로파일링 보고서를 만들고 기수대와 공유하기까지의 자연스러운 흐름을 위해 추가했다.

73-1 _ 버스정류장 / 밤

버스를 기다리며 그림을 그리는 우주. 노트를 보면, 수현이를 그리는 듯하고. (→ 완성되지 않은 스케치일 것)

73-2 _ 분석팀 / 밤

영수와 하영만 남아 있는 사무실.

하영 회의 내용을 우리끼리만 보는 건 의미가 없을 것 같고, 보고서로 제대로 정리해서 수사팀에 공유하면 어떨까요?

영수 우리는 이렇게 추론했다, 제안하자는 거지?

하영 그쵸. 우리끼리 움직이는 건 의미가 없으니까.

영수 설득이 될까.

하영 되게 해야죠.

73-3 _ 서울지방경찰청 외경 / 아침

73-4 _ 서울지방경찰청 화장실 / 아침

밤을 새웠는지 초췌한 모습으로 머리 묶어 올리고 양치 후 입을 헹구는 태구.

73-5 _ 서울지방경찰청 복도 / 아침

수건으로 얼굴의 물기 닦으며 걷는데. 정복 입은 경찰(30대/여), 태구를 부르며 옆으로 다가오는.

여경 윤 태구 팀장님. 밤샌 거야?
태구 어? 서울청엔 무슨 일이야?
여경 (웃으며) 나 서울청 정보과로 온 지 2주나 됐다.
태구 아… 몰랐네.
여경 (이해하는 듯) 요새 정신없다며.

그때 담배 들고 지나가던 남자 형사 둘, 서로 짧게 묵례하며 태구, 여경 옆으로 지나가는데 "담배를 펴야 같이 잡담도 나누고, 수사 상황 공유도 하지. 그런 맛이 없어" 하는 소리 들린다. 태구와 여경도 들었고.

여경 하여튼 여자들 말 많다 하는데, 내가 볼 땐 남자들이 말 더 많아.
태구 (쓴웃음)
여경 수사 진척은 있어? 윤 팀장이 창의동 토막 사건 맡았다고 저런 못난이들이 눈 부라리고 지켜보는 거 같던데.
태구 언제는 안 그랬나 뭐.

여경 윤태구 에이스인 걸 온 경찰이 다 아는데, 아직도 기수대 팀장에 여자 세웠다고 떠드는 것들이 있다는 게 참- 못났다 못났어들.

태구 여유 있을 때 밥 한번 먹자.

여경 (끄덕이며) 그래 수고해.

다시 사무실로 향하는 태구.

73-6 _ 서울지방경찰청 기수대장실 / 아침

길표 앞에 서 있는 태구.

태구 수사팀 지원 인력 더 필요합니다.

길표 지금도 최대로 인력 투입한 거야. 알잖아.

태구 사체 추가 발견하고 일주일이나 지났어요. 이대로 더 지체되면 안 되는데 탐문 도는 것만으로도 인원이 부족해요.

길표 (고민하듯) 분석팀을 써먹어 봐.

태구 현실적으로 수사에 투입될 인력이 필요해요.

길표 더 늘리는 건 어려워. 그러니까 분석팀 손발이라도 빌려봐.

태구 (반발하듯이) 대장님.

길표 (OL) 방식이 낯설 순 있어도 분석팀도 결국 조직에서 일하라고 만든 팀이야. 게다가 형사과 직속이고.

태구 …

길표 개들도 우리만큼 이 사건에 몰두해 있으니까 차라리 잘 활용해봐. 분석팀도 뭐든 성과가 나와야 존재 의미가 있는 건데 보여줄 기회가 없잖아. 우리가 그 기회 준다고 손해볼 게 있어?

태구 (고민하면)

4화

1 ____ 태구의 차 안 / 밤

하영에게 향하는 태구의 차량이 도로를 달리고 있다.
태구, 일영에게 전화하며 다급하게 '조현길 집으로 빨리!' 하고 끊는.

2 ____ 남자의 집 앞 (3화. 씬83 동) / 밤

캄캄한 어둠 속, 덩그러니 놓인 낡은 컨테이너를 의미심장한 눈빛으로 응시하는 하영. 이내 성큼성큼 다가가는데… 갑자기 컨테이너 창문에 노란 조명이 탁! 밝혀진다.
순간, 걸음을 멈추는 하영. 깊고 서늘한 눈빛으로 불빛을 응시하는 동안 어느새 도착한 태구의 차량이 공터로 진입하는 소리 들리고. 하영의 뒤로, 저만치에 차를 세우는 태구.
그때, 컨테이너의 노란 조명이 다시 꺼지면서 태구가 하영의 어깨를 툭 친다. 이어, 잘 정리된 주변을 잠시 보는 태구.

하영, 태구를 보면, 두 사람 상의라도 한 듯 말없이 컨테이너로 조심스레 다가가는.

컨테이너 문 앞에 다다른 하영과 태구. (→ 언뜻 보기엔, 작은 창문마냥 낡은 문)
무언의 눈빛 교환하며 태구가 먼저 문 두드린다.
……
기척이 없자, 다시 한번 더 세게 두드리는 태구.
……
여전히 기척이 없고.
하영이 문고리를 돌려보면, 쉽게 열리는 문.

3 ____ 남자의 집 안 (이하, 컨테이너) / 밤

어두운 컨테이너 안, 조심스레 들어서는 하영과 태구.
지지직- 천장에 매달린 조악한 전구에 저절로 불이 들어오다가 몇 차례 깜빡거리고. 태구가 그 순간 밝혀진 공간[1]을 재빠르게 둘러보며 공격적으로 소리친다.

태구　　조현길! (하는데, 다시 지직- 불이 꺼지는)

하영과 태구, 어둠 속에 긴장하는데. 또 한 번 불이 켜지는 듯하더니, 이내 수명을 다한 전구가 깜빡대며 불을 밝혔다, 꺼졌다 반복

1　공간 오른편에 낡은 흰색 업소용 냉장고가 보이고, 검은 3단 가구함 위로는 TV가 놓여 있다. 그 옆으로 접이식 상과 아이스박스, 볼품없고 낡은 물건들 가지런히 정리된.

한다. 상황을 인지한 하영, 전구 아래 늘어져 있는 스위치 잡아당겨 켜면 그제야 제대로 불을 밝히며 제법 잘 정돈된 공간이 드러난다. 그 위로,

/ins. 3화. 씬75

하영e 주거지는 물론이고, 범행에 사용된 도구 등도 잘 정리해 보관하고 있을 겁니다.

더러운 양말마저 가지런히 널려 있는 공간에 놓인 업소용 냉장고를 보는 태구와 하영.

태구 저 냉장고…

하영 (알아들었다는 듯 끄덕이고)

태구가 주위를 살피는 동안, 하영은 전원이 꺼진 냉장고 열어보는데. 큰 낚시 가방 하나가 들어 있다. 주머니에서 손수건 꺼내 손잡이 조심스레 쥐고 바닥에 내려두는 하영. 예견한 듯한 얼굴로 지퍼를 열면, 어린 여자아이의 분홍색 머리핀이 들어 있고! 하영, 머리핀을 보며 (화난 듯) 다시 감정을 실어 가방 지퍼 활짝 열어젖히는데.
열린 가방 속에 보이는 칼과 톱! 태구도 다가와 그 물건들을 보는데서, 마침 도착한 일영과 영수도 안으로 들어서고.

타이틀, 악의 마음을 읽는 자들 4화

4 ____ 컨테이너 앞 / 밤

불 꺼진 컨테이너 앞. 하영은 마당 곳곳을 살피는 중이고, 태구, 일영, 영수는 모여 서서 대화 중이다.

영수 (하영 쪽 보며) 먼지가 폴폴 쌓인 게 안 올 거 같지?

일영 혼자 사는 남자들 원래 청소 안 하잖아요.

하영 (다가오며) 이 정도의 정리 습관을 지녔으면, 청소도 신경 써서 하는 타입일 겁니다.

태구/일영 (다시 주변 둘러보면, 잡동사니들 깔끔하게 정돈된)

하영 그런데도 먼지가 쌓여 있다는 건, 팀장님 말대로 안 들어온 지 꽤 됐다는 의미고요.

태구 그래도 일단 기다려볼게요. (하는데)

하영 저도 같이 기다리겠습니다.

태구 그러실 필요 없어요. 저랑 남 형사면 충분해요. (하는데)

하영 (굽히지 않는 시선에)

일영 (어찌해야 할지 어색한)

영수 (분위기 보다가) 그럼, 뭐, 나라도 먼저 가지 뭐. (하고 차로 향하는)

태구 (하영 보며) 들어가시죠. 차량 줄줄이 진 치고 있는 거 별론데.

하영 다른 데 세워두고 올게요. (하며 차로 가면)

태구 (포기하듯 혼잣말) 남의 말은 도대체 듣질 않네.

일영 (태구의 말에 동의하는 표정이고)

영수 (시동 걸며, 크게) 그럼 수고들 하고. 뭐 있으면 나한테도 바로 연락 줘요.

태구 (영수 보며 끄덕이는)

영수, 하영의 차량이 공터를 빠져나가면, 태구(운전석), 일영(보조석)도 차에 오르고.

5 ____ 태구의 차 안 + 차 앞 / 밤-아침

새벽. 일영은 부채질하며 지루하고 졸린 듯 나른한 하품하고.
하영과 태구는 초롱초롱한 눈으로 컨테이너 응시하고 있다.
어느새 입을 쩌-억 벌리고 잠든 일영. 하영과 태구는 더 어색한 분위기.

태구　(어색함 피하려고) 피곤하시면 눈 좀 붙이시죠.
하영　전 괜찮습니다. 윤 팀장님 피곤하시면 잠깐 눈 좀 붙이세요.
태구　(지지 않고) 저도 괜찮아요. (하는데)

저만치 기척이 느껴지며 바스락 소리가 들린다.
태구, 잠든 일영을 툭 치면, 이런 상황이 익숙한 듯 얼른 눈을 뜨고. 하영도 소리가 들리는 쪽을 응시하는데. 다시 한번 바스락-

일영　(나지막이) 내릴까요.
태구　(조심스레) 기다려봐.

그때, 또 한 번 바스락 소리 들리더니,… 별안간 후다닥-!
자동차 앞 유리로 들고양이[2]가 튀어나와 달려들었다가 사라진다.
(→ 창문에 흐릿하게 고양이 흙 발자국 3개만 찍힌)

일영　(순간적으로 놀라 읍! 짧은 괴성 지르는) 아씨, 간 떨어질 뻔했네.

2　삐쩍 마르고, 한쪽 다리가 반쯤 잘린 외형. 들고양이 달려드는 순간 하영만 발자국 3개 캐치한.

놀랐던 태구도 안도의 한숨 내쉬는데, 아무렇지 않게 차에서 내리는 하영.

 # 차 앞

야옹- 소리 내며 고양이를 부르는 하영. 태구와 일영은 황당한 눈빛으로 차창 밖의 하영을 지켜보는데. 슬그머니 모습을 드러내는 들고양이가 경계심 가득한 자세로 절룩절룩 하영에게 서서히 다가온다. 하영이 쭈그려 앉아 바지 주머니에서 고양이 간식 꺼내 뜯어 내밀며 경계심 풀려는 듯 다시 야옹- 하면. 들고양이가 하영을 한참 지켜보더니 천천히 다가와 간식을 얼른 낚아채 도망친다. 삐쩍 마른 외형으로 한쪽 다리 반쯤 잘린 채 뛰는 들고양이를 보는 하영. 다시 차에 오르고.

 # 차 안

하영　(앉아 문 닫으면)
태구　고양이 사료를 들고 다니세요?
하영　(무심하게) 가끔요. 사료까진 아니고 그냥 간식이에요. (하며 이번에는 같은 주머니에서 초콜릿 한 알 꺼내, 까서 입에 넣는데)
일영　(고양이 간식 먹는 줄 알고 식겁해 보는)
하영　(무심하게) 초콜릿입니다. (하나 더 꺼내 건네면)
일영　아… (사양하며) 괜찮아요.
태구　(의왼데? 싶고) 안 그래 뵈는데 동물 좋아하시나 봐요.
하영　(시니컬하게) 말 못 하는 짐승들은 거짓말을 못 하잖아요.
일영　(말 되네, 끄덕끄덕)
하영　(시선 들고양이로 향하며)… 배고픈 것도, 아픈 것도, 말을 못 하고.

태구, 룸미러로 하영을 힐끔 보면, 멀리 간식 먹는 들고양이를 바라보고 있는 하영.

하영 (창밖 들고양이에 시선 고정한 채, 마치 자신에게 말하듯) 누군가 먼저 알아봐 주면 좋을 거 같아서요.

일영, 뭔 소린가 싶어 하영을 돌아보고, 태구도 그 말이 의미심장하게 들렸는지 덩달아 하영을 돌아보는데, 그러거나 말거나 여전히 들고양이 보는 하영의 모습에서.

cut to

새벽녘. 이내, 깊이 잠든 일영. 태구와 하영은 깨어 있다.
두 사람, 말이 없는 어색한 분위기고. 태구가 한 번씩 룸미러로 하영을 힐끔 보면, 그때마다 하영은 무슨 생각하는지 모르겠는 얼굴로 창밖만 응시하고 있다.

cut to

아침. 차 안을 불쑥 들여다보는 집주인(60대 여) 기척에 일영이 깜짝 놀라 눈을 뜬다.

집주인 (들여다보며) 아침부터 여기서 뭐 하시는 거유?
태구 (센터 콘솔에 둔 볼펜 집어서 흐트러진 머리 추슬러 얼른 말아 올리면)
하영 (그 모습에 잠시 무심한 시선 주고)
일영 누구 좀 기다리는 중인데요. (아주머니는 누군데? 싶고)
집주인 (의아한 듯 주변 둘러보면, 공터에 컨테이너만 덩그러니 있는데) 조 씨?

그 말에 차에서 세 사람 내리고.

#차앞

하영 조현길 씨 아십니까?

집주인 내가 그치 집주인인데.

태구 조현길 씨 언제 오는지 아실까요?

집주인 (도리질) 그러잖아두 연락이 안 돼 와본 건데 나두. 월세 밀려놓고 당최 깜깜무소식이에요. (갸웃) 근데 아침부터 무슨 일로들 조 씰 찾아요?

태구, 그 말에 경찰공무원증 꺼내 보이면, 화들짝 놀라는 집주인의 얼굴에서.

6 ___ 컨테이너 안 / 낮

분주하게 안팎을 오가며 조심스레 집 안 곳곳을 살피는 감식반원들 보인다. 그 사이에서 지문 채취하는 인탁의 모습 컷컷컷.
/낚시 가방에 들어 있는 머리핀을 꺼내 조심스레 증거물 봉투에 넣고, /DNA 및 지문 채취 전, 바닥에 놓은 칼을 카메라로 찍는 /[3] 칼날에서 DNA(피해자 혈흔 등) 및 미세 증거를 채취하는 /칼 손잡이에 지문 채취용 분말 뿌리고, 가까이 들여다보며 조심스레 붓으로 쓱쓱 쓸어내리는 /기포가 들어가지 않게 잔뜩 집중해 전사지를 붙였다 떼며 지문 채취하면, 전사지에 지문의 융선 일부 드러나고! /이어, 톱도 같은 방식으로 DNA 및 지문 채취하는 모습 /톱을 증거물 봉투에 넣는 /각각의 봉투에 들어 있는 머리핀, 칼,

---

3 톱이나 칼 등은 먼저 DNA(피해자 혈흔 등) 및 미세 증거를 채취하고 지문 채취를 가장 나중에 함.

톱.

7 ___ 컨테이너 밖 / 낮

공터 인근으로 넓게 폴리스라인 쳐 있고. 태구, 일영, 영수는 대화 중이다.
하영은 뭔가에 골몰해 있는 표정. 그때, 현장에 도착한 길표가 다가오는.

태구 (길표에게) 주인아주머니가 본 어린 여자애 인상착의가 수현이랑 일치해요.

길표 사진도 확인했고?

태구 네.

길표 조현길, 이놈만 찾으면 되는 거네 이제. (하다가) 근데 또 여기 왜 있어.

영수 (나? 우리? 어리둥절한데)

길표 범죄행동분석팀은 여기 있으면 안 돼. 니넨 수사 참여 비공식인 거 몰라? 위에서 알면 난리 난다. 언론이 알면 더 골치고.

태구/일영 (괜히 미안한지 눈치 보는데)

영수 (못 참겠다) 아 놔 진짜! 해도 해도- (한마디 하려는 찰나)

하영 (그러거나 말거나 주변을 응시하던 하영 대뜸) 어딘가에.

일동 (하영을 보는)

하영 수현이 손가락이 있을 겁니다.

cut to

감식반원들 공터 하수로를 따라 손가락을 찾는 모습에서 인탁이

뭔가를 발견한 듯
"여기!" 외치면, 하영, 영수, 태구, 일영 일제히 몰려간다.

인탁 (오물 속에서 하나씩 건져내며) 부패되긴 했지만, 어린애 손가락이에요.

일동 (비통한 얼굴로 부패된 손가락을 확인하는데)

인탁 근데 여덟 개뿐이네요.

하영 더 찾아보죠. 나머지도 분명 있을 겁니다.

태구 (결연한) 떠내려갔을지도 몰라요. 근방 하수로까지 최대한 같이 찾아보죠.

8 ___ 인근 하수로 / 밤

땀 뻘뻘, 오물 뒤집어쓴 채 좁은 하수로 바닥 맨손으로 파내는 하영, 태구, 영수인데. 하영이 제일 필사적으로 보인다. 그때, 다가와 들여다보며 코를 막는 일영.

일영 감식반도 샅샅이 살폈는데… (고개 저으며) 없어요.

태구 …

일영 … (괜히 미안한 마음이고) 여기가 마지막 지점이에요.

영수/태구 (낭패라는 표정에서)

일영 (혼잣말) 썩어도 벌써…(하는데)

하영 (여전히 손가락으로 오물을 파내며) 범인은 시신을 냉동실에 보관했다가 시간차를 두고 유기했어요. 아까 봤다시피 그 시간만큼 부패가 지연된 겁니다. 뼛조각이라도 찾으면 돼요. (그때 뭔가 발견한 듯, 더 필사적으로 오물 파헤쳐 꺼내는) 그러니까 아직은… 희망이-

더러움 따위 아랑곳없이 건져낸 (손가락만 한 작은) 무언가를 옷에 쓱쓱, 손으로 쓱쓱, 조심스레 닦아내는 하영. 영수도 기대 어린 표정으로 얼른 증거물 봉투 꺼내 대기 중이고. 태구와 일영도 집중해서 그 모습 지켜보는데… 하영이 건져낸 건 먹다 버린 부패된 음식물이다. 순간적으로 화가 난 듯 휙 팽개치는 하영. 모두 실망 어린 표정 확연하고. 땀에 절어 시커먼 오물 잔뜩 뒤집어쓴 서로를 허망하게 보는 모습에서.

9 ____ 서울지방경찰청 화장실 / 밤

거칠게 세수하는 하영. 세면대 아래로 시커먼 오물들 씻겨 내려가고, 이내 맑은 물로 바뀌는 데도 여전히 거친 세수 멈추지 않는다.
그때 개인 칸에서 나오는 영수.
옆에 와서 손을 씻다가 정신이 나간 사람처럼 세수하는 하영을 보며 애써 농담.

영수 얼굴에서 피 나겠다, 피 나겠어.

하영, 그제야 멈추며 거울을 보는데, 어두운 표정. 깨끗한 얼굴. 옷은 여전히 더럽고.
영수, 옷가지와 얼굴에 묻은 오물 열심히 닦아내다가 냄새 맡아보곤 찡그리는데. 냄새보다 손가락을 못 찾은 게 더 화난 듯, "에이!" 괜한 화풀이한다.

10 ____ 분석팀 / 새벽

하영과 영수, 침울한 표정으로 사무실 들어서면, 퇴근하지 않고 여전히 남아서 기다리고 있던 우주가 둘을 반긴다.

우주 고생하셨어요.

하영/영수 (보며 놀라는)

영수 여태 안 갔어요?

우주 (하영과 영수 행색 보며) 저 혼자만 맘 편히 갈 순 없죠.

하영 (자리에 앉으며) 이렇게까지 안 해도 돼요. 각자의 역할이 있는 건데.

우주 우리 팀, 확실하게 자리 잡을 때까진 같이 움직이겠습니다. (하고, 칭찬 기다리는)

영수 (지친 기색 다분하고) 이런 거 대견해 하면 안 되는데, 그래도 대견은 하네.

우주 (그제야 만족한 너스레) 저 칭찬 들은 거 맞죠?

영수, 우주의 너스레에 기분이 좀 풀리는 듯해 보이고.
하영, 무표정한 얼굴로 서랍에서 초콜릿 꺼내 입에 넣는다.

11 ___ 분석팀 앞 / 새벽

사무실 문 앞에 멀뚱히 서 있는 태구와 일영. 문밖에서도 느껴지는 예상치 못한 분석팀의 허름함에 놀라, 차마 들어가지 못하고 주춤하며 서로를 보는.

12 ___ 분석팀 / 새벽

사건 정보 빼곡히 적힌 화이트보드 향해 앉아 있는 하영, 영수, 태구, 일영, 우주.
마땅한 회의 테이블 하나 없이 태구와 일영, 간이 의자만 두 개 더 끌어다 앉아 있고. 한쪽에선 금세라도 멈출 것 같은 선풍기 한 대가 덜덜거리며 회전하고 있다.
시원찮은 바람마저 아쉬운 듯 방향이 맞을 때마다 얼굴을 가까이 대고 바람을 느끼는 일영, 채 빠지지 않은 냄새가 거슬리는지 계속 손과 옷을 킁킁대는 영수, 하영과 태구는 생각에 잠긴 채 화이트보드만 응시하는 중이고. (우주를 제외한) 다들 손과 얼굴은 깨끗한데, 더러워진 옷은 겨우 닦은 모습들.

하영 (화이트보드에 빨간 펜으로 구역 표시한 지도 보며) 조현길의 집은 사건 발생 초기에 이미 지역 탐문 했던 구역에 있어요.

태구 사람이 사는 곳처럼 보이지 않아서 간과했을 거예요.

영수 충분히 그럴 수 있지.

일영 (선풍기 가까이 얼굴 들이민 채) 현관도 손바닥만 한 게 아깐 들어가는 문이 어딘지도 헷갈렸다니까요. (하다가) 근데 여기 왜 이렇게 더워요? 와 씨-

듣고만 있던 우주가 일영을 보며 제 책상에 있는 노트 펴고(→ 펼칠 때, 우주가 그린 수현이의 얼굴이 스치는) 4장을 차례로 북북 찢어서 반을 접고는, 부채질 시늉하며 사람들에게 한 장씩 나눠주는데. 다들 고맙다며 받아들기만 할 뿐, 신경은 잔뜩 수현이 사건에 쏠린 채 해소되지 않은 답답한 표정하고 있다. 더위 따위 중요하지 않은 듯 잠시 그대로 침묵이 흐르고.

영수 (먼저 입을 떼는) 수현이 손가락… 나올 거야. (사이) 8갠 찾았잖아.

버린 데가 있으면, 나머지도 반드시 나와.

하영 그래야죠.

일영 근데 어떻게 아셨어요?

하영 ?

일영 손가락이 거기 있을 거라는 거.

하영 (잠시 생각하다가) 그냥… 감이요.

우주 (신기한 듯)

일영 우리 (태구) 팀장님만큼이나 촉이 좋으시네요. (하는데)

태구 (괜히 하영의 눈치 슬쩍 보다가, 시간 확인하고) 오늘은 여기까지 할까요.

일동, 끄덕이며 자리에서 일어서는데, 하영은 그대로 앉아 있다.

하영 (다들 안 가냐는 듯 보면) 저는 조금만 더 있다가 가겠습니다. 먼저들 가세요.

태구 (샐쭉) 그래요 그럼. (하며 나가고, 일영도 꾸벅 인사하며 태구를 쫓아 나가는)

영수 (태구 표정 캐치한) 내일도 달려야 되는데, 좀 쉬어.

하영 전 괜찮습니다.

영수 (먼저 가라는 사인으로 우주를 보는)

우주 (알아듣고) 그럼 저도 퇴근하겠습니다.

영수 들어가요.

우주 (꾸벅 인사하고 나가면)

영수 이런 분위기에 혼자 남으면, 다른 사람들은 괜히 성의가 덜한 거 마냥 좀 그렇지.

하영 (당황) 아… 그런 의도는 아니었는데…

영수 알지. 그냥 상대적으로 그렇게 느낄 수 있단 얘기야. (미안한지) 아이구, 애도 아닌데, 잔소릴 다 하네 내가.

하영 아닙니다. 저 잔소리 좋아해요. 아무도 안 해줘서 그렇지. 특히 팀장님이 하시는 잔소리. 좋아요.

영수 (헐, 싫지 않은) 하여튼 이상해.

하영 (그제야 슬쩍 미소 비치고)

영수 적당히 하고 들어가.

하영 (끄덕) 금방 갈 거예요.

영수가 사무실을 나가면, 책상 서랍에서 수첩을 꺼내 펼치는 하영. 수첩에 붙여둔 활짝 웃는 수현이의 사진(3화, 씬78 동)을 물끄러미 보는 데서.

13 ___ 영수의 차 안 (주차장) / 새벽

시동을 켠 채 멍한 얼굴로 출발하지 못하고 있는 영수. 잠시 시간을 확인하면, 새벽 3시를 가리키는데. 핸드폰으로 어딘가 전화한다. 핸드폰 너머 벨 소리 한참 울리다가 끊으려는 그때, 자다 일어난 듯 "여보세요?" 하는 중년 여성의 목소리 들리고.

영수 여보. 미안. 나 땜에 깼지? (사이) 아냐. 그냥 했어. 이제 퇴근하는 길. 밥이야 잘 챙겨 먹고 있지. 내 밥 걱정은 말고 당신이랑 애들이나 챙겨. (사이) 별일? 없지이- (하다가) 아니다, 있나? (실없이 웃더니 체념하듯) 내 일이 뭐 항상 그렇지. (조심스레) 애들은… 자지? 그래. 어, 어. 알았어. 우리 주현이랑 '수현이'[4]한테… (멈칫) 아빠가 목소리 듣고 싶다고, 일어나면 전화하라고. (하다가) 어이구, 내 생각만 했네. 자는 사람 깨워서 미안하다. 그래. 자. (끊고)

전화를 끊은 영수의 표정이 착잡하다. 이어, 지갑에 넣어둔 가족사진 꺼내 보는데, 딸 둘(11살 주현, 6살 수현)과 와이프, 영수까지 네 식구가 나란히 카메라를 보며 웃고 있다. 영수, 가족사진 물끄러미 들여다보다가, 다시 넣고 출발하는 모습에서.

14 ___ 태구의 차 안 (주차장) / 새벽

저만치 영수의 차가 주차장을 빠져나가는데, 먼저 나왔던 태구는 시동도 켜지 않은 어둑한 차 안에 여태 그대로 있다. 시선이 허공에 꽂혀 있는 진지한 얼굴.

태구na　5월 20일 납치, 5월 29일 시신 일부 최초 발견, 5월 30일 몸통과 머리 추가 발견, 6월 25일 여관에 투숙 후 변기에 신체 일부 유기. (사이) 조현길은 시간차를 두고 각각 다른 장소에 시신을 유기했다. 아직 발견되지 않은 손가락 두 개는 어디 있는 걸까. 조현길은 어디에 숨어 있는 걸까.

15 ___ 분석팀 / 새벽

4　피해자와 같은 이름의 딸이 있는 영수.

수첩을 덮고 일어나 불을 끄고 사무실 나가는 하영. 사무실 문이 닫히면, 공허해 보이는 어둡고 텅 빈 사무실이 잠시 비춰지다가, 카메라가 우주의 책상으로 향하고.
아까 펼쳐둔 노트(씬12)에 '이수현. 2000년 5월'이라는 메모와 함께 우주가 스케치한 수현이를 꼭 닮은 그림이 비춰진다.

16 ___ 서울지방경찰청 외경 / 새벽-아침

사무실 곳곳 불 켜진 건물이 비춰지면서 서서히 날이 밝고, 아침이 되는.

17 ___ 감식반 앞 / 아침

감식반으로 향하는 영수.

18 ___ 감식반 / 아침

영수, 사무실 들어서는데 사무실에 감식1만 있고. 감식1 영수 보며 인사하면.

영수 인탁인?
감식1 잠깐 눈 붙이러 가셨어요. (하는데)

그때 사무실 들어서는 인탁.

인탁 (못 잔 듯 퀭한) 오셨어요.

영수 (인탁 보며) 너두 못 잤구나.

인탁 잠깐 눈 좀 붙일라고 누웠다가 애 손가락 찾는 꿈만 자꾸 꿔서 그냥 일어났어요.

영수 (어깨 토닥이는데)

인탁 (대조한 지문 결과 건네 보이며) 어제 그 집에서 떠온 지문들 대조해보니까 거의 다 조현길 아니면 실종 아동이에요.

영수 (보면)

인탁 DNA 나온 것도 들으셨죠?

영수 응. 아침에 국과수에서 따로 연락받았어.

인탁 으휴. 몹쓸 인간.

영수 (보며 의미심장한) 여기도 중지랑 환지(약지)는 안 보이네. 범행 도구에도 손가락 지문이 3개뿐이던데.

인탁 집에서 떠온 건 다 쪽지문이라 그나마 얻은 게 열 손가락 중에 5개뿐이에요.

영수 음… 일단 조현길인 건 확실해졌고, 어디에 숨었는지만 찾으면 되겠네.

인탁 남 형사가 조현길 일하는 데로 간다던데.

영수 일하는 곳?

인탁 (감식1 보며) 아까 정육점이랬나?

감식1 그랬던 거 같아요.

영수 집에도 안 오는 놈이 출근했을 리 없고 어디에 있을지 추측할 단서만이라도 얻으면 좋을 텐데.

인탁 특정했으니 곧 잡히겠죠… (하다가) 선배님도 못 잤나 보네. 아침에 남 형사도 눈이 벌게서 왔던데.

영수 이 상황에 누가 발을 뻗고 편히 잘 수 있겠어. (인탁 어깨 툭) 수고해. 뭐라도 들으면 꼭 알려주고.

인탁 (끄덕이고)

영수 (나가는)

19 ___ 거리 일각 / 낮

정육점으로 향하는 일영.

20 ___ 형사과장실 / 낮

길표, 준식에게 보고 중인 태구.

태구 조현길. 나이는 40세. 창의동 39-1번지에 거주하고 있었습니다. 97년 9월에 송주동에서 4세 여아를 강제 추행한 전과가 있고요.

준식 어쩌다 명단에서 빠트린 겨?

태구 이사 후에 주소지 변경을 안 해서 명단에 누락됐어요. 집에 가보니 생활 공간이라고 볼 수 없는 외관에 장소도 외진 곳에 있어서 탐문 때 놓친 것 같습니다.

길표 코앞에 두고도 몰랐네. (하다가) 가만있어봐. 97년 추행 전과면, 출소한 지 얼마 안 된 거 아냐?

태구 징역 2년 6개월 선고에, 올해 3월 출소했습니다.

준식 3월?!

길표 (기가 찬) 서류에 잉크도 안 말랐겠네.

준식 그놈 집에서 실종 아동 DNA까지 나왔다 이거지?

태구 네. 방금 국과수에서 연락받았어요. 범행 도구에 있는 조현길 지문도 확인했고요.

준식　조현길 소재랑 행적 파악 확실하게 하고.

길표　이놈 이거 나온 지 두 달 만에 이런 짓거리 한 거면, 또 무슨 일 벌릴지 모르니까 서두르자.

태구　네. 팀원 전부 창의동 인근으로 탐문 나갔고, 남 형사는 따로 조현길이 근무했던 정육점으로 보냈어요.

준식　그려. 쫌만 더 고생해.

21 ___ 정육점 / 낮

붉은 조명 비춘 고기 진열대 너머 하얀 앞치마 두른 한 덩치 하는 험악한 인상의 정육점 사장이 절단기를 잠시 멈춘다.

사장　(장갑 벗으며) 문수 있던 날 오셨었나 보네.

일영　네?

사장　우리 조카요. 그날 제가 볼일이 있어서 조카가 대신 가겔 봤거든요.

일영　아…그래서…

사장　그 양반 한 달도 안 채우고 별안간 관뒀어요. (생각해보며) 한 20일이나 채웠나. (하다가) 다른 데 같앴으면 그렇게 관두는데 돈 안 줘요. 나나 되니까 챙겨줬지.

일영　지급한 기록 같은 거 있을까요? 월급 통장 이체 내역이라든가-

사장　봉투로 줬죠. 이런 일 하는 사람들 현금이 손에 두둑이 잡히는 맛으로 일하는데.

일영　(아쉬운)… 전부 현금으로요?

사장　(두껍고 큰 손으로 진열대 탁 내리치면, 일영 깜짝 놀라고) 수표도 같이 줬다, 참.

22 ___ 은행 앞 / 낮

은행 나오며 태구에게 전화하는 일영.

일영 (통화하며) 하필 조카가 잠깐 가겔 보던 날 탐문을 돌았나 봐요. 그래서 놓친 거 같아요. (사이) 네. 일단 수표 사용처 주소 찍어드릴게요.

23 ___ 기수대 사무실 / 낮

문자에 찍힌 주소지 확인하고 사무실 나서는 태구.

24 ___ 분석팀 / 낮

각자 책상에서 짜장면, 짬뽕 먹고 있는 하영, 영수, 우주.
영수와 하영이 마주 보고 있는 책상 사이에는 탕수육 하나가 놓여 있다. (→ 세 사람 뒤로, 씬12의 선풍기가 회전하며 덜덜 돌아가는 중이고)

우주 (몸을 일으켜 탕수육으로 손 뻗으며) 우리도 회의 테이블 하나 있었으면 좋겠어요. 회의도 하고. 밥도 먹게.
영수 (아예 탕수육 일부 덜어주며) 요청하지 뭐.
우주 (그 말에 기분 좋은)
하영 손가락 지문이 3개라고요?
영수 보통 칼이나 톱을 쥐었을 때 찍히는 위치가 있잖아. (하며 먹다 말고, 작은 생수통 쥐어 보인다) 이렇게.

우주　(흥미롭게 보면)

영수　다섯 손가락까진 아니어도 아예 안 나오면 모를까 중지랑 환지(약지) 일부는 찍히는 게 일반적인데. (이번에는 중지와 약지가 닿지 않게, 살짝 들어 쥐어 보이다가, 우주에게 설명하듯 손가락 꼽으며) 우무지(오른쪽 엄지), 우시지(오른쪽 검지), 우소지(오른쪽 새끼손가락), 이 세 개만 나왔다는 게 이상하지?

우주　(영수가 설명한 대로 손 모양 상상하며 따라 해보는데)

하영　(그 말에 /씬5의 앞 유리에 3개만 찍혔던 고양이 발자국 떠올리는) 둘 중 하나겠네요. 물건을 쥐는 습관이 특이하거나- (순간, 나머지를 못 찾을 수도 있다는 불길한 예감 몰려오고) 손가락이 잘렸거나.

25 ＿ 어느 여관방 / 낮

화장실. 세면대에서 거친 손을 씻는 남자의 모습이 비춰진다.
이어, 손을 털며 물 잠그는 오른손 자세히 보이는데… (→ 얼굴은 계속 보이지 않게)
중지와 약지의 마디가 잘린 3개뿐인 손가락!

26 ＿ 편의점 안 / 낮

편의점 사장에게 조현길의 사진을 내밀어 보이는 일영.

일영　혹시 본 적 있어요?

사장, 사진 잠시 보다가 더 자세히 보려고 사진 건네받고 가까이 들여다보며 갸웃.
그때, 창고에서 박스 들고나오는 알바.

사장 (난 모르겠는데 싶고. 알바 보며) 너 이 손님 알아? (하고 사진 내밀어 보이는)

알바 (보는데, 긴가민가하는)

태구 잘 떠올려봐 주세요. 6월 26일에 여기에서 수표를 사용한 기록이 있어요.

알바 (다시 사진 보다가, 갸웃) 정확한 날짜는 모르겠고, 수표 받은 기억은 있어요. 근데 얼굴은 기억 안 나는데.

태구 CCTV 있죠?

27 ___ 분석팀 / 낮

영수는 자리에 없고, 우주는 다 먹은 중국집 그릇들 봉지에 넣어 정리 중이다.
하영, 발견된 수현이의 손가락 배열 사진 확인하는데,
열 손가락에서 오른쪽 중지와 약지 자리만 비어 있다.

하영na (보며) 우중지, 우환지(약지)만 없다.

다시 양용철의 말을 떠올리는 하영. "(2화, 씬11) 분명히 옷을 베끼는 데는 이유가 있을 낍니다. 그 짓을 꼭 해야 직성이 풀리는 놈" 하는 데서. 하영, 표정이 일그러지는.

28 ___ 편의점 / 낮

내부에 딸린 창고

태구, 일영, 사장, 알바. 네 사람이 좁은 공간에서 CCTV 확인하며, 화면 속에 드나든 손님들을 살피고 있다. 그때, 창고 밖에서 편의점 문 열리는 소리 딸랑- 들리고.
사장이 잠시 밖으로 나가 손님 응대하는.

카운터

사장, 계산대에 담배와 거스름돈을 두고, 봉지에 소주 두 병을 담아 건넨다. 오른손 주머니에 넣은 채 왼손으로 봉지 들고 담배와 거스름돈까지 집는 남자.
동전이 잘 안 집히는지 사장 힐끗 보곤, 동전 끌어다가 오른 손바닥에 떨구는데… 중지와 약지가 없다! 이내, 계산을 끝낸 남자가 편의점을 나가고,
사장은 "안녕히 가세요" 하며 다시 아무렇지 않게 창고 안으로 들어가는.

창고

화면을 보던 알바가 "잠깐, 이 사람인가?" 갸우뚱하는데.
사장도 보며 "어?" 하더니 방금 나간 손님 쪽 보며 갸우뚱.

태구　　이 사람이에요?
사장　　방금 나간 손님…(하는 데서)
일영　　(본능적으로 후다닥 쫓아 나가는)
태구　　방금요?
사장　　네, 방금 나간 손님이랑 행색이 비슷한 거 같아요. (모니터 가리키

며) 저 옷차림.

태구 (조현길의 사진을 다시 보여주며) 방금 그 사람 맞아요?

사장 (!!, 놀라면)

태구 (역시 사장의 대답이 끝나기 무섭게 튀어 나가는)

29 ___ 골목 / 낮

다급히 골목을 살피며 조현길을 찾는 일영과 태구. 마침내 저만치 앞서가는 허름한 행색의 남자를 발견하고! 일영과 태구, 갈림길에서 서로 갈라져 남자를 쫓는다.

먼저 남자에게 바짝 다가선 일영이 뒤에서 "조현길 씨" 하며 어깨를 치면, 돌아보자마자 본능적으로 도망치기 시작하는 조현길. 일영도 다시 조현길을 쫓는 데서,

어설프게 뒤를 확인하며 뛰던 조현길이 미리 골목을 가로막고 서 있던 태구와 부딪혀 넘어진다. 들고 있던 봉지 놓치면서 소주병 두 개가 저만치 구르고. 일영이 구르는 소주병을 보며 다가오는 데서. 태구, 바닥에 나뒹구는 조현길의 손목에 수갑을 채우다가 중지와 약지가 잘린 조현길의 오른손을 본다.

태구 (그 손 보며, 순간 멈칫) 조현길! 당신을 이수현 살인혐의로 긴급체포합니다. 당신은 변호사를 선임할 수 있고, 묵비권을 행사할 수 있습니다. 할 말 있습니까?

30 ___ 기수대장실 / 낮

길표가 계속 다그쳐오는 영수의 시선을 피하는 중이다.

영수　도대체 언제까지 그림자 취급할 거예요?

길표　무슨 또 그림자 취급이래.

영수　필요할 때만 딱 이용해놓고, 빤히 있는 팀을 아무것도 못 하게 하는데, 이게 그림자 취급이 아니면- (길표, 피하면 부러 더 빤히 보며) 뭐냐고. 솔직히 말해봐요.

길표　(뜨끔) 뭘.

영수　이 봐 이 봐. 형님은 다 티가 난다니까? 척하면 탁인데. 내 눈은 못 속여.

길표　(애써 무시) 시끄럽고-

그때 형사 하나가 문을 벌컥 열고 들어와 다급하게 뭔가 말하려는 데서.

31 ___ 분석팀 / 낮

문 벌컥 열고 다급히 들어오는 영수.

영수　잡았대!

우주　조현길이요?!

영수　(격하게 끄덕이면)

하영　!!, (벌떡 일어서며) 손가락은요?!

32 ___ 취조실 / 저녁

테이블에 조현길 사건 자료들 쌓여 있고, 태구가 분노를 가까스로 누르며 마주 앉은 조현길을 빤히 응시하고 있다. 어눌한 표정으로 앉아 있는 조현길.

태구　그러니까 5월 19일 밤새 집에서 술을 마셨고. 다음날 20일 오후 3시경에 이수현 양을 납치했다는 겁니까?

조현길　(끄덕이기만)

태구　왜 하필 5살밖에 안 된 수현이였죠?

조현길　……

/ins. (조현길의 회상) 2화. 씬86. 공원 꽃밭

조현길, 꼬리 흔드는 강아지 해맑게 따라가는 수현이를 저만치에서 지켜보고 있다.

/다시 취조실

조현길　(어눌한 말투로 느릿하게 답하는) 그냥 그 애가 보였어요.

태구　(인상 팍 쓰다가) 즉흥적이었다는 얘긴가요?

조현길　(끄덕)

태구　(애써 참는) 처음부터 강간이 목적이었다는 의미로 이해해도 됩니까?

조현길　!!…아니에요…

태구　(화 누르고, 서류 들추며) 미성년자 강제추행치상죄로 징역 받고 올해 3월에 출소했는데. (노려보는) 나온 지 겨우 두 달 만에.

조현길　……

태구, 경멸의 눈빛으로 조현길을 빤히 보더니 참았던 화를 표출하듯 테이블 밑 조현길의 중심 부위를 발로 걷어차버린다.

욱!! 신음하며 두 손으로 아래를 부여잡는 조현길.

태구 아퍼?! 겨우 그까짓 게 아퍼-!!! (하고 다시 걷어차려는 시늉 하면)

조현길 (본능적으로 의자 뒤로 빼서 피하고)

태구 (대신 서류로 책상 내리치며) 수현이!! 이제 겨우 5살이었어!!

조현길 … (반쯤 겁먹은 얼굴로) 돈 받을라고 했습니다.

태구 (또 인상 팍!!) 무슨 돈!!

33 ___ 서울지방경찰청 외경 / 밤

하나둘씩 경찰청으로 몰려들기 시작하는 기자들. 그 사이에 최 기자도 얼핏 보인다.

조현길e 이백만 원이요. 애 몸값으로…

34 ___ 취조실 / 밤

태구 이…백만… (기가 막혀 말을 잇지 못하는)

35 ___ 기수대 사무실 / 밤

길표 보며 발 동동 구르는 영수. 그 옆에 하영도 서 있다.

영수 우리도 만나게 해줘요.

길표 (주변 눈치 보며) 송치 전에 면담 요청해줄 테니까 일단 기다려.

영수 (답답한 한숨) 또 그림자 취급이네. 기다리란 말 지겹다. 아주 그냥.

길표 (괜히 미안한)

하영 (침착하게) 손가락이요. 나머지 두 개, 어디에 유기했는지 꼭 확인해야 합니다.

36 ___ 취조실 / 밤

조현길 (또 때릴까 봐 눈치 보며 하소연) 원랜 그냥… 돈만 받을라고 했어요. 진짜예요…

태구 (경멸에 찬) 근데!!!

37 ___ 조현길의 회상. 컨테이너 안 / 밤

멈추지 않는 수현이의 울음소리에 당황한 기색이 역력한 조현길의 모습.

38 ___ 유치장 / 밤

유치장에 가둬지는 조현길.

태구na 조현길은 5세 이수현 양을 납치 후, 이백만 원의 몸값을 요구할 심산이었으나-

39 ___ 기수대 사무실 + 컨테이너(과거) 교차[5] / 밤

 # 기수대

조현길의 조서를 작성하고 있는 태구. 모니터에는 태구가 입력하는 텍스트들 보인다.

태구na　겁을 먹은 이수현 양이 전화번호를 기억하지 못하자-

 # 컨테이너 (짧게!)

울고 있는 수현이 옆에서 다급히 물컵에 수면제 섞어 흔드는 조현길.

 # 기수대

조서 작성하는 태구의 모습에서 모니터에 '수면제'라는 텍스트가 차례로 찍힌다.

태구na　수면제를 억지로 먹이고-

 # 기수대

분노를 가까스로 참으며 심각한 얼굴로 조서 쓰는 태구.

모니터 비추면, '5세 이수현 양을'까지만 쓰여 있는 화면에 커서만 깜빡이는 중이다.

그때, 애처로운 표정 내비치며 태구의 책상에 가만히 캔 커피 하나 올려두는 일영.

5　컨테이너 씬은 피해자(수현이)가 범인을 바라보듯, 조현길의 모습 중심으로 보여졌으면.

태구, 이내 숨을 한 번 고르고는 볼펜으로 머리 질끈 말아 올리며, 다시 작성하려는.

 # 컨테이너 (짧게!)

잠든 수현이를 응시하는 조현길의 어눌한 눈빛.

이내… 손가락 두 개가 없는 조현길의 거친 손이 수현이에게로 다가가는 데서…

태구na 5세 이수현 양을…

 # 기수대

마지못해 문장을 이어가는 태구. 모니터 화면에 끝내 '강간'이라는 두 글자가 느리게, 차례로, 찍힌다. (→ 내레이션 없이) '5세 이수현 양을 (커서 깜빡대며 머뭇, 겨우) 강간 (…) 하려 함.' 겨우 마침표를 찍은 커서마저 감정이 실린 듯 여전히 깜빡이는 데서.

40 ___ 서울지방경찰청 외경 / 낮

앵커e 두 달 전 5살 어린아이를 납치해 잔인하게 살해한 범인이 경찰에 붙잡혔습니다.

41 ___ 취조실 / 낮

하영과 영수가 매서운 눈빛으로 마주 앉은 조현길을 빤히 보고 있다. 삐딱한 속내 숨기지 못하는 영수와 달리 침착한 하영.

길표와 태구도 뒤에 서서 그 모습 지켜보는데.
하영의 앞에 놓인 수첩을 한 번 보고, 조현길에게 질문하는 영수.

영수　왜 그랬어요?

조현길　…

하영　조현길 씨 지금 기분이 어떻습니까.

조현길　… (길표 셔츠 주머니에 꽂힌 담뱃갑 보며) 저 그거 담배 하나 피워도 됩니까…

길표　(황당해서 버럭) 건방지게 어디서! (하는데)

영수　(화 누르며) 아뇨. 안 됩니다.

하영　(재차 침착하게) 조현길 씨. 지금 기분이 어떻습니까.

조현길　죄송합니다.

하영　누구한테요.

조현길　…

하영, 대답을 기다리다가 테이블에 올려진 조현길의 손가락을 쳐다보면,
조현길이 의식한 듯 손을 테이블 아래로 숨긴다. 하영이 그 모습을 보는데.

길표　(다시 끼어들며 화내는) 누구한테 죄송하냐고 묻잖아 새끼야- (하는데)

영수　(안 되겠는지) 저 잠깐만- (하며 길표를 잠시 밖으로 데리고 나가는)

태구　(여전히 말없이 서서 지켜보는 중이고)

하영　손가락은 어쩌다 그렇게 됐습니까.

조현길　… 일하다 그랬습니다.

하영　두 개 다요?

조현길 …예.

42 ___ 취조실 문 앞 / 낮

영수 (짜증 반, 답답함 반) 협조를 하겠다는 거예요, 말겠다는 거예요.

길표 (괜히) 뭐가.

영수 얘기하는데 자꾸 끼어들어서 화부터 내면-

길표 (당연하다는 듯) 화가 나잖냐. 너는 울화통이 안 터져? 저걸 보고?

영수 (미치겠는지 눈 질끈 감았다가 겨우) 알죠? 우리 둘째 이름이 수현인 거. 6살이고.

길표 (…) 아, 그니까!! (하다가, 숨 고르고) 너도 여기서(가슴) 천불이 날 거 아냐.

영수 (한숨) 들어오지 마시고, 밖에 계슈.

길표 야, 내가- (하는데)

영수 (진지하다) 부탁. 부탁이에요.

43 ___ 취조실 / 낮

하영 언제 사고가 난 겁니까.

영수 (다시 안으로 들어와 앉고)

조현길 (영수를 슬쩍 보다가) 서른 살 때. 공사 현장에서 사고로…

하영 봉합을 왜 안 했죠?

조현길 손가락이 튀어 나가서 몇 시간을 찾았는데… 피도 너무 많이 나고, 그러다 결국 못 찾았어요. 공사판이니까… 어디로 갔는지…

영수 고통스러웠겠네.

조현길 …예…

하영 부끄럽습니까. 손가락이 없는 게.

조현길 (말없이 두 손을 만지작) 병신 취급당하는 거 같고…

영수 여자들도 싫어하는 거 같고. 그렇죠?

그 말에 말없이 서 있던 태구의 눈치를 힐끔 보는 조현길.
하영과 영수가 조현길의 심중을 읽은 듯 태구를 보면,
태구도 알아들었다는 듯 취조실을 나간다.

하영 (태구 나가면 다시) 어린애들은 안 그러죠. 손가락이 없어도, 순수해서 잘 따르고.

조현길 … (끄덕) 애들은 착하니까…

영수 (발끈) 착한데! 착한 애를- (그랬어?! 하려다가)

움찔, 겁먹은 듯한 조현길의 반응에 이내 참는 영수.
하영도 역시 조현길의 반응에 감정을 눌러 담느라
테이블에 올려 모아 쥐고 있던 두 손에 힘이 꾸욱- 들어간다.
영수와 하영, 답답한 얼굴로 고개 숙이고 있는 조현길을 보기만.

44 ___ 기수대 사무실 / 밤

벽에 걸린 경찰청 시계가 벌써 9시를 가리키고 있다.

일영 (지루한) 다 잡은 고기에 저게(면담) 의미가 있어요?

길표 뭐. 행동분석팀이 현재로서 할 수 있는 유일한 일이야.

태구 (일영 보며) 다 잡은 고기가 뭐야. 우리가 고기 잡니?

일영 　아…조심하겠습니다. 근데 (퇴근 눈치 보는) 다 끝날 때까지 기다려야 되는 거죠?

태구 　(찌릿, 보면)

일영 　(괜히) 아니… 그냥 궁금해서요. 무슨 얘길 이리 오래하는지…

45 ___ 취조실 / 밤

하영 　(다 안다는 듯) 그래서 수현이 손가락 두 개. 똑같이 없앴습니까.

조현길 　(놀라서 본다)…

영수 　(이게 무슨 말인가 싶은데)

질문에 대답을 못 하고, 불안해하는 조현길.
조현길을 바라보는 하영의 표정도 점점 매섭게 바뀐다.

46 ___ 술집 / 밤

괴로운 듯 술잔을 계속 채우며 연거푸 원샷 중인 영수. 우주가 그때마다 영수를 걱정스럽게 보며 빈 잔에 술이라도 대신 채워주려고 시도하는데, 영수가 워낙 빨라 타이밍 계속 놓친다. 하영은 심중을 알 수 없는 표정으로 말 한마디 없이 앉아 있기만.

영수 　(취했다) 그런 끔찍한 일을 저질러놓고도 반성의 기미가 전혀 없어.

하영 　…

영수 　어떻게 그럴 수가 있지? 죄송은 한데, 죄송한 대상이 없다는 게,

이게 말이 돼?

우주 …

영수 (다시 술잔 채우려는데)

우주 (막는다) 이제 그만 드셔야 할 거 같은데…

영수 (그 말에 멈춘다) 그 어린애가… 단지 착해서 타깃이 된 거야. (눈을 질끈 감다가 안 되겠는지 다시 술잔 채우면, 우주도 말리려다 포기한다. 영수, 벌컥 마시며) 애 손가락을 그렇게…(하는데)

하영 (다시 듣고 싶지 않은) 전 먼저 일어나겠습니다.

영수 (하영을 보며) 가라, 가. 가- (하며 가라는 손짓)

우주 (난감하고)

하영 팀장님 좀 부탁해요.

우주 아… 네. 제가 잘 모셔다드릴게요.

하영 (그대로 나가는)

47 ___ 거리 일각 + 택시 안 / 밤

술집에서 나온 하영. 주차된 차량 운전석 문을 열었다가 타지 않고 다시 닫는다.

도로로 나와 택시 잡아타는 하영. 택시 뒷자리에 앉아 무표정한 얼굴로 창밖만 응시하며 가는데, 감정을 누르듯 손가락 꾹 누르고 있는.

48 ___ 수현이네 거실 / 밤

장례 준비에 수현이의 옷가지와 장난감 등, 유품들 박스에 넣으며 하염없이 눈물 흘리는 수현母와 수현父. 이내 통곡하고… 그 소리에 자다 깬 지욱이가 방에서 나와 영문도 모른 채 엄마 아빠를 붙들고 같이 울기 시작한다. 지욱이를 부둥켜안는 수현母.

49 ___ '팩트 투데이' 사무실 / 밤

노트북 화면에 「어린아이를 향한 잘못된 본능」이라는 제목이 보인다.

최 기자 (책상 쾅!) 뭐야! 이 미친 것들이 진짜! 범죄가 본능이야?

'팩트 투데이'라는 작은 현판이 걸려 있는 사무실. 최 기자가 달랑 두 개만 놓여 있는 책상 중 하나에 앉아 잔뜩 감정 이입한 채로 기사들을 검색 중이다. 다른 기사 클릭하는 최 기자. 이번에는 「5세 여아 강간 토막살인」이라는 제목이 보이고.

최 기자 (인상 팍 구기는) 아씨 진짜… 너무들 하네.

짜증 난 듯 마우스 휙, 밀어버리고. 《팩트 투데이》 작성 화면을 열면, 아직 아무것도 쓰지 않은 여백만 덩그러니. 그때, 문자가 하나 들어온다. 보면, '기사 빨리 올려라.'

최 기자 (문자 확인하고) 올립니다. 올려. (하며, 탁탁탁- 노트북으로 뭔가를 쓰기 시작하는)

50 ___ 꽃시장 / 밤

택시에서 내린 하영이 '꽃 도매시장' 팻말이 붙어 있는 상가 안으로 들어간다.
이제 막 문을 열기 시작한 활기찬 분위기 속에 꽃을 사려는 듯 둘러보며 걷는 하영.

51 ___ 팩트 투데이 사무실 / 밤

어느새 진지한 표정으로 기사 쓰고 있는 최 기자.

52 ___ 술집 / 밤

내리 술잔만 들이키는 영수와 그 모습을 걱정스럽게 보고만 있는 우주. 테이블 위아래로 소주병이 잔뜩 놓여 있다.

53 ___ 상가 건물 앞 / 밤

저만치 택시에서 꽃바구니를 들고 내리는 하영의 모습이 보인다.
어둠 속에 큼직한 사이즈만 가늠될 뿐, 형체는 보이지 않는 꽃바구니를 들고 상가 건물로 향하는 하영.

54 ___ 팩트 투데이 사무실 / 밤

이내 완성된 기사에 사진을 첨부하는 최 기자. 노트북 화면 비추면, 커서가 '첨부하기'를 누르면서 파일 목록이 뜨고, 그중 'Chrysanthemum'이라고 적힌 파일을 선택해 클릭한다. 이내 업로드를 누르고 송고 완료하는 최 기자. 노트북 덮고, 자리에서 일어나 백팩에 짐 넣으며 퇴근 채비하는 데서.

55 ___ 엘리베이터 / 밤

- 상가 건물 엘리베이터 문이 열리고. 하영이 오른다. 5층(톱층)을 누르는 하영.
- 또 다른 엘리베이터 앞. 올라오길 기다리는 최 기자. 마침내 문이 열리면서.

56 ___ 수현이네 집 앞 / 밤

엘리베이터에서 내리는 하영. 상가 건물의 어느 가정집 현관 앞에 다다르고, 문 앞에 꽃바구니를 내려둔다. 그때서야 제대로 보이는 활짝 핀 국화들. 그 사이 하영이 수첩에 붙여두었던 수현이의 사진도 꽂혀 있다. 잠시 묵념하는 듯 고개 숙여 눈을 감는 하영. 묵념을 끝내고는 이내 조용히 발길을 돌린다.

57 ___ 수현이네 거실 / 밤

TV 화면에 유치원 학예회에서 수현이와 다른 아이들이 동요에 맞춰 율동 하는 모습이 나온다. 이어 화면 넘어가고, 수현이 유치원복 입고 등원하는 모습 나오는. 화면 또 넘어가면, 수현이 첫걸음마를 아장아장 걷는데… TV 옆에 '수현이'와 각 날짜가 적힌 비디오테이프 몇 개 쌓여 있다.

58 ___ 술집 앞 / 밤

영수와 우주, 술집에서 나오고, 우주가 비틀대는 영수를 부축하려는데.

영수 (마다하며) 나는 괜찮아. 정신은 말짱해.

우주 그래도 내려드릴게요.

영수 (싫다는) 아냐, 아냐. 정신이 너무 말짱해서 괴로워. 나 좀 걷고 싶어.

우주 그래도…

영수 (비틀대며) 진짜 괜찮다니까. 이 나이에 집도 못 찾아갈까 봐서?

우주 그건 아니지만, 그래도…

영수 (갑자기 호통) 야이씨!

우주 (놀란)

영수 팀장 띄엄띄엄 보지 마러. 그렇게 추하게 나이 먹진 않았어.

우주 아니 그게 아니고요…

영수 (갑자기 허허허 웃더니) 쫄지 마. 쫄진 말고.

우주 (재차) 택시만 잡아드릴게요. (하는데)

영수 (극구 마다하는) 나 진짜 걷고 싶어서 그래. (괴롭다) 마음이 너-무 괴로워. 이럴 땐 머릴 비우고 걸어야 되거든.

우주 (그저 걱정스러운데)

영수　괜찮다니까 그러네. 정우주! 국영수 팀장은 괜찮다고! (하다가 횡설수설하듯, 허허 웃고) 너도 나만치 이름이 특이하구나.

우주　(아무래도 취했는데…)

영수　(뒤돌아서 가버리는) 난 간다!

비틀대며 저만치 걷는 영수를 걱정스레 한참 지켜보는 우주.

59 ___ 거리 일각 / 밤

어딘가에 문자 보내는 최 기자. 백팩을 메고 걷는 모습이 꼭 학생 같다.

60 ___ 술집 앞 / 밤

우주, 멀리 가는 영수를 끝까지 확인하고 발길 돌리려는데, 문자가 들어온다.
보면, '뭐하냐. 술 먹자' / 우주, '술 마실 기분이 아닌데 오늘. 담에 먹자' 답하는.

61 ___ 거리 일각 / 밤

최 기자　(답장 보며, 한탄하듯 아쉬운 혼잣말) 에이 씨. 난 술 먹어야 될 기분인데.

하고, 애써 씩씩하게 걷는 최 기자.
그런 최 기자를 스치며 술이 취해 비틀비틀 걷는 영수. 길표와 통화 중이다.

영수 (잔뜩 취한 말투) 형님은 이 일에 적응했어요?

길표e 뭔 소리야.

영수 (/3화, 씬35 "이놈의 일은 겪어도, 겪어도 (도리질) 매번 끔찍해. 적응이 안 돼요. 도무지" 하던 인탁의 말 떠올리고) 다들 도무지 적응이 안 되잖아요.

길표e (걱정스러운) 너 어디냐.

영수 (말 돌리고) 이제 우리 팀 인정해줘요. (…) 왜 대답이 없어요?

길표e 취했으면 빨리 집에나 들어가.

영수 (그 말에 꼬부라진 혀로) 우리가 말이야, 겨우 창고에나 박혀 있을 존재가 아닌데 말이야. 애들이 더위에 말이야! 에어컨도 하나 없이 공책 부욱북- 찢어서 부채질하고 있는 거 보면 내 마음이 같이 찢어져요…

길표e 얘기할게. 에어컨.

영수 제대로 앉아서 밥 먹을 테이블도 하나 없고 말이야, 책상에 두서없이 쫓기듯 먹는 걸 보면… (괜히 훌쩍)

길표e … 테이블도 얘기할게. 큰-걸로 놔달라고.

영수 이제 겨울도 올 텐데. 히터는 있나? 당연히 없지. 또 얼마나 추울 거야… (하는데)

길표e (OL) 그때까지 버티기나- (하려다가) 국영수, 그만 끊고 얼른 집에 가라.

영수 간다고 가! 왜 이렇게 다들 내가 집에도 못 갈까 봐 걱정을 해. (하다가 기운이 빠진) 정작 걱정해야 될 사람은 내가 아니지… 내가 아니잖아…요…

62 ___ 수현이네 현관 앞 / 밤

잠시 담배라도 피울 냥 밖으로 나온 수현父가 문 앞에 놓인 국화꽃 바구니를 본다.
주변을 잠시 두리번거리다가 함께 꽂혀 있는 수현이의 사진을 뽑아 드는 수현父. 수현이를 어루만지듯 사진을 손으로 쓰다듬는다.

63 ___ 하영의 집 거실 / 밤

어깨를 축 늘어뜨리고 들어서는 하영을 맞이하는 영신.

영신 늦었네.

하영 (보며) 왜 안 주무셨어요.

영신 (걱정스러운) 잠이 안 와서. (…) 그 어린애 사건 그거… 너가 찾던 거 맞지?

하영 …네.

영신 (하영의 감정을 알고 있는 듯, 망설이다가) 괜찮니…?

하영 …네.

영신 (안 괜찮아 보인다. 주춤, 멋쩍게 초콜릿 봉지 미는) 이거라두…

하영 (그런 영신을 보며 잠시 미소)

영신 (멋쩍은지) 다 떨어졌드라.

하영 (영신의 마음 알고 있는 듯) 걱정 안 하셔도 돼요. 저 이제 어른이에요.

영신 (괜히) 걱정은 무슨.

하영 늦었어요. 주무세요.

하영, 방으로 들어가는데, 여전히 하영을 걱정 어린 눈빛으로 보는 영신.

영신　(혼잣말) 그래서 더 걱정이야. 어릴 땐 안겨 울기라도 했지…

64 ___ 거리 일각 / 밤

비틀비틀 걸으며 집으로 향하는 영수.

영수　(혼잣말) 걱정할 사람은 내가 아니지… 내가 아니라고…

그때, 영수가 지나가던 남자와 툭 부딪힌다. 구영춘이다.
구영춘, 술에 취해 사과도 없이 가는 영수에게 화가 난 듯, "저기요" 낮게 부르는데.

영수　(여전히 못 듣고 그냥 가며 혼잣말) 단지 착해서 타깃이 된 거야… 그 어린애가…

구영춘, 기분이 나쁜 듯 가까이 쫓으며 주머니에서 뭔가를 꺼내려는 그때.

영수　(혼잣말) 경찰이!
구영춘　(멈칫)
영수　할 수 있는 게… (하더니 주머니에서 경찰공무원증 꺼내 보다가, 답답한 마음, 취기 어린 마음 섞여) 고작…

더 이상 말을 잇지 못하고, 경찰공무원증을 주머니에 넣는 영수인데. 헛손질에 경찰공무원증이 주머니에 들어가지 못하고 바닥에 떨어진다.
모른 채로 가는 영수를 지켜보던 구영춘, 바닥에 떨어진 경찰공무원증을 줍는다. 영수가 경찰이라는 걸 확인하고, 반쯤 꺼내 쥐었던 칼을 도로 넣는 구영춘.
얼른 공무원증을 챙겨 넣고 저만치 가는 영수를 잠시 돌아보는 데서. 댕- 괘종시계 소리 한 번 선행되고.

65 ___ 하영의 집 거실 / 밤

오래된 괘종시계(1화, 씬3의)가 새벽 1시를 가리키며 울리고. 잠 못 이루는 영신은 음소거된 TV 앞에서 안경을 코끝에 걸쳐 쓴 채 한쪽 눈 게슴츠레 떴다 감았다 하며 코바늘 뜨개질 중이다. 이따금씩 하영을 걱정하듯, 방 쪽으로 시선이 향하고.

66 ___ 하영의 방 / 밤

꿈을 꾸는지 괴로운 듯 신음하며 움찔거리는 하영.
잠든 채로도 엄지손 꼭 누른 채 감은 눈에 눈물이 고인다.

67 ___ 서울지방경찰청 앞 / 아침

출근길 직원들의 모습 보이고. 그 사이에서 앞서 걷는 길표를 바짝 따라잡는 영수. 숙취 하나 없어 보이는 깔끔한 차림이다.

길표 (영수 차림새 훑으며) 집엔 제대로 갔나 보네.

영수 그럼 당연하지. 왜, 모, 객사라도 할 줄 알았나?

길표 객사 같은 소리 하네. 무당도 인정한 질긴 목숨인데, 니가 그렇게 쉽게 갈 리가 없지.

영수 목숨은 둘째 치고, 나 필름도 안 끊기는 거 알죠?

길표 잘났다. (그러거나 말거나 가는데)

영수 (가로막고 서서 눈 똑바로 보며) 에어컨! 테이블! 히이터! (제 머리 손가락으로 툭툭) 다 기억한다고요.

길표 (당황한, 말 돌리려는) 비켜. (하면, 다시 걷는 두 사람인데)

영수 내가 따악- 적임자 있다고 했죠. 분명히 용의자 추정에 도움 된다고 했죠. 내 말 틀린 거 있어 없어? 없죠?!

길표 (부정은 못 하는)

영수 근데 왜 못 믿느냐 말이야. 아니, 이 국영수가 허튼소리 하는 거 봤어요? 없잖아.

길표 (어느새 분석팀 건물 앞을 지나고) 안 가?

영수 (분석팀 건물로 향하며, 길표 눈 똑바로 보고, 다시) 에어컨! 테이블! 히터! (제 머리 손가락으로 툭툭) 오랜 안 기다립니다. 형님. (가면)

68 ___ 분석팀 / 아침

벌써 출근해 있는 하영. 인터넷 뉴스들 확인하며 기사 하나 클릭해서 들어가면 '*잔혹한 범죄와 아이의 죽음. 무엇을 기억할 것인가*'라는 제목과 함께 검은 바탕에 하얀 국화 한 송이가 단정하게 놓여 있는 사진이 눈에 들어온다.

기사 말미 '최윤지 기자' 이름과 'chocolove@' 박힌 메일 주소 확인하는 하영. 뭔가 생각난 듯 책상 서랍에 넣어둔 명함을 꺼내 이름을 확인하는데,
최윤지 기자와 같은 이름, 같은 메일 주소 적혀 있다.

69 ___ 과거. 도로 어딘가 / 낮 (2화. 씬32에 이어)

멈춰선 신호 놓치고 끼익- 급브레이크 밟아보지만, 이미 쿵! 앞차와 박은 하영.
이내 앞차의 운전석 문이 열리고, 한껏 차려입은 최 기자가 커다란 카메라를 들고 내리며 접촉 사고 부분을 찰칵찰칵 찍는다. 찍다가 운전자가 남자(하영)임을 확인한 최 기자. 갑자기 뒤 목에 허리까지 잡으며 괜히 쎈 척.

최 기자　아 놔, 아저씨 운전 똑바로 안 해요?!!! 정지 신호잖아요!!
하영　(예의 있게) 죄송합니다.
최 기자　(??, 수월한데? 싶고)
하영　제가 지금 명함이 없어서 (하다가) 잠시만요. (차 안에서 메모할 만한 종이 찾는 데 없고. 급한 대로 펜만 챙기는) 죄송합니다. (하더니) 저기 손 좀…
최 기자　네?
하영　손 좀 잠시. (하더니 최 기자 손바닥에 핸드폰 번호 적는) 문제 있음 연락 주세요.
최 기자　(당황스러운데… 기분도 이상하다)
하영　(차에 타며) 제가 시간이 없어서요.
최 기자　(얼떨떨) 저…저기요… 이래 놓고 어딜 내…빼요…

하영　사진 찍으셨으니 보험 처리하시고, 문제 있음 그 번호로 연락 주세요.(출발하려는데)

최 기자　(다급하게, 차 두드리며) 저기요. (하영이 창문 내리면, 명함 건네는) 제 연락처예요.

하영　(받으며, 보는 듯 마는 듯 두고) 아 네. 죄송했습니다. 그럼.

최 기자, 가는 하영의 차를 보며 멍하게 서 있는데, 뒤에서 빵빵-경적 울리고 난리다. 그제야 정신을 차려 다시 차에 타는 최 기자.

70 ___ 과거. 하영의 차 안 / 낮

운전 중, 신호에 멈춰 잠시 최 기자의 명함을 보는 하영.
'chocolove'라고 쓰인 이메일 주소 보며, 신기한 듯 "초코러브" 혼잣말한다.

우주e　뭘 그렇게 보세요?

71 ___ 분석팀 (씬68에 이어)

하영의 뒤에서 같이 모니터에 뜬 기사 들여다보는 우주. 보다가, 《팩트 투데이》 최윤지 기자 확인하고는 흐뭇한 듯 "제법이네" 혼잣말.

영수　(그때 문 열고 들어서며) 좋은 아침!

우주　(너무 멀쩡한데?) 괜찮으세요?

영수 당연하지.

우주 (숙취해소 음료 얼른 건네면)

영수 이야- 행동분석팀에 어떻게 이런 천하의 센스쟁이가 들어왔지?

우주 (기분 좋다)

영수 우리도 에어컨 달아준대.

우주 우와!

영수 또 있어.

우주 또요? (생각하다가) 테이블?

영수 (끄덕이고) 거기에 하나 더!

우주 하나 더? (하영 보는데, 하영도 모르겠다는 표정) 뭔데요?

영수 겨울 대비용 히터.

우주 (감흥 없이) 그럼 우리 계속 여기 있는 거예요? 본 건물로 안 들어가고?

영수 아… 그게 그렇게 되나?

하영 (둘러보며) 여기 좋은데 왜요.

시멘트벽 그대로 드러낸 낡고 허름한 공간 비추는 데서.

72 ___ 형사과장실 / 낮

'서울지방경찰청 형사과장 백준식' 명패 놓인 자리에 앉아 있는 준식과 그 앞에 서 있는 길표. 둘 다 근심 가득해 보이는 얼굴이다.

길표 (준식 앞에 서 있고) 어떡해요.

준식 (앉아 있는) 아이 다 해줘. 당장에 필요한 건 해줘야지. 뭐 대단한 것도 아니구 말여.

길표 그게 문제가 아니잖아요. 국영수 저거 뭔지도 모를 분석팀 만들겠다고 감식계장 자리까지 박차고 나왔는데. 지가 아무리 감식계 대부 소릴 들어도 자리에 있을 때나 얘기지, 남들 눈엔 미끄러지는 돌멩이에요. (첩첩산중) 허이구- 송하영이 걔는 또 어쩔 거야, 진급시킨 게 무슨 의미야. 빨간 모자 때 옷 벗을 뻔한 거 주저앉힌 팀이라고 소문이 파다해요.

준식 그 소문 우리 땜에 생긴 거여.

길표 그니까. 책임져야죠. 분석팀 없어지면 저놈 둘 어디로 가냐고. 성과가 있을지 없을지 그래도 할 만큼은 지켜봐야 되는 거 아니냐구.

준식 나도 알어. 일단 기다려보자고. 면담 돌면서 범죄 유형들 데이터화할 수 있는 시간이라도 충분히 달라고 얘긴 해뒀어.

길표 뭐래요?

/ins. 회상. 서울지방경찰청 청장실

준식 즉어도(적어도) 의미가 있는 일인지 아닌지 검증할 시간은 줘야지 않습니까. 행동분석팀에서 조현길이 사건도 용의자 추정하는데 나름 지들 몫을 했습니다.

청장 (관심 없는) 예산이 남아도는 줄 아나?

/다시 형사과장실

준식 빤하지 뭐. 현장에서 뛸 인원도 모자라다구.

길표 (한숨 푹)

73 ___ 식당 / 낮

점심시간. 테이블 만석인 공간. 하영, 영수, 우주 밥을 먹는 중이다.

우주 잡았으면 끝난 거 아니에요?
영수 세상이 범인을 잡으면 끝이라고 여겨도, 우린 그 뒤를 생각해야지.
우주 뒤요?
하영 (무덤덤) 마음을 분석해야죠.
우주 (?) 마음… 분석이요?
영수 크리미널프로파일링은 범인을 잡기 위해 실시하는 게 맞지만, 그 이후도 중요하거든.
우주 그게 마음 분석이랑 무슨 상관인데요? (다시 읊어보는) 마음 분석.
하영 (무심하게) 잡았다고 끝이 아니죠. 언젠가는 다시 나오니까. (하는데)
우주 잠깐. 근데 경위님 저한테 말 놓기로 하셨는데.
하영 (기억에 없는데) 그랬었나…?
우주 (으름장 놓듯) 경위님이 안 놓으시면 제가 놓을 거예요.
영수 (둘 보며, 능청스럽게) 그것도 괜찮겠네.

그때 저쪽에서 태구, 일영 들어오다가 꽉 찬 테이블들 보며 다시 나가려는데.
영수가 두 사람을 발견하고 손짓한다. 일영, 영수를 발견하고 "팀장님" 하며 나가려던 태구를 부르고. 그 소리에 태구도 영수를 본다. 빈 의자 가리키며 앉으란 시늉하는 영수. 일영, 얼른 종업원에게 "여기 백반 두 개 추가요" 하며 다가가는.

영수 의자 하나만 더 놓으면 되는데 같이 먹어요. 우리도 막 시작했어요.

태구 (은근 하영 눈치 보는 듯, 앉지 못하고 어색한데)

우주 같이 드세요.

하영 (보며, 그러라는 듯 목례만 꾸벅)

일영 (옆 테이블 의자 끌어다 앉으며) 그럼 실례 좀 할게요.

영수 실례는 무슨. 한솥밥 먹는 사인데.

태구 (어색하게 앉는) 하시던 말씀들 계속 나누세요. 저희가 방해한 거 같은데.

영수 (방해는 무슨) 에이- 범인을 잡았다고 끝이 아니다. 뭐 그런 얘기 하고 있었어요.

우주 (궁금한 듯) 마음이요. 마음 분석

태구/일영 ??

태구 낭만적이네요. 표현이.

영수 일도 그렇게 낭만적이면 좋겠네. (쓴웃음) 아무튼, 강력 사건 범죄자가 교도소에서 교화될 수 있는지, 다른 경범죄자들과 교화 프로그램을 달리해야 하는 건지, 재범 가능성은 없는지 그런 걸 파악해야 한단 얘길 하고 있어요. (우주 보며) 결국 조현길도 출소 두 달 만에 더 큰 범행을 저질렀잖아?

우주 아… 그래서 조현길 면담하시려는 거구나.

일영 ??, 조현길이 면담을 또 하시게요?

영수 (씁쓸한) 그놈한테 물어볼 게 많아요. 우리 팀 첫 사건이기도 하고. 범죄자 심리분석 보고서도 만들려면 적어도 한 번은 더 봐야 할 거 같아.

태구 이 팀은 늘 열심히 시네요.

영수 범죄행동분석팀이 범인 잡는데 일조한다는 걸 인식시키려면 더 바빠야죠. 더.

일영 ('일조'라는 말이 거슬리는지 태구를 슬쩍 보면)

하영 (냉소 섞인) 우리도 '관심'이 아닌 '의무감'으로 움직인다는 걸 보여줘야 하니까요.

태구 (순간 /3화, 씬51 "그쪽 팀한텐 이 사건이 단지 관심이겠지만, 우리 팀한텐 의무예요" 하던 자신을 떠올리며, 담아뒀나 싶고)

영수 (그러거나 말거나) 누누이 말하는 건데, 점점 더 극악한 놈들이 나올 거예요.

태구 ? (영수를 보면)

영수 물론 나도 내 추측이 틀리길 바라지. 안 나오면 더 좋고. 그래도 만일의 사태를 대비할 누군가는 있어야 하니까.

일영과 태구의 식사가 테이블에 차려지고. 태구, 일영 수저를 뜨는.

일영 (먹으며) 지금도 차고 넘치는데, 얼마나 더 극악무도하길래 대비까지 해요?

영수 대성연쇄살인사건.

일영/우주 (인상 찌푸리며) 아…

일영 그 새끼 그거 몽타주도 있는데 대체 왜 안 잡히는 걸까요.

영수 연쇄적으로 살인을 저지르는 놈들은 우리가 생각하는 정상의 범주를 벗어나기 때문에 기존의 방식으로는 추적이 어려워요.

태구 정상의 범주를 벗어난다는 게 무슨 의미죠.

영수 음… 그러니까 범행의 양상을 보면, 보통 원한인지 돈인지 치정인지 어느 정도 드러나잖아요?

일영 (입에 떠 넣으며 끄덕) 그쵸. (자신 있게) 딱, 티가 나지.

영수 근데 다 아닐 땐?

일동 (먹다가 영수를 보는)

영수 무작위에 무대뽀로 범행을 저지르는 애들은 행동 패턴을 읽을 수가 없어요. 어디에도 속하질 않으니까.

태구 대성연쇄살인사건이 그렇다는 건가요?

영수 그치. 우리 팀 자리 잡으면 내가 제일 먼저 그놈부터 잡고 싶어.

태구 그전에 잡힐 겁니다. 범행은 멈췄어도 수사는 계속될 거예요.

영수 그치, 꼭 잡혀야지. 대한민국 경찰이 제일 잡고 싶어 하는 놈인데.

하영 (다 먹었다. 숟가락 내려놓으며) 전 먼저 일어나겠습니다.

우주 ??, 저희도 거의 다 먹었는데 같이 가시죠.

하영 (태구, 일영 보며) 천천히 드세요. (영수 보며) 먼저 갈게요. (지갑 여는데)

영수 내가 낼 거야. 그냥 가.

하영 (보면)

영수 (괜찮다는 듯 가라는 표정)

하영 잘 먹었습니다. (하며 가고)

태구/일영 (뭘 굳이 먼저 가나 하는 표정)

74 ___ 식당 앞(도로 일각) + 택시 안 / 낮

식당에서 나와 바로 택시 잡는 하영. 타며, "경기지방경찰청으로 가주세요" 한다.

75 ___ 경기지방경찰청 서고 + 서고 초입 / 낮

서고

자주 정리하지 않는지, 어지럽고 먼지가 쌓여 있는 서고 안.
하영은 '1986년도'라고 분류된 곳을 찾아 들어가서 '미제사건'으

로 분류된 상자 살펴보는데 원하는 파일이 없는 듯 뒤적거린다. 그 위로,

우주e　그게 더 극악무도할 만일의 사건이랑 무슨 상관인데요?

뒤이어 연도별로 차례차례 뒤지기 시작하는데… '1991년도'에서 '〈경기지방경찰청〉 대성연쇄살인사건' 적힌 종이 박스 찾는다. 박스 열어 자료 보던 하영에서 컷 튀고.

 # 서고 초입
사건 자료 복사 중인 하영. 옆에 차례차례 사건 자료 복사한 종이가 쌓이는 위로.

영수e　미국에서도 경제적 변화가 큰 시기에 오로지 살인이 목적인 극악한 범죄 형태가 나타났고, 둘 사이에 관련이 있다는 보고가 있어요. 그러니까 우리도 대비를 해야지.

76 ___ 식당 (씬73에 이어)

흥미로운 듯 듣던 태구와 일영 뒤로, 여전히 줄 서서 기다리는 손님들과 영수네 테이블을 힐끔거리며 얼른 일어나길 기다리는 주인의 모습이 보이고.

영수　빨리 나가야겠네 (하며) 어쨌든, 그 사건이 나한테는 너무 충격적이라 공부를 많이 했는데, 외국의 사례들을 보니 이놈들은 지능범이나 마찬가지에요. 그 머리가 살인에 특화된 거지. 그래서 범죄

수법마저 진화해요.

일영　(잘 모르겠는 표정인데)

영수　(주인의 사인 읽었고) 쾌락에 강도가 극한까지 올라가는 거라고 해야 하나, 그래서 안 잡히려고 기를 쓰고 범죄 패턴을 바꾸는 거죠. 하여튼 범죄 수법이 진화하면 당연히 범죄 행위의 패턴을 읽지 못하게 되고. 흠. 지금부터 대비 안 하면 결국 대성연쇄살인 같은 미제 사건이 또 생길 거예요.

태구　아직 벌어지지도 않은 일인데 너무 확대 해석하시는 건 아닌가요?

영수　안 벌어지면 좋은 거죠. 그저 대비하자는 거니까 10년, 딱 10년만 투자할 거예요.

일동　(갸웃)

우주　(웃으며) 우리 팀 10년 가는 거예요?

영수　(우주 보며) 자신 있지? (하고) 지루한 얘기 들어줬으니까 점심은 내가 사요.

태구　안 그러셔도 되는데요.

일영　(얼른) 감사합니다. 잘 먹었습니다.

영수　(지갑 꺼내다가 번뜩! 주머니를 여기저기 뒤적이며 경찰공무원증 찾는데 없고)!!, 내가 드디어 미쳤네.

우주　왜요?

영수　지갑…(하는데)

태구　(잘못 알아듣고) 저희가 낼게요.

영수　(정신 딴 데 간) 아니… (지갑 꺼내 보이며) 그 말이 아니고… 경위서 쓰게 생겼네. (얼이 빠진 표정에서)

77 ___ 서울지방경찰청 복도 / 낮

자판기 앞에서 커피 뽑는 태구와 일영.

일영 (동전 넣으며) 입은 삐뚤어졌어도 말은 바로 하랬다고 솔직히 범인은 우리가 잡았죠. 조현길에 대해 미리 분석한 거, 뭐 인정하겠는데. 그게 뭐. 용의자 추정은 우리도 하잖아요. 백발백중일 수가 없을 뿐이지. 그렇게 치면 저 팀도 마찬가지 아닌가? 겨우 조현길이 한 번 맞춘 걸 가지고, (탐탁지 않은) '일조' 어쩌구는 쫌 그러네.

그때 형사1(3화, 씬32 동) 다가와 자판기 밀크커피 버튼 대신 누른다.

일영 (황당하게 보면)

형사1 (뻔뻔하게 커피 뽑아 들며) 왜. 조현길이를 지들이 잡았대?

일영 아뇨. 그건 아니고…

형사1 내가 거기 건방 떨 줄 알았어. (태구 보며) 그러게 순가락 못 얹게 하랬잖아. 모가지 붙여놓은 것만으로도 감사해야지. 빨간 모자 일 다들 뻔히 아는데-

태구 (심기 불편, 혼잣말) 하여튼 이 바닥 드럽게 말 많아.

일영 (태구 눈치 보는데)

형사1 발바닥 다 닳도록 뛰어다니는 건 우리 같은 형사들이지. (태구 보며) 안 그래? (하고 홀짝 마시는)

태구 (형사1의 말 안 받아주고, 괜히 일영에게 화풀이) 넌 무슨 다트 게임해? 백발백중에 맞추고, 말고. 요즘 자꾸 표현이 그렇다?

일영 (멋쩍은) 죄송합니다. 조심할게요.

태구 앞으로 말할 땐 한 번 더 생각하고 하자.

일영 …예…

형사1 (일영에게 슬쩍 '왜 저래?' 하는 입 모양)

일영　(먼저 가는 태구에게) 팀장님! 커피는요?!

태구　(가며 돌아보지도 않고) 됐어.

일영　(영문 모르겠는)

77-1 _ 서울지방경찰청 앞 / 낮

경찰청으로 향하던 길표, 건물을 지나가는(사진관 향하는) 영수와 마주치고.

길표　국영수!

영수　(보면)

길표　(다가가며) 넌 왜 여기 있어?

영수　?, 내가 어디 있어야 되는데?

길표　송 경위 경기청 갔다던데?

영수　경기청이요?

길표　난 (너랑) 같이 간 줄 알았네.

영수　경기청엘 왜?

길표　대성사건 열람하고 자료 복사하려는데 경기청에 얘기 좀 해달라더라고.

영수　(이해한) 아- 그래서 먼저 일어났구나.

길표　둘이 벌써 내외하냐?

영수　왜, 질투 나요? 나 빼겨서?

길표　으이 씨- (하며) 근데 넌 어디가.

영수　(사진 찍는 시늉만 해 보이고)

길표　?

영수　먼저 갈게요. (하며 가고)

길표 (가는 영수 뒷모습 보며) 그래 갈 길 가라. (하고 건물로 향하는)

78 ___ 사진관 / 낮

자세를 잡고 앉아 있는 영수에게 카메라 가리키며 "렌즈 보세요" 하는 사진사.
영수, 렌즈를 바라보며 어색하게 미소 짓는 데서.

79 ___ 지하철 즉석 사진기 내부 / 낮

찰칵- 소리와 함께 어두운 공간에 번쩍, 조명이 들어왔다 꺼진다. 작은 화면에 비치는 구영춘의 어둡고 음산한 눈이 정면을 응시하면서…
다시 한번 찰칵! 플래시 터지고.

80 ___ 구영춘의 단칸방 / 낮

드문드문 찢겨 있는 누렇게 바랜 벽지 위로 곰팡이 얼룩들 보이는 작은 방. 경찰공무원증에 붙은 영수의 사진을 떼어낸 자리에 자신의 증명사진을 붙이는 구영춘의 모습이 보인다. 그 위로.

81 ___ 하영의 방 / 밤

책상에 앉아 낮에 복사해온 '대성연쇄살인사건' 자료를 읽는 하영. 옆에는 『마음의 사냥꾼』 책 있다. 문득 낮에 들은 영수의 말이 떠오르는데.

영수e 연쇄적으로 살인을 저지르는 놈들은 우리가 생각하는 정상의 범주를 벗어나기 때문에 기존의 방식으로는 추적이 어려워요.

그 순간, 별안간 머리맡 창문 위에 걸어둔 십자고상이 책상에 툭, 떨어진다.
그 바람에 한쪽 팔이 부러져버린 십자고상.
하영, 불길한 예감에 고개 떨구고 있는 십자고상을 손에 쥐고 바라보는 모습에서.

82 ___ 어느 골목 / 밤

뚜벅뚜벅, 20대 여 뒤따르며 걷는 구영춘. 날씨와 안 어울리는 후드 점퍼 입고 있다. 앞서 걷던 20대 여, 구영춘을 획 돌아보는데.
구영춘, 잠시 망설이다가 안심하라는 듯 위조한 경찰공무원증 꺼내 보인다.

구영춘 밤길 여자 혼자 다니는 거 위험해요.
20대 여 (보더니 그제야 안심한) 아… 감사합니다.
구영춘 가시는 데까지 동행해드릴게요.
20대 여 아… 괜찮은데… (하다가) 감사합니다.

두 사람 나란히 걷기 시작하는데. 구영춘이 20대 여의 상의를 훌

끔거린다.

20대 여 (이상한 기분을 느낀) 이제 저 혼자 가도 될 것 같아요. 거의 다 왔거든요.

대답도 없이 골목을 두리번거리기 시작하는 구영춘.
20대 여, 그런 구영춘을 이상하게 여기고.
골목에 아무도 없음을 확인한 구영춘이 20대 여를 빤히 보는데.
20대 여, 점점 불안을 느끼기 시작한다.
그 눈빛을 읽은 구영춘, 뭔가를 꺼내려는 듯 점퍼 안에 손을 넣으며 20대 여 앞으로 성큼! 다가가는 그때!!
"누나!" 하고 저만치에서 20대 여를 부르는 남자 목소리 들리고.
그 소리에 구영춘이 주춤한다.
20대 여, 격하게 반기며 뒤도 보지 않고 자신을 부른 남동생에게 향하면. 구영춘도 뒤돌아 빠르게 도망치듯 걷기 시작하는데,
오른손에 방금 점퍼 안에서 꺼낸 붉은 쇠망치가 쥐어져 있다.
두 사람에게서 점점 멀어지는 구영춘의 뒤로,
"누구야?" "경찰인데, 이상해" "무서워" 하는 남매의 목소리 들리고.
구영춘, 걸으며 다시 쇠망치를 점퍼 안으로 숨긴다.
이어, 마스크를 꺼내 쓰며 후드까지 뒤집어쓰는 구영춘.
그 눈빛이 마스크에 가려져 더욱 매섭게 드러나는 데서!!

작가 Comment (1)

4화 후반 최 기자가 작성한 창의동 사건 기사가 내레이션으로 진행되면서 추가했다.

67-1 _ 팩트 투데이 사무실 / 낮

국장 혼자 있는 사무실. 최 기자 자리 보며 통화 중인.

국장　최윤지가 학교 다닐 때부터 좀 달랐잖아. 그게 개 장점이고, 우리 회사 입사해준 것만으로도 나야 고맙지-(하는데)

최 기자, 사무실 들어서고.

국장　(힐끗 보며) 고맙지만, 우리도 먹곤 살아야 하잖냐. 매체가 무너지면 기자 정신이 다 무슨 소용이야?

최 기자　(힐끔 보고, 자리에 앉는데)

국장　그래. 또 연락해. (하며 끊고, 최 기자 보며) 속은 괜찮아?

최 기자　네.

국장　새벽에 나한테 전화해서 괴롭다고 주사 부린 거 기억은 하냐?

최 기자　주사 아니었는데요.

국장　그래 뭐… 그럴 만한 사건이니까. 고생했다. (이어서) 했는데-

최 기자　국장, 1절만 하면 안 돼요? '했는데'가 왜 또 나와.

국장　그게 내 역할이야 인마.

최 기자　(삐죽)

작가 Comment (2)

영수가 설명하는 '대성연쇄살인사건'의 최초 설정은 (방송분과는 또 다른) 가상의 사건이었으며, 당시 전개에서는 하영이 조현길의 집 앞에서 만난 들고양이를 분석팀에 데려와 키우고 있어 먼저 자리를 뜨는 상황이었다. 이후 수정 과정에서 하영을 경기청으로 보내 프로파일러로서 더욱 몰두하는 모습을 보여주고자 했으며, 들고양이는 태구가 구조한 것으로 변경했다. (다만, 태구 관련 내용은 대본에 반영되지 않았다.)

73 이후 _ 분석팀 / 낮

서둘러 사무실로 들어오는 하영. 책상 서랍을 열면, ABC 초콜릿 옆, 잔뜩 사둔 고양이 간식도 보인다. 그중 하나를 꺼내는 모습에서.

영수e　하필이면 75년은 양극화가 시작된 시점이고, 88년은 올림픽에 경제 성장도 시작된 시점인데. 미국에서도 경제적 변화가 큰 시기에 오로지 살인이 목적인 극악한 범죄 형태가 나타났고, 관련이 있다는 보고가 있어요. 그러니까 우리도 대비를 해야지.

77-1 _ 분석팀 건물 옆 / 낮

하영, 새끼 고양이에게 간식을 주고 있다. 그러면서도 주위를 두리번거리는데.

이내 다리 한쪽 반쯤 잘린, (씬5의) 들고양이[6]가 모습을 드러내며 하영에게 다가온다.

그제야 슬쩍 미소 띠며 안심하는 얼굴로 간식 하나 더 꺼내는 하영. 잠시 후, 사무실 돌아오던 영수와 우주가 그 모습을 본다.

우주　(호기심에 다가가) 얘넨 누구에요?

영수　뭔 고양이야? (하는데 들고양이만 후다닥 도망가고)

하영　(꺼낸 간식만 안타깝게 보는)

우주　(쭈그려 앉아) 우와! 새끼 고양이네.

하영　… 먹을 게 없어서 방황하길래. (사라진 들고양이 쪽으로 시선)

우주　(귀여운 듯 새끼 고양이 지켜보다가) 얘 엄청 잘 먹네. 물도 줘야겠다. (하며, 손에 들고 있던 종이컵 보더니 얼른 원샷 하고 물 가지러 가는데)

영수　(그 모습 보며) 식구가 점점 느네. (하더니) 아 참. 난 경무과 가야지. 정신이 왜 자꾸 나갔다 들어왔다 해. (하며 가고)

하영　(여전히 들고양이 어디로 갔는지 찾는)

6　사납고 경계심 가득했던 들고양이가 분석팀에 와서 서울청 인물들의 관심과 돌봄을 받으며 점차 변해가는, 상징적 존재로 활용.

5화

1 ____ 야산 어딘가 / 밤

나무에 묶인 늙은 개 한 마리가 정체를 알 수 없는 고깃덩이를 정신없이 뜯고 있다. 곁에 쭈그리고 앉아 그 모습을 지켜보는 구영춘. 옆으로는 망치 가방이 놓여 있는.

이내 살점이 다 발라지고, 늙은 개가 아쉬운 듯 남은 뼈를 핥으며 입맛 다시면 기다렸다는 듯 옆에 있던 붉은 쇠망치 움켜쥐고 일어서는 구영춘.

잠시 후… 멀리 야산이 비춰지고, 온 산을 울리는 늙은 개의 비명이 들리면서

피 냄새를 음미하듯 숨을 크게 들이쉬는 구영춘.

피 묻은 망치와 칼을 수건으로 닦아내며 도로 가방에 넣는 모습에서.

빠앙-! 신경질적인 경적 선행되고.

2 ___ 도로 / 낮

여기저기 경적을 울려대는 차들. 꽉 막힌 도로 위에서 좀처럼 움직이지 않고, 운전석에 앉아 있는 하영도 답답한 듯 시간을 보며 서 있다.

3 ___ 예식장 앞 / 낮

아직 예식이 끝나지 않은 한가한 예식장 입구가 비춰진다.
이어, 커다란 장비 가방 멘 말끔한 양복 차림의 영수가 도망 나오듯 모습을 드러내는데. 기어이 영수의 노모가 따라 나와 손에 작은 쇼핑백 하나 쥐여주고. 두 사람, 그걸로 옥신각신하더니 영수가 먼저 포기한 듯 쇼핑백 받아 쥔다.
노모, 그제야 만족스럽게 다시 안으로 들어가고,
영수, 갑갑한 듯 넥타이 느슨하게 풀며 도로가로 나와 하영을 기다리는 데서 하영의 차가 다가와 영수 앞에 선다.

4 ___ 하영의 차 안 (도로) / 낮

뒷좌석에 먼저 장비 가방 따로 싣고, 조수석에 타는 영수.

하영　(출발하며) 죄송해요. 차가 너무 밀려서 늦었어요.

영수　나도 막 나왔어. (훗) 우리 되게 평범한 사람 된 거 같네. 토요일 낮 결혼식 일정에, 이렇게 막히는 시내에도 다 있고. 가는 데가 구치소인 것만 빼면 완벽한데. (갑갑한 듯 넥타이 느슨하게 당기며) 아우, 회사원들은 이 불편한 걸 어떻게 매일 하고 다니지. (구두 신은 발도 반쯤 빼며, 하영의 캐주얼한 차림 부러운 듯 보는) 여분 옷이라도 가져올 걸 그랬나.

하영　신발이라도 바꿔드려요?

영수　아냐. (하다가) 나도 애를 둘이나 낳았는데, 우리 어머닌 여전히 내가 앤 줄 알아. (하며 싸준 봉지 열어보면, 봉지에 급히 담은 듯한 떡과 전들. 하나 집어 입에 넣으며) 결혼식만 오면 그렇게 남은 음식이 아까운가 봐.

하영　(운전하며) 저희 어머니도 결혼식만 가시면 꼭 그렇게 싸 오세요.

영수　(웃으며) 이걸 먹는 재미가 있긴 하지. (하며) 맛있다. (떡 하나 집어 들고) 아- 해봐.

하영　(운전하다가 당황) 네?

영수　(떡을 하영 입 앞에 갖다 대며) 아-

하영, 마지못해 입을 벌리면, 떡 먹여주며 좋아하는 영수.

하영, 어색하게 씹어 먹는 모습에서.

5 ___ 구치소 면회실 / 낮

테이블에 놓여 있는 투박한 녹음기 한 대가 비춰지면서. 조현길을 기다리며 새 영상 녹화 장비 설치하는 영수가 보인다. 그 옆에 뚜껑 열린 커다란 장비 가방 놓여 있고. 하영은 열심히 장비 설치하는 영수의 모습을 물끄러미 보고 앉아 있는.

하영　크고 좋아 보이긴 하네요.

영수　(뿌듯한) 두 달 치 봉급 다 털어 넣었는데 이 정도 티는 나야지.

하영　버는 것보다 쓰는 게 더 많은 거 아녜요?

영수　장비도 실력이랬어. (하며 테이블에 놓인 구식 녹음기가 마음에 안 드는 듯) 으휴. 구색 안 맞는다. (도로 넣으려는데)

하영　아녜요. 제가 들고 다니면서 쓸게요.

하영, 녹음기 다시 테이블에 올려두고, 플레이 버튼을 누르면
투박한 녹음기에 빨간 불이 반짝이는 데서.

6 ___ 구치소[1] / 낮

낡은 수용실 문이 열리면서 일제히 교도관을 보는 7명의 수용자. 그 주위로 선반과 좌식 책상 달랑 놓여 있고, 천장과 벽에는 페인트가 다 떨어져 너덜거리는 좁고 취약한 공간이 드러난다. 이어, 내부에 딸린 화장실 문이 열리고, 더러운 재래식 화장실에서 나오는 조현길. 문밖에서 자신을 기다리고 서 있는 교도관을 쳐다보는.

7 ___ 구치소 복도 / 낮

교도관을 따라 낡은 구치소 복도를 어눌하게 걷는 조현길. 전보다 수척해진 모습.
면회실 앞에 다다르며 안에서 자신을 기다리는 하영과 영수를 보

1　옛 성동구치소(1977년 개장~2017년 이전) 참고.

는데, 조현길의 시선이 양복을 차려입은 영수에게 먼저 가 닿는다.

8 ___ 구치소 면회실 / 낮

테이블을 사이에 두고, 하영, 영수와 조현길이 마주 앉아 있고, 저만치에는 교도관이 서 있다. 조현길은 세팅된 카메라를 의아하게 보는.

영수 취조하려는 거 아니니까 안심해요.
조현길 (영수의 말에 보며) 나 만날라고 그렇게 입고 왔어요?
영수 (차림새 스스로 살피다가 멋쩍은지 헐거워진 넥타이 괜히 한 번 조이고) 왜요.
조현길 (쓰윽 어색한 미소) 대접받는 기분 드네.

순간 조현길의 만족스러운 표정을 캐치하는 하영인데.

조현길 이제 다 끝난 거 아니에요?
하영 (차갑게) 다 끝났다고 생각합니까.
조현길 (손에 찬 수갑 내보이며, 퉁명스러운) 잡았잖아요.
영수 우린 아직 조현길 씨한테 물어보고 싶은 게 많아요.
조현길 (미묘하게 부드럽게 태도 바뀌는) 저번에 다 말했는데… 그 '여자분' 한테도 다 했고…
하영 여자분 아니고, 형삽니다.
조현길 (하영을 퉁명스럽게 보는데)

하영, 자신과 영수에게 각각 반응하는 조현길의 태도가 다르다는 걸 눈치챘고, 그제야 다시 보면, 양복 입은 영수와 캐주얼한 하영의 차림이 비교된다.

영수 사건 얘기 말고, 조현길 씨의 얘길 들으러 왔어요.

조현길 (무슨 말인가 싶어 보는)

영수 어린 시절 얘기도 좋고, 평소에 느끼는 감정들을 얘기해도 좋고.

하영 (조현길의 표정을 계속 지켜보는데)

조현길 (카메라가 신경 쓰이는)

하영 (눈치챈) 그냥 기록용이에요. 신경 안 쓰셔도 됩니다.

조현길 (그 말에 영수를 의지하듯 보는데)

영수 (기록용 맞다는 끄덕임) 뭐 하고 싶은 얘기 있어요?

조현길 (눈치만 보며 망설이는)

영수 괜찮아요. 얘기해봐요. 뭐든.

조현길 (영수만 보며)……끔찍해요.

영수 (무슨 소린가 해서 보는데)

하영 (이해한다는 듯이) 힘들 겁니다. (공간 둘러보며) 여기…

조현길 (심정을 알아준 하영의 말에 고개 재차 끄덕이고)

하영 (이해한다는 투로) 조현길 씨 엄청 깔끔한 성격이니까.

조현길 (그때서야 하영을 경계하던 태도 바뀌며 하소연) 좁고… 더럽고… 냄새도 나고, 진짜 미치겠어요. 나 빨리 딴 데로 옮겨줘요.

하영 (바뀐 태도 느끼는) 살도 빠진 거 같은데 (손목시계 보며) 식사는 제대로 합니까?

조현길 (말도 마- 라는 표정으로 도리질)

cut to

허겁지겁 국밥을 퍼먹는 조현길. 교도관이 그 모습을 거슬리는 듯 지켜보고 서 있고. 하영과 영수도 마주 앉아 함께 먹는 중인데, 두 사람, 교도관의 표정을 슬쩍 본다.

셋 다 이 상황이 내키지 않는 얼굴. 하영이 깨작거리다 겨우 깍두기나 하나 집으려는 순간, 같은 걸 집으려던 밥풀 잔뜩 묻은 조현길의 숟가락과 하영의 젓가락이 닿고. 하영이 양보하면, 그러거나 말거나 우악스럽게 베어 물고 뚝배기 채 들어 국물까지 다 마시는 조현길. 영수는 그런 조현길이 어이없는지 먹다 말고 숟가락 내려놓는데, 하영은 묵묵히 먹기만 하는 모습에서. 이내 쟁반을 옆으로 치워두는 영수.

하영 　기분이 좀 어떻습니까.

조현길 　(긴장이 풀린) 오랜만에 제대로 된 밥도 먹고. (눈 감고 배 문지르며) 매일 오늘 같았으면 좋겠네.

영수, 조현길을 기막힌 듯 보고. 몇 걸음 떨어져 지켜보던 교도관도 어이없는 표정.

하영 　후회합니까.

조현길 　(여전히 부른 배를 만족스럽게 문지르며, 아쉬운) 걔가 거기 없었어야 됐는데.

영수 　(남 탓에, 헐)

하영 　('걔'라는 표현 거슬리는) '수현이'가 거기 없었어야 된다는 게 무슨 의밉니까.

조현길 　(다시) 걔도 재수가 없었죠.

하영 　(단호하게) 수현입니다. 그 애 이름. 이수현.

조현길 　(쳐다보곤, 관심 없는) 그날 거기 안 왔으면, 지두 나두 아무 일 없었을 거 아네요?

영수 　(…조심스럽게) 본인이 이렇게 된 게 수현이 탓이라고 생각해요?

조현길 (아무렇지 않게) 하필 거기서 내 눈에 띈 게 잘못이란 거죠.

영수, 조현길의 말에 화를 누르는 듯 표정 붉으락푸르락하는데,
조현길, 아무렇지 않게 손가락으로 이빨이나 쑤시고 앉아 있다.
……
그런 조현길을 가만히 지켜보는 하영.

하영na 어떤 마음일까.

/ins. (4화. 씬27. 조현길의 회상에서)
강아지 해맑게 따라가는 수현이를 지켜보던, 조현길의 자리에 똑같이 서서 수현이를 지켜보고 서 있는 하영.
어느새, 수현이를 성큼성큼 쫓아가고 있는 하영의 모습 위로.

하영na (수현이 웃음소리) 이토록 해맑은 아일 바라보는 조현길의 마음은 왜 우리와 다를까.

하영, 수현이 등 뒤에서 손을 뻗어 강아지에 한눈팔고 있는 수현이 어깨를 잡으려는 순간! 수현이의 모습이 부서지듯 훅- 사라진다.

영수e 고향이 부산이에요?

/다시 면회실
조현길 삼천포요. 15살 때 서울 왔어요.
영수 중학교 2학년 때네요.
조현길 중학교 안 다녔어요. (으레) 국민학교만 나오고, 바로 일했어요.

영수　　무슨 일?

조현길　공장도 다니고… (하며 자신의 잘린 손가락을 안타깝게 보는) 생선도 팔고… 고기도 자르고… 뭐 이거저거 시켜주면 다 했죠.

영수　　나도 어릴 때 일 많이 했어요.

하영/조현길 (?, 영수를 보는)

영수　　(하영에게 설명하듯) 어릴 때 우리 집이 찢어지게 가난했거든. (조현길에게) 내가 맏이라 부모님 도와서 농사도 짓고 그거 내다 팔기도 하고, 별거 다 했어요.

조현길　(영수 보며) 형사님.

영수　　?

조현길　이름이 뭐랬죠?

이름을 묻는 조현길의 뜻밖의 태도에 서로를 잠시 보는 영수와 하영.

영수　　(의아한) 내 이름? 국영숩니다.

조현길　(동질감 느낀 듯) 그럼 국영수 형사님도 국민학교까지만 나왔어요?

영수　　음… 중학교를 남들보다 1년 늦게 들어갔어요.

조현길　아… (실망스러운 듯 혼잣말) 그래도 중학곤 갔네.

하영　　다르다고 생각합니까.

조현길　뭐가요?

하영　　똑같이 가난했고, 똑같이 고생했는데.

조현길　중학교 갔으니까 달르죠.

하영　　(조현길을 가만히 보는데)

조현길　(태연하게) 갔으면 또 몰르지.

영수　　… 그래서 범죄자가 됐다고 생각해요? 학교를 못 다녀서?

하영 (그 말에 반응하는 조현길의 표정을 응시하는데)

조현길 국-(영수 하려다가 그새 까먹은), 형사님.

영수/하영 (보면)

조현길 저 사이다도 하나 사줄 수 있어요? 밥 먹고 사이다 마시던 게 습관이 돼놔서.

영수는 조현길의 태연함에 기가 차는데, 하영은 그저 보고만 있다. 이내 아무렇지 않게 사이다까지 홀짝이는 조현길. 만족한 듯 꺽- 트림까지 하는.

9 ___ 구치소 화장실 / 낮

우욱- 변기 부여잡고 괴로운 듯 토하는 하영. 조현길과 먹은 걸 전부 게워내고 있다.

cut to

세면대에서 입을 헹구는 하영의 모습 위로 "수현입니다. 그 애 이름" 하던 하영의 목소리 들리고. 여전히 비위가 상하는 듯한 얼굴로 거울을 보는 데서.

10 ___ 구치소 앞 / 석양 무렵

낡은 구치소 건물이 무색해질 만큼 아름답게 비치는 석양 아래, 하영의 차에 기댄 채 딴생각에 빠진 듯 엄지로 라이터 휠 돌려대는 영수.

불을 껐다 켰다 반복하다가 하영이 나오면, 그제야 라이터 주머니에 넣는다.

영수　괜찮아?
하영　(아무렇지 않게) 네. (하며 차에 오르는)

11 ___ 하영의 차 안 (도로) / 저녁

구치소를 벗어나 도로를 달리는 하영의 차.

하영　(한참을 말없이 간 듯, 무심하게) 담배 끊으셨잖아요.
영수　어. 왜?
하영　라이터는 왜 들고 다니세요?
영수　아, (주머니에서 꺼내 보며) 이거. (…보다가 씁쓸한 듯) 비상약.
하영　네?
영수　… (아까 같은 순간, 이제 일상이 될 텐데) 분명히 한 번은 담배 찾을 날이 올 거 같거든. 그 순간에 당장 불도 없으면 진짜 미칠지도 모르니까.

하영, 왠지 알 것 같은 얼굴이고. 다시 서로 말없이 가는 두 사람의 모습에서 어느새 석양빛 잔뜩 물든 도로를 달리는 하영의 차량이 부감으로 보이면서.

타이틀, 악의 마음을 읽는 자들 5화

12 ___ ○○맞춤양복 / 낮

하영, 흰 셔츠에 양복바지 입고 거울 앞에 어색하게 서 있다. 재단사가 그런 하영에게 다가와 어깨너비, 가슴둘레, 다리 길이 등을 재며 "어디 좋은 데 가실 일 있으신가 보다" 한다. 아이러니한 상황에 잠시 대답을 아끼다가, 담담하게 "네" 답하는 하영. 재단사가 만족스럽게 "체형이 좋으셔서 맞춰놓고 나면 테가 잘 나겠어요" 하면,

어색해하며 거울을 보는 셔츠 차림의 하영의 모습이 어느새 완성된 양복에 넥타이까지 갖춰 입은 모습으로 바뀐다. 그 위로.

"2001년 대입수능시험 고득점자들이 특차모집에서-" 하는 앵커 목소리 선행되고.

13 ___ 몽타주

아침저녁 구름이 빠르게 지나가는 하늘 위로, 하나씩 뜯어지는 달력 이미지와 TV 뉴스를 전하는 아나운서 목소리들 오버랩되며.

- (2001년 1월) "무더기로 탈락하는 일이 생기면서 '물수능'에 대한 변별력이-" 들리면서 눈 쌓인 교도소 앞. 차에서 장비 가방 들고 내리는 영수와 하영의 패딩 입은 모습에서 cut to 하영의 차에 타며 뒷좌석에 던져지는 면담 자료 파일 위로, 다시 달력이 뜯겨져 나가고. /형사과장실, 준식의 모니터에 '범죄행동분석팀 유지 제안의 건' 기안문 떠 있고 오버랩되면, 가운데 '1년 연장' 도장 찍혀 있다.
- (2001년 3월 29일) "인천국제공항의 역사적인 개항과 함께 김

포국제공항 시대가 막을 내리고 바야흐로 인천국제공항 시대가-" 들리면서 고속도로 달리는 하영의 차 위로 비행기 뜨는. cut to 교도소 앞, 하영의 차에 타며 뒷좌석에 던져지는 면담 자료 파일 위로, 다시 달력들 뜯겨져 나가고. /형사 무리가 분석팀 사무실을 턱짓으로 가리키며 비웃고, 일부러 문 앞에 담배꽁초들 버리는데, 사무실 들어오던 영수, 하영, 우주가 그 모습을 보는.

- (2001년 9월) "미국 세계무역센터 쌍둥이 건물 상층부에 두 대의 비행기가 충돌해 폭발하는-" 들리면서 영안실 시신 보관함 열리고, 시신을 보는 영수, 하영. cut to (여러 날) 계속해서 영안실 시신 보관함이 열리고, 열리며. 시신을 보는 두 사람 컷컷컷! 꽉 찬 엘리베이터 문이 닫히려는 순간 뛰어와 올라타는 두 사람을 보며 일제히 코를 막는 사람들과 멋쩍어하는 영수, 하영 cut to 목욕탕에서 탕에 몸 담그는 두 사람. cut to 계속해서 달력이 뜯겨지고 하영의 차 뒷자리에 쌓이고, 쌓이고, 쌓이고, 쌓이는 파일들 위로,
- (2002년 1월) "김대중 대통령은 연두 기자회견에서 '부정부패 척결'을 다짐-"/청장실 앞, 준식, 길표가 기안문 들고 노크하는 데서 cut to '범죄행동분석팀 유지 제안의 건' 기안문 위에 쾅 하고 '1년 연장' 도장 찍는 청장.
- (2002년 6월) "월드컵 사상 아시아 국가로서 처음으로 4강에 진출한 역사적 쾌거를-" 하는 데서, 운전하는 하영[2]과 차창 앞뒤로 다닥다닥 붙어 신나게 응원가 부르는 사람들 보이는데, 그 와중에 영수는 피곤한 듯 조수석에 앉아 꾸벅꾸벅 졸고 있고,

---

2 더운 듯 와이셔츠를 팔꿈치까지 접어 올린.

뒷좌석엔 쌓여 있는 면담 자료 파일들 비춰지는.
- (2003년 2월) "노무현 제16대 대통령이 25일 취임식을 갖고 공식 업무에 들어감으로써 '참여정부'가 공식 출범-" 들리면서 다시 기안문에 '1년 연장' 도장 쾅, 찍히고! cut to 어느새 분석팀에 놓인 난로와 커다란 회의 테이블, 화이트보드와 테이블에 시신 사진들 널려 있고 영수, 하영, 우주 익숙한 듯 무덤덤하게 김밥 먹으며 회의하는 모습에서 달력들 뜯겨지고.
- (2003년 4월) "홍콩의 유명 영화배우이자 가수인 장국영 씨가 어젯밤 스스로-" 들리면서 영수의 집. 피곤한 듯 양복 그대로 소파에 털썩 누워 잠드는 영수. cut to 하영의 방. 구식 녹음기 플레이&스톱 반복해 들으며 자료 정리하던 하영, 이내 책상에 엎드려 잠이 들면 과일 들고 방에 온 영신이 그 모습 보며 안타까운 듯 담요 어깨에 덮어주는 데서.
- 다시 달력들 뜯겨져 나가고, 또다시 하영의 자동차 뒷좌석에 던져지며 쌓이고, 쌓이고, 쌓이고, 쌓이는 면담 자료 파일들 컷컷컷.

13-1 _ 곱창집 / 저녁

자막_2003년 9월.
시끌벅적한 곱창집. 맥주와 콜라 놓여 있는 테이블에 하영, 영수, 우주 모여 앉아 있고, 우주가 열심히 곱창을 굽는 중인.

우주 와, 이게 얼마만의 회식이에요.
영수 많이 먹어둬. 오늘 이후로 또 언제 회식할 짬이 날지 모르니까.
하영 내가 구울게, 그만 굽고 먹어요.

우주　아네요. 제가 또 굽는데 선수라 이런 거 남한테 못 맡기거든요.

영수　그렇게 치면, 내가 실력 발휘해야 하는데? 줘봐- (하며 집게 가져가려고 하면)

우주　안 돼요. 빨리 드시기나 하세요. (영수 앞에 한 점 놔주고)

영수　(먹으며 인정하듯) 음, 맛있네.

하영　(그 모습에 웃고)

우주　(하영이 앞에도 한 점 놔주며) 평가해주세요, 제 실력.

하영　(집어 먹으며, 맛있다는 듯 끄덕이는)

우주　(좋아하는데)

영수　(세 사람 잔에 각각 술과 콜라 따르며, 진지하게) 우리 앞으로 더 잘 버텨보자.

세 사람, 진지한 얼굴로 건배하는 모습에서.

13-2 _ 하영의 집 앞 / 밤

바람 세차게 부는 아파트 단지. 하영이 트렁크에서 면담 자료 파일 잔뜩 꺼내 들고 집으로 향하는.

13-3 _ 하영의 집 현관 앞 + 거실 / 밤

파일 잔뜩 품에 안고, 손이 모자란 하영이 어렵게 비밀번호 누르고 있는데, 영신이 그 기척에 먼저 문을 열어준다.

하영　(들어가며) 왜 여태 안 주무셨어요.

영신 바람 소리에 깬 거야. 너 땜에 깬 거 아니니까 미안해 말아. (안쓰러운 듯) 피곤하지?

하영 괜찮아요.

영신 밥은?

하영 먹었어요. 얼른 주무세요. (하며 다시 파일 안고 방으로 들어가는)

하영이 들어가는 모습 끝까지 보고 나서야 돌아서는 영신인데. 식탁에 하영의 저녁을 차려놓고 기다린 듯, 우산 모양 밥상보가 씌워져 있다.

13-4_ 하영의 방 / 밤

밤새 「황대선 살인 사건 면담 보고서」[3]를 펼쳐두고 고민하는 하영. 그때, 창을 두드리는 바람 소리에 하영이 잠시 창가에 시선을 주는 그 위로.

앵커e 제14호 태풍 '매미'의 영향으로 전국적으로 강풍과 함께 많은 비가 내릴 것으로-

14__ 동네 전경 / 밤

언덕 아래 유난히 밝게 빛을 내는 수없이 많은 교회의 붉은 십자

3 (접견 신청일: 9월 10일 수요일)

가들 내려다보인다. 강한 바람에 나무들마저 휘청대는 어둡고 흐린 하늘.
여기저기 우뚝 솟은 십자가들 사이로, 고급 주택가와 빽빽하게 자리한 서민 주택가가 확연히 구분된 풍경이 드러나면서

/ins. 몽타주
집집마다 창문을 꼭 닫는 모습들 연이어 보이고.

15 ___ 동네 골목 / 밤

서민 주택가 언덕을 지나 고급 주택가로 진입하는 한 교수의 차가 부감으로 비춰진다.

16 ___ 한 교수 집 앞 / 밤

높은 담장의 주차장 문이 느리게 열리면서 안으로 들어서는 한 교수의 차.

17 ___ 한 교수 집 안 / 밤

집으로 들어서는 한 교수. 이미 난장판이 된 오래된 목조풍 인테리어 거실 한가운데 머리에 피를 흥건하게 흘리고 엎드려 쓰러져 있는 아내를 발견한다.
놀라 차마 다가가지도 못하고 떨리는 목소리로 '여보… 여보…'

불러보지만, 이미 숨이 끊긴 듯 대답 없고. 한 교수, 금세라도 주저앉을 듯 다리에 힘이 풀린 채 핸드폰 열어 11…2 누르려는데…
뒤에서 기척이 느껴져 조심스럽게 돌아보면!
구영춘, 세수를 했는지 채 씻기지 않은, 피와 물기 동시에 맺힌 얼굴을 피 묻은 긴소매로 닦아내며, 한 교수를 서늘한 표정으로 지켜보고 서 있다.

구영춘 (읊조리듯) 노인네가 또 있네.[4]

구영춘과 눈이 마주치며 공포에 떠는 한 교수, 뒤로 주춤하며 들고 있던 서류 가방을 툭- 떨구는 모습에서!

18 ___ 서울지방경찰청 복도 + 기수대 사무실 / 아침

툭- 하고 자판기에서 떨어지는 종이컵. 그 위로 커피가 쫄쫄쫄 채워진다.
태구와 일영, 커피 마시며 사무실 향하고, 주위로 간간이 출근 인사 나누며 지나가는 직원들 보인다.

태구 넌 새로 오는 계장님이 누군지 아는 거야?
일영 (머뭇거리는)
태구 (의아한) 뭐야. 표정이 왜 그래? (하며)

---

4 혼잣말하는 구영춘의 뒤로, 얼핏 벽에 걸려 있는 십자가가 구영춘과 대비되도록 보였으면.

사무실 안으로 들어서는 태구와 일영인데.
태구, 들어오다가 넋이 나간 얼굴로 멈칫.

김봉식 (태연하게 씨-익 웃는) 굿모닝- 윤태구. 잘 지냈냐?

김봉식의 인사에 표정이 굳어지는 태구.
일영은 난처한 듯 두 사람 지켜보기만.

태구e 왜 말을 안 해주셨어요?!

19 ___ 서울지방경찰청 기수대장실 / 아침

따지듯 서 있는 태구와 난처한 듯 시선 피하는 길표.

태구 귀띔은 해주셨어야죠.
길표 알 사람 다 아는데 무슨 귀띔.
태구 알 사람은 다 아는 걸, 지시받고 움직여야 될 저만 몰랐네요?
길표 (괜히) 나는 윤 팀장도 당연히… 아는 줄 알았지.
태구 (기가 막힌데)

20 ___ 기수대 사무실 / 아침

사무실에 있는 사람들 전부 한 명씩 다가가 악수 건네며 껄렁하게 "잘 지내봅시다" 하는 봉식. 일부는 내키지 않는 표정도 섞인.

21 ___ 야외 휴게실 / 아침

일영 난처한 얼굴로 태구 앞에 서 있고.

태구 너라도 얘길 했어야지.

일영 … 말 해봐야 신경만 쓰이실 거 같아서… 달라질 상황이 아니-(니까, 하려는데)

태구 달라질 게 없으니 몰라도 된다?

일영 (손사레) 아뇨, 아뇨, 그런 의미가 아니라…

태구 (보기만)

일영 … 죄송해요.

태구 … 됐다. 니 맘도 편친 않았겠지.

일영 (얼른 인정하며 격하게 끄덕이는)

태구 분석팀에선 알아?

일영 분석팀이요? (하다가) 아!

/ins. 기수대 복도

"기수대 1계장으로 발령 온 김봉식입니다. 잘 지내봅시다" 하며 (오지랖 느낌으로) 지나가는 사람마다 악수 건네는 봉식. 그 위로,

일영e 중부서에서 송 경위님이 김 반장님 뒤통수 쳤다는 소문이…

/다시 휴게실

태구 (OL, 못마땅한) 하여튼 이 바닥 소문 드럽게 좋아해.

일영 (눈치 보는)

22 ___ 교도소 접견실 / 낮

키도 덩치도 큰 황대선과 마주 앉아 있는 영수, 하영. 양복을 차려 입은 말끔한 모습.

황대선 왜 또 왔어요?

영수 우린 아직도 당신이 저지른 사건이 왜 발생하게 됐는지 잘 모르겠어요. 그래서 당신이 살아온 얘길 더 듣고 싶어서 왔어요.

황대선 무슨 얘길?

영수 어릴 때 얘기해줄래요?

황대선 남의 불행한 어린 시절 얘긴 들어서 뭐해요.

영수 안 좋은 기억이 더 많은가 보네요.

황대선 (잠시) 아버지가 이유도 없이 맨날 두들겨 팼으니까. 밥 먹다가도 패고, 학교 간다고 패고. 그러다 이삼 일 앓아눕고 진짜 학교도 못 간 적 있어요.

하영 그런 감정들은 어떤 방식으로 해소했습니까. 많이 힘들었을 텐데.

황대선 어릴 때 할 수 있는 게 있나. 말 못 하는 짐승들이나 잡아 죽였지. 옆집 소, 낫으로 찍어 죽이고, 동네 개 잡아다가 뜨거운 불에 올려놓고, 펄쩍펄쩍 뛰면서 소리 지르는 거 보고. 그러고 나면 속이 시원했어요.

그 말에 영수와 하영이 동시에 서로를 잠시 보는.

영수 죽인 동물로 해체도 해봤어요?

황대선 가끔 여기저기 잘라봤어요. 음식점에서 조리일 배웠는데, 뚝뚝 자르면서 칼 쓰는 게 재밌더라고.

하영 두 번째 사건 여성 피해자, 성폭행 살해 후에 다리 살점도 그래서 베어갔습니까?

황대선 … 나도 잘 모르겠어요. 살아 있을 때 잘라볼랬는데 피도 튀고, 뭐 그래서 멈췄다가 죽은 담에 다시 잘라봤죠. (대답을 꺼리듯 잠시) 술에 취해서 잘 기억 안 나요.

하영 (그런 황대선의 표정을 가만히 보다가) 그거 그대로 집에 가져왔잖아요. 들고 올 때 본 사람들 없었습니까. 피도 흐르고, 놀랐을 거 같은데.

황대선 그게 뭔지 알고 놀래요. 나도 아침에 일어나서 보고 순간 고긴 줄 알았는데.

영수/하영 …

하영 살점을 베어간 이유, 기억이 안 나는 겁니까, 말하기 싫은 겁니까.

황대선 (보다가) 반반이지 뭐. 근데 내가 꼭 다 말해야 되나? 조사하는 것도 아니라면서요.

23 ___ 교도소 외경 + 하영의 차 / 낮

교도소에서 나오는 영수와 하영,

영수 황대선은 확실히 연쇄살인범의 유형을 보이네.

하영 그렇긴 한데, 살점을 잘라간 건 무슨 이유였을까요.

영수 본인도 모르는 거 같지 않았어? 내 생각엔 학대하던 아버지에 대한 분노가 성적인 이상심리로 발전한 케이스 같아.

하영 (알겠다는 듯) 그 분노가 시신을 훼손하는 단계까지 나간 거네요.

영수 (씁쓸한) 그치.

두 사람 허탈한 표정으로 영수는 장비 가방, 하영은 면담 자료 들고 하영의 차로 다가와 문을 열면, 영수가 트렁크에 장비 싣고, 하영은 뒷좌석에 서류 내려놓는데 라벨에 2000년~2003년까지의 면담 일자, 피의자, 죄명 적힌 파일들 잔뜩 쌓여 있다.

영수 (타며) 저렇게 계속 다 이고 지고 다닐 거야? 우주가 정리한 걸로 보는 게 안 편해?

하영 (룸미러로 보며) 들고 다니면서 직접 보는 게 머리에 더 잘 들어와서요. (재킷 주머니에 든 구식 녹음기 꺼내 보이며) 들으면서 보면 머리에 바로 저장돼요.

녹음기 내려두고 시동 걸면, 라디오 켜지면서 뉴스 흘러나오는.

앵커e 한반도를 강타한 제14호 태풍 매미로 피해를 입은-

24 ___ 분석팀 / 낮

앵커e 수해민들을 돕기 위한 지원이 곳곳에서 이어지고 있습니다.

우주, 라디오를 켜놓고 책상에 쌓아둔 면담 자료 입력 중인데, 똑똑 노크 소리 들린다.
평소답지 않은 누군가의 노크 소리에 우주가 의아해하며 라디오를 끄면,
문을 열고 들어오는 봉식. 손에는 검은 봉지 하나 들고 있다.

우주 ?, 어떻게 오셨어요?

봉식 (씹고, 공간을 둘러보는데)

우주 … 어떻게 오셨-

봉식 (OL) 여기가 범죄행동분석팀이야?

우주 (반말에 기분이 상하는) 네.

봉식 송하영 어디 갔어?

우주 송 경위님이요? 면담 가셨는데.

봉식 (피식 웃으며 혼잣말) 경위.

우주 … 오시면 다녀가셨다고 전해드릴까요?

봉식 (영수와 하영 자리 번갈아 보다가 감 잡은 듯 무턱대고 앉으며) 이게 송하영 자린가?

우주 (당황) 네…

봉식 (봉지 내려두고 두 다리 책상에 꼬아 올리며) 나 신경 쓰지 말고 할 거 해.

우주 무슨 일로 오셨는지- (하는데)

봉식 (OL, 명함 우주 책상에 떡 던지며) 니 할 일이나 하라고.

우주 (명함 보며 의아한 듯 갸웃)

봉식, 하영의 물건들 훑으며 괜히 책도 빼봤다가 넣고 이것저것 건드려보는 그 위로. 선행되는 라디오 소리 "(e) 중앙재해대책본부는 현재-"

25 ___ 하영의 달리는 차 안 / 낮

"(e) 사망자 119명, 실종자 12명 등 인명 피해가-" 하는 데서 라디오를 끄는 영수. 씁쓸한 얼굴로 창밖에 손을 내밀어 라이터 휠 돌려대고 있다.

영수　아무 일 없었다는 듯이 너무 뻔뻔하네.

하영　(?, 보면)

영수　날씨 말이야. 이렇게 쾌청한 건 반칙 아니냐?

하영　…

영수　상처나 상실감, 고통 같은 감정은 항상 피해 입은 사람들만의 몫이 되잖아. (라이터 휠 돌리며) 누군가는 날 좋다고 즐기고 있겠지.

창밖으로 보이는 구름이 유난히 높이 떠 있는 맑고 파란 가을 하늘. 고속도로를 달리는 하영의 차량 비추는 데서.

26 ___ 분석팀 / 낮

힐끔힐끔 봉식을 보며, 여전히 어찌해야 할지 모르겠는 표정으로 앉아 있는 우주.
봉식은 하영의 책상에 쌓아둔 일일 보고서 파일들[5] 들춰보는데. 그중 가장 위에 있는 '9/22~9/28 일일 보고서' 파일 들어서 보다가, '군곡동 사건' 페이지 펼친다.

봉식　(못마땅한 혼잣말) 수사관도 아닌 놈이 뭐 한다고 형사 당직으로 올라온 사건 보고서[6]까지 다 챙겨? 하여튼 오지랖.

우주　(그 말에 힐끔, 머뭇대다가) 저기요. 오시면 제가 말씀 전해드릴-(게요 하려는데)

5　'9/22~9/28(9월 24일 군곡동 사건 포함된)' '9/15~9/21' '9/08~9/14(9월 12일 수성동 사건 포함된)', 일주일별로 정리된 일일 보고서.

6　매일 아침, 형사 당직으로 전날 서울 31개 경찰서 형사과에서 발생하고 검거된 중요 사건들만 보고됨.

봉식　(버럭) 야! (버릇없다는) 저기요? (우주, 당황하는데) 거기 명함 봐. 뭐라고 적혀 있나.

우주　(우물쭈물 보는)

봉식　기수대 1계장 김봉식! 눈깔은 장식이야?

우주　아…죄송-(합니다, 하려는데)

봉식　송하영이 밑에서 못돼 처먹은 거만 배웠구나? 새파랗게 어린 새끼가.

우주　(OL, 참다못해) 그게 아니라, 여기는 범죄행동분석팀 사무실이고, 무슨 일로 오셨는지 말씀을 하셔야 제가-

봉식　기어코 같은 말을 반복하게 하네. (강조하는) 니. 할 일이나. 하라고.

그때, 하영이 문을 열고 들어오면. 우주, 기다렸다는 듯 일어서는데 난감한 표정이다.

봉식　(느릿하게 일어서며) 잘 있었냐, 송 경사? (하다가) 아, 이제 경위래매? 송 경위.

하영　(보기만)

봉식　(빈정대는) 이야- 신수 좋아졌다. 이 팀은 뭐 하는 데길래 이렇게 쫙 빼입고 다녀?

하영　(차갑게) 무슨 일로 오셨습니까.

우주　(둘을 지켜보기만)

봉식　(공간 둘러보며 거들먹) 반가운 척은 기대 안 하는데, 사람을 봤으면 인사부터 하는 게 예의지. (버릇없다는 듯 우주 보며) 안 그래? (혼잣말하듯) 하여튼 위나 아래나-

우주　(OL, 겨우) 안녕하세요. 통계분석관 정우줍니다.

봉식　통계분석관? 여긴 직함이 죄다 어렵네. 머리 나쁜 사람은 기억이

나 하겠어? (하영 보며) 뭐랬드라… 아! 프로파일러.

하영 (봉식을 가만히 보다가) 저를 찾아오신 거면 나가서 따로 얘기하시죠.

봉식 (피식) 내가 너랑 따로 할 얘기가 뭐 있겠냐. 겸사겸사 인사 온 거야. 여긴 뭐 하는 덴가- 구경도 할 겸.

그때 뒤늦게 사무실 들어오는 영수. 봉식을 보고 놀란.

하영 (표정 변화 하나 없이) 저흰 회의가 있어서 구경은 다른 날, 마저 하시는 걸로 하죠.

영수 (무슨 상황인가 싶은데)

봉식 (영수에게 명함 건네며) 국 팀장님 오랜만이네요? 오늘부로 기수대 발령받았습니다.

영수 아 예… (인사하며 명함을 보면)

봉식 앞으로 자주 뵐 거 같은데, 잘 부탁드려요. 그럼 회의 잘들 하시고. (경례하듯 인사) 다들 반가웠어요?

영수 (얼결에 인사하려는데)

봉식 (나가려다가) 아차차- 내가 이걸 준다고 사 와놓고 그냥 갈 뻔했다. (검은 봉지 집어서 흔들어 보이며, 봉투에 든 ABC 초콜릿 한 봉지 꺼내 건네는) 너 아직도 애들마냥 쪼꼬렛 씹어대지? (웃는데)

하영 (빤히 얼굴 보며 서 있기만)

우주 (눈치껏 얼른 대신 받아들고)

봉식 보기 싫어도 이제 또 매일 보게 될 텐데 (인심 쓰듯 하영 어깨 툭툭) 과거는 서로 잊자. (영수 우주에게 눈인사) 그럼 또 봐요. (하고, 나가면)

우주 (짜증 난 듯) 누구에요 저분?! (하는데)

영수 뭐야? 무슨 상황이야? (명함 다시 보며) 기수대 1계장? (걱정스럽게

하영을 보는데)

하영 (신경 쓰지 않는)

27 __ 분석팀 앞 / 낮

분석팀의 허름함을 둘러보며 잠시 통쾌한 미소 짓고.

봉식 지 사수 물 맥인 놈 얼마나 잘됐나 했다. (담배꽁초 바닥에 튕겨 버리고 가는)

28 __ 기수대 사무실 / 낮

서랍 깊숙이 넣어둔 사진 하나를 꺼내 보는 태구. 사진 비추면, / '중부경찰서 특별승진 임용식' 현수막과 제복 입은 태구/ 보이는 데서 오버랩.

29 __ (과거. 1990년대) 중부경찰서 강당 / 아침

'중부경찰서 특별승진 임용식' 현수막이 달린 강당. 제복 차려입은 경찰들 앉아 있고, 맨 앞에 서 있는 제복 차림의 태구가 청장에게 표창장 받는 모습이 보인다. "흉악한 범죄 행위를 저지르고 도주 행각을 벌인 강도 살인범을 신속히 검거하여 전국 경찰의 본보기가 되고-" 하는 청장 목소리에서, 박수 치는 참석자들에게 신경이 쏠려 있는 태구. 그 시선 따라가 보면, 하영이 앉아 무덤덤하게 태구를 보고 있다. 복잡한 심경으로 하영을 보는 태구.

cut to

임용식이 끝나고 꽃다발 든 태구가 동료들과 나란히 사진 찍으려고 서는데, "나도! 나도 한 장 같이 찍자" 하며 껄렁하게 다가오는 봉식.
태구, 싫은 표정 역력한데, 봉식이 아랑곳 않고 옆에 딱 붙어 선다.

봉식 (비아냥) 어이구, 이렇게 보니까 진짜 경찰 같으네. 얼마 못 가 때려치고 시집이나 갈 줄 알았더니. 이러다 금세 청장 되겠다?

일동 (농담에 웃는데, 태구만 안 웃는)

봉식 (그런 태구 귀에 대고) 송하영이 덕에 특진까지 하고, 의외로 잘 버티네, 윤태구.

태구 !!, (그 말에 흠칫 놀라는)

봉식의 비아냥에 아무 말 못 하는 태구. 오히려 주변을 의식한 듯 두리번거리다가 저만치에서 강당을 빠져나가고 있는 하영에게 시선 멈춘다. 그 찰나에서 찰칵-
/동료들과 김봉식은 표정 밝은데, 정작 태구는 이 상황이 불편한 얼굴로 시선 다른 데 향하고 있는 프레임 /씬28의 사진으로 다시 오버랩되면서.

30 ___ 기수대 사무실 / 낮 (씬28에 이어)

일영, 이미 여러 번 부른 듯한데, 바로 옆에서도 딴생각에 빠져 못 듣는 태구.

일영　(걱정스럽게) 팀장님.

태구　(얼른 사진 넣고, 서랍을 닫는) 어, 왜.

일영　백 과장님 호출이요.

태구　백 과장님이? 왜?

일영　(모르겠다는) 김 계장님도 같이 호출하셨는데 어디 가셨는지 모르겠어요.

봉식의 책상 비추면, 아직 휑한 자리에 두고 간 핸드폰 하나만 덩그러니 놓여 있고.

31 ___ 형사과장실 / 낮

똑똑, 노크하고 태구 안으로 들어서면, 길표가 태구를 기다린 듯 먼저 와 있다.

준식　어, 왔어 윤 팀장.

태구　(길표까지 와 있는 걸 보고 의아한) 무슨 일로 부르셨어요?

길표　김봉식 자리에도 없어? 기동력이 생명인 형사가 첫날부터 연락이 안 되면 어쩌자고.

태구　…

준식　(자료 건네며) 사건 하나 맡아줘야겠어.

태구　(자료 들춰보면)

길표　한석훈이라고 한국대 경제학 교순데, 2주 전에 자택에서 부부가 같이 살해됐어.

준식　수사 좀 해줘.

태구　네?

준식　저기 높으신 분 가족이래. 우리도 조용히 지시받은 사항이라 자세한 건 몰러. 강남서 관할인데 여태 뭐가 안 나오나 벼.

길표　기자들이 자꾸 냄새 맡고 드나든다는데 언론에 더 노출 안 되게 신속하게 수사하라는 게 위에서 내려온 지시야. (하는데)

준식　강남서에서 지원은 해줄 겨.

태구, 인사하고 사무실 나서면,

길표　(다시 봉식에게 전화해보며) 이놈 도대체 왜 전활 안 받아.

준식　둬. 윤 팀장이 하면 돼.

32 ___ 기수대 복도 / 낮

궁금해서 기다리고 있던 일영에게 '수성동 사건 자료'를 건네는 태구.

일영　(자료 보며 걷는) 중요한 사건이에요?

태구　(걸으며) 살인 사건에 순위가 어딨어.

일영　(멋쩍고) 강남서 관할 사건인데 왜 우리가 확인해요?

태구　가봐야 알 것 같아. (하다가) 김 계장님 (아직도 사무실에) 없지?

일영　(자료 보며 걷는) 네.

태구　(도리질하며) 사람 참 안 변하네. (밖으로 향하면)

일영　지금 바로 가요? 우리끼리?

태구　응.

33 ___ 한 교수 집 앞 / 낮

대문 앞, 둘러놓은 폴리스라인 한쪽이 떨어져 너덜거리고, 대문에서 멀찌감치 떨어져 강남서 형사와 최 기자가 서 있다. 강남서 형사에게 계속 보채는 최 기자.

최 기자 한석훈 교수 뭐 있어요?

강남서 (조심하듯 주변 둘러보며) 쫌! 피해자 이름 언급하지 말랬지?

최 기자 그럼 뭐라도 기삿거리 할 만한 걸 줘야지, 나만 계속 의리 지켜요? (강남서, 대꾸 없는데, 폴리스라인 가리키며) 2주가 넘도록 현장 철수를 안 한다? 이거 분명 뭐가 찐-하게 있다는 얘긴데, 이렇게 아무 정보도 안 줄 거예요? 진짜?!

강남서, 귀찮아 죽겠는 표정인데, 그때 태구와 일영이 도착하고.
강남서, 태구와 일영을 보며 "여깁니다" 손짓한다.
최 기자, 태구와 일영을 보며 갸웃하는데. 강남서가 최 기자 눈치를 보며 태구와 일영을 안내하고, 최 기자가 세 사람을 의미심장하게 보는.

한쪽이 떨어져 너덜거리는 폴리스라인 보고도 무심하게 지나치는 강남서와 일영.
태구가 테이프 다시 잘 붙여두고 들어간다. 그 위로,

길표e 현금도 버젓이 있는데 하나도 손을 안 댔어.

준식e 강도로 위장한 원한 관계로 파악하고 있드라구.

34 ___ 한 교수 집 거실 + 안방 / 낮

핏자국 그대로 남아 있는 거실을 꼼꼼하게 둘러보는 태구. 혈흔이 집중된 주위의 천장을 올려다보는데, 핏자국 없이 깨끗하다.

일영 (태구의 시선 따라 천장을 올려다보는) 어? 깨끗하네.

태구 저항도 못 하고, 한 번에 제압당했단 얘긴데.

일영 그러게요. 저항했으면 둔기를 휘두르느라 피가 천장까지 튀었을 텐데.

강남서 (태구에게 사체 사진 건네며) 나중에 영안실 가보시면 알겠지만, 피해자들 몸에 방어흔도 하나 없이 깨끗해요.

태구/일영 (사진 하나씩 확인하는데, 삼각형 모양의 상흔이 얼핏 보이는)

강남서 이 무시무시한 놈이 대체 뭘로 내리쳤는지 (답답) 열심히 찾곤 있는데 아직 특정은 못 했어요.

일영 (이어, 현장 사진 보며) 이런 부잣집에 들어와서 현금에 손을 안 댔으면 딱 원한인데.

강남서 다 알아봤는데 원한은커녕 내외가 평판이 너무 좋아요.

일영 사회적 지위가 쌓인 신분이니까 본인들도 모르게 어디선가 원한을 샀을 수 있죠.

태구 (찜찜한) 원한에 의한 면식범의 짓이다…(?)

일영 학교부터 탐문 시작해야겠죠? (하며 태구에게 사진 건네는)

강남서 다 했죠. 이미.

태구 (사진 보며 갸웃) 아무리 원한 관계여도 수법이 너무 잔인하고 대범하지 않아?

일영 아는 놈들이 더 무섭다고 오버킬링도 딱 면식범이 하는 짓이잖아요. 이런 집에 정신이상자가 멀쩡하게 들어왔을 린 없고.

태구 (강남서 보며) 주변인 탐문 수사 명단 좀 부탁드려요.

강남서　네. (하면)

태구　(일영에게) 명단 받아서 전과랑 정신 병력 동시에 가진 사람 있는지 다 파악해봐.

일영　네.

태구, 뭔가 찜찜한 듯 계속 곳곳을 살피는 모습에서.

35 ___ 분석팀 / 낮

자리에 앉아 「황대선 살인 사건 2차 면담 보고서」[7] 작성 중인 하영. 모니터에 빈 페이지 커서만 깜빡이고 있다.

하영na　피해자 사망 이후 살점을 베어낸 행위의 목적이 무엇일까.

영수　(그 모습을 본) 또 집에 숙제 들고 가게 생겼네. 계속 황대선 생각 중인 거지?

하영　(허탈한 웃음 보이고) 회의 시작하시죠.

cut to

화이트보드에 '연쇄살인의 정의 요소. 1) 심리적 냉각기. 2) 살인 자체에 목적을 둔 비면식 범죄. 3) 셋 이상의 장소에서 셋 이상을 살인.' 적는 하영.

7　(2차 접견 신청일: 9월 29일 월요일).

36 ___ 한 교수 집 앞 + 팩트 투데이 사무실 교차 / 낮

최 기자, 기웃거리며 강남서가 나오길 기다리는데 핸드폰 울리고. 받으면. "내가 일단 지르고 보랬지?!" 하는 국장 목소리 새어 나오는.

최 기자 네?

 # 팩트 투데이 사무실

최 기자와 통화하며 '《대한일보》 온라인 뉴스' 확인하고 있는 국장.

「[단독] 수성동 사건 피해자 한석훈 교수로 밝혀져」 제목 보이고.

국장 수성동 사건 피해자 한석훈 교수라고 기사 떴잖아 인마! 그러게 예의 지키고, 양심 지키고, 약속에 의리까지 지킬 거 다 지키면서 언제 단독 터트릴래?

 # 한 교수 집 앞

최 기자 누가 썼어요? 그 기사?!!

 # 팩트 투데이 사무실

국장이 보던《대한일보》 온라인 뉴스「[단독] 수성동 사건 피해자 한석훈 교수로 밝혀져」 제목 아래, 임무식 기자 보인다.

 # 한 교수 집 앞

그때, "임무식 이 개새끼!!" 하며 강남서 형사 다급히 뛰어나오고. 통화 중이던 최 기자, 그 모습 보며 서둘러 쫓아가는 데서.

37 ___ 분석팀 / 낮 (씬35에 이어)

하영, 영수, 우주, 화이트보드에 적힌 연쇄살인 정의 요소를 보고 있다.

영수 그동안 만난 수감자 중에 우리가 연구하는 연쇄살인 범주에 가장 가까운 놈이지?

하영 세 명을 살인했으니 연쇄로 볼 수 있긴 한데, 엄밀히는 두 건의 범행에서, 발생한 피해자가 셋인 거죠. 그중 한 명은 우발적 범행이고요. 물론 어차피 살해할 생각이었지만 계획에 벗어난 살인이었죠.

우주 (보고서 확인하며) 두 명은 성폭행 살해, 나머지 한 명은 남자네요?

영수 두 건 다 음주 상태에서 범행을 했고, 남자는 두 번째 사건 피해자의 남자 친구였어.

우주 남자 친구가 우발적 범행 대상이에요?

영수 응. 여자 친구 만나러 가는 길에 성폭행 현장을 목격해서 살해됐어.

우주 음, 그럼 피해자 셋 다 음주 상태에서 죽인 범행이니까 비체계형 범죄에 속할까요?

하영 술을 마시고 살인 저질렀다는 게 비체계형을 의미하는 건 아니고, 범죄 행위 자체에서 혼란스러운 행동이 나타나는 게 비체계형이에요. 황대선의 경우, 결박이나 살점을 도려낸 행위는 성에 관한 '이상심리'를 가진 것으로 해석되기 때문에 아직 명확하게 떨어지진 않고요.

우주 (무슨 말인가 싶은데)

영수 FBI에서 분석한 범죄 분류 기준으로 볼 때, 체계형은 성격적으로 문제가 있는 자, 비체계형은 '망상'이나 '조현병'이 있는 자로 구분했어. 그런 점에서 황대선은 정신질환이라기보다 성격장애를 가진 체계형에 속하는 거지.

우주 아… 역시 어려워…

하영 게다가 황대선은 피해자를 '물색'하고, '계획'하고, '도구'를 사용해 결박한 체계적인 행동도 보였어요.

우주 들으면 이해가 가는데, 추론까지의 과정은 늘 어려운 거 같아요.

영수 (화이트보드 다시 보며) 그럼 황대선 사건이 연쇄살인의 정의 요소에 해당되는 점은 셋 이상의 살인. 이거 하나네?

하영 네. (고민하는) 연쇄살인이긴 하나, 연속성이 있는 걸로 봐서 '연속성을 가진 성범죄' 살인이 더 명확할 거 같네요.

우주 아. 성적 목적을 가졌으니까…

하영 하지만 잡히지 않았다면 우리의 연구 범주 안에 드는 연쇄살인범이 됐을 가능성이 커요.

영수 어릴 때 동물 죽였다는 말에 깜짝 놀랐다. (우주 보며) 그거 연쇄살인범이 갖는 전형적인 특징이거든.

하영 다만, 냉각기는 따로 없었어요.

38 ___ 서점 / 낮

전문서적 코너에서 뭔가를 찾는 듯 살피는 구영춘. 그때, 서점 직원이 친절하게 다가와 "찾으시는 책 있으세요?" 묻고.

구영춘 해부학 관련 책들 좀 보고 싶어서요.

직원 아, 이쪽으로 오세요. (하며 안내하면)

구영춘 (따라가는)

직원 (멈추고) 여기서 찾으시면 됩니다. 따로 필요한 제목 알려주시면

검색해드릴게요. (하는데)

구영춘 (직원을 아래위로 훑는) 좀 둘러보고 필요하면 얘기할게요.

직원 (시선에 잠시 경계하듯 보면)

경계하는 직원 눈치챈 구영춘, 괜히 위조한 경찰공무원증 꺼내 보인다.

직원 (멈칫)

구영춘 (미소 지으며) 일하는데 공부해두면 좋을 거 같아서요.

직원 아…

구영춘 (남의 말 하듯) 요즘 살인 사건들이 워낙 잔인하거든요.

직원 도움 필요하면 말씀하세요. (하며 가는 데서)

기준도 없이 제목에 '해부학'이라고 적힌 책들을 전부 꺼내는 구영춘.

39 ___ 기수대 사무실 / 낮

사건 자료(씬32)에 관심 없는 듯 책상에 툭 던져놓고, '굿이나 보고 떡이나 먹는 거지 뭐' 혼잣말하며 여기저기 기웃대는 봉식. 바지 속에서 핸드폰 진동 울려서 꺼내 보면, '보낸 사람 임무식. 고맙습니다 형님' 문자 떠 있다. 다시 핸드폰 넣고. 할 일 없는 듯 '서울 31개 경찰서 사건 자료' 붙은 캐비닛으로 향해 열어보는데, 각 경찰서로 구분된 라벨들 잔뜩 쌓여 있다.

봉식 (쭈그리고 앉아 그중 하나 꺼내보며) 아씨, 이거구나. 쓸데없는 짓 시

켜서 시간만 낭비하고. (절레절레) 하여튼 윗대가리들 머리통에서 나오는 생각이란 게- (하는데)

길표　(들었다) 그 머리통에서 나온 생각이 왜.

봉식　(일어나며, 능청) 아, 항상 쓸모가 있다고요.

길표　(봉식이 책상에 던져둔 사건 자료 힐끔 보고, 마음에 안 드는) 윤 팀장 연락해봤어?

봉식　걔가 어련히 알아서 잘할까. 원래 윗사람은 가만히 있는 게 도와주는 거예요.

길표　나한테 하는 얘기냐?

봉식　그럴 리가요-

길표　그 사건, 벌써 기자들 손 탔어.

봉식　(모른 척) 하여튼 기자 새끼들 빨라.

40 ___ 강남경찰서 앞 / 낮

기자들 바글바글 모여 있고, 그 사이에 임무식도 보인다.
강남서 형사, 서둘러 사무실 복귀하는데 그 뒤로 최 기자도 따라 들어서고.
모여 있던 기자들, 강남서 형사 향해 우르르 달려드는.

임무식　한석훈 교수 사건 단서 아직입니까? 원한이죠? (하는데)

강남서/최 기자 (동시에 임무식을 짜증스럽게 보는)

임무식　(상관 않고) 탐문 끝났습니까? 용의자는요?

기자1　가져간 금품 없는 거 맞아요?

강남서　(대답 없이 가려는데)

최 기자　면식범 확실해요?!

41 ___ 영안실 / 저녁

한 교수 내외 사체가 들어 있는 시신 보관함이 차례로 열리는 그 위로, '(씬34의) 피해자들 몸에 방어흔도 하나 없이 깨끗해요' 하던 강남서 목소리 들리고.
태구, 일영, 두 구의 사체에서 방어흔이 있는지 손등, 손목에서 팔꿈치까지 살피는데, 몸에는 상처 하나 없이 깨끗하다. 태구, 다시 사체의 머리 쪽 살피면, 함몰된 머리에 삼각형 상흔이 보이는 데서.

우주e 근데 심리적 냉각기가 꼭 있어야 해요?

42 ___ 분석팀 / 저녁 (씬37에 이어)

화이트보드에 적힌 '심리적 냉각기' 비춰지고.

하영 연쇄살인범들은 살인 행위 자체에서 쾌락의 절정을 느끼기 때문에 그 여운이 끝나면 다시 그 쾌감을 채울 대상을 찾아요.

영수 한마디로, 냉각기는 살인으로 얻은 충족감이나 만족감이 유지되는 시기니까, 그 심리적 만족감이 끝나버리면 다음 살인이 이어진다는 얘기야.

우주 그럼 황대선은요?

하영 황대선은 매번 술기운에 범행을 했기 때문에 그 간격을 냉각기로 볼 수 없는 거죠.

43 ___ 구영춘의 단칸방 / 저녁

구영춘, 방에 앉아 날짜가 지난 신문을 보고 있다. 기사 비추면, 9월 25일 목요일 자 신문에 '종로구 군곡동 단독 주택에서 일가족 3명 둔기 피살' 적힌 내용이 보인다.
그 옆에 놓인 또 다른 오늘 자 신문에는 「수성동 피살 사건의 피해자, 한국대 한석훈 교수 부부로 밝혀져」 적힌 타이틀과 '《대한일보》 임무식 기자' 이름이 보인다.

우주e 근데 냉각기가 끝나면 또 살인을 한다는 게 너무 끔찍한데요.

44 ___ 분석팀 / 저녁 (씬42에 이어)

우주 무슨 영화에나 나오는 얘기 같은데.

영수 다행히 대한민국엔 아직 살인에 목적을 두고 냉각기까지 가진 연쇄살인 사례가 없어.

하영 그래서 우리도 추측만 할 뿐이에요.

우주 (영수 보며) 10년을 보신다고 했던 게 이런 놈들을 얘기하신 거죠?

영수 (끄덕이고)

세 사람, 두려움과 의구심 섞인 복잡한 표정으로
화이트보드에 적힌 '연쇄살인 정의'를 바라보는 데서.

45 ___ 일영의 차 안 / 밤

생각이 온통 사건에 가 있는 태구. 창밖 어딘지 모를 곳에 시선을 주고 있다.

태구　미안한데, 난 사무실에 내려줘.

일영　(집에) 안 들어가시게요?

태구　잠깐 정리 좀 해봐야겠어. (하다가) 넌 먼저 들어가.

일영　그럼 저는 강남서 들렀다 들어갈게요. 거기 난리 난 거 같던데.

태구　(시선 딴 데 두고) 그래.

46 ＿ 감식반 / 밤

수성동 한 교수네 집 외경 사진과 지문/족적 채취한 사진들 주르륵 붙어 있는 감식반. 인탁과 감식반원들, 다양한 망치와 둔기류의 범행 도구들 정리하는 중이고.

인탁　강남서 한 교수 사건 어느 팀으로 넘어갔다고?

감식1　기수대 강력1팀이요.

인탁　아- (하는데, 인탁의 전화 울리고 받으며) 네. (사이) 족적부터? 알겠어요. 연락할게요. (하고 전화 끊는)

감식2　? (보면)

인탁　종로경찰선데, 저번 주에 보낸 족적이랑 증거물 몇 개 전과자 데이터 돌려달래.

감식1　아, 가져와요?

인탁　응. 줘봐.

감식1　(종로경찰서 라벨 붙은 족적 포함 증거물들 찾아서 인탁 옆에 두면)

인탁　(무신경하게 보다가, 다시 족적에 시선 주고) 어?

인탁, 종로경찰서 족적 손에 들고 벽에 붙은 한 교수 사건 자료로 향하는데.

인탁　(벽에 붙은 한 교수 족적 사진과 대조하는 데서 의아한 듯 갸웃)

감식1　왜요?

인탁　이거 비슷해 보이지?

희미하게 찍힌 두 개의 족적이 어딘가 비슷해 보이는.

47 ___ 분석팀 / 밤

모니터에 띄운 면담 보고서[8] 작성하는 하영. 이내 프린터에서 「황대선 살인 사건 2차 면담 보고서」(씬33-1 동) 인쇄되어 나오고.

우주　(인쇄용지 보고서 파일로 만들며) 한동안 황대선 사건만 생각하시더니. 고생하셨어요.

영수　수고했어. 이제 가자. (하며, 퇴근하려고 일어서는데)

하영　(하영 그대로 앉아) 먼저 가세요. 저는 그 보고서 덕분에 (책상에 쌓아둔 일일 보고서 가리키며) 이게 잔뜩 밀렸네요.

영수　(웃으며) 하여튼 지독한 워커홀릭이야.

하영　(웃고)

영수　(우주 보며) 우리끼리 가자.

8　'3명을 살해한 연쇄살인 사건으로 볼 수 있으나, 연속성이 있는 걸로 봐서 연속성을 가진 성범죄 살인으로 분류'.

영수와 우주 분석팀을 나서고, 하영이 '9/22~9/28'일 적힌 묶음 파일 펼치는 데서.

48 __ 진중동 이층집 앞 / 밤

어두운 밤하늘을 아무렇게나 갈라놓은 전신주의 전신들 사이로 이층집이 보인다.
담 너머로 아직 환하게 불 켜진 2층 창을 지켜보고 서 있는 구영춘. 불이 꺼지길 기다리는 듯하더니, 이내 성큼성큼 대문 앞으로 다가가면 대문 앞 센서등이 켜지면서 초인종을 누르는 구영춘의 모습이 환하게 비춰진다.

49 __ 기수대 복도 / 밤

뚜벅뚜벅 혼자 사무실로 향하는 태구.

태구na 두 사람 모두 방어하거나 저항하면서 생긴 상처가 없다. 범인은 피해자가 방어할 틈도 없이 무자비하게 내리쳤다.

50 __ 진중동 집 거실 / 밤

초인종 소리에 2층에서 내려오는 20대 남. 인터폰에 "누구세요" 묻는데 답이 없다. 잠시 기다렸다가 재차 "누구세요" 불러보지만, 여전히 답이 없고.

50대 모 방에서 나와 "누가 왔어?" 묻는데, 문밖에서 여전히 반응이 없자
"장난친 건가 봐. 들어가 주무세요" 하고 다시 2층으로 향하는 20대 남.

51 ___ 진중동 이층집 앞 / 밤

아무도 없는 대문을 밝히고 있는 센서등의 환한 불빛. 이내, 센서등이 꺼지는 데서.

52 ___ 분석팀 / 밤

'9월 24일 수요일, 종로경찰서 군곡동 둔기 피살 사건' 적힌 페이지를[9] 보는 하영.
(그 내용을 다시 수첩에 적어보는) '사건 일자: 09월 24일(수). 범행 장소: 군곡동 고급 주택, 피해자: 70대 노부부와 40대 딸. 침입 방법: 외부 침입 흔적 없음. 범행 도구: 불상의 둔기'를 적는 모습에서.

53 ___ 기수대 회의실 / 밤

---

9 봉식이 씬24에서 보다가 던져놓은 그대로. /70대 노부부와 40대 딸 사망. 2층 자택에서 불상의 둔기에 머리를 맞아 함몰. 도난 금품이 없어 강도로 위장한 원한 관계로 추측 적혀 있고.

어두운 회의실에 들어서며 불을 켜는 태구. 잠시 머리를 말아 올리고, 화이트보드에 '사건 일자: 09월 12일(금). 범행 장소: 수성동 고급 주택. 피해자 60대 노부부, 침입 방법: 외부 침입 흔적 없음. 범행 도구: 불상의 둔기에 의한 사망' 적는 모습 위로.

하영na　계획적으로 이루어진 체계적 범죄 유형.

54 ___ 분석팀 + 기수대 사무실 교차 / 밤

서로 다른 사건을 보는 태구와 하영. 하영은 군곡동, 태구는 수성동 사건 내용 적는.

분석팀 (씬52에 이어)

'특이사항: 장롱과 화장대 문이 활짝 열려 있었음에도-' 적는 데서.

하영na　(적으며) 현금과 금품은 그대로 뒀다.

기수대 회의실 (씬53에 이어)

'강도를 위장한 원한 관계의 면식범으로 추정함' 적는 태구의 모습 위로.

하영na　원한에 의해 행해진 감정 표출적 살인인가.

적은 내용을 잠시 들여다보는 태구.

태구na　면식범이라고 단정하기엔 범행이 잔인하고 대범하다. 그런데 한 교수 주변에 전과자라고 할 만한 자가 있을까?

각자의 공간에서 같은 모습으로 고민하듯 화이트보드 적힌 내용 한참을 응시하다가 이내 불을 끄고, 분석팀과 회의실을 나서는 하영과 태구.

55 ___ 서울지방경찰청 주차장 / 밤 - 아침

각자 차로 향하던 하영과 태구. 서로 눈이 마주치는데 어색하게 묵례만 할 뿐이고. 각자의 차에 오르는.
잠시 후 주차장을 빠져나가는 하영과 태구의 차가 비춰지면서.
어두웠던 주차장이 다시 서서히 밝아지기 시작하고, 하나둘 차가 들어서는.

56 ___ 서울지방경찰청 입구 / 아침

태구, 사무실로 향하는데, 뒤에서 봉식이의 목소리가 들린다.

봉식　인제 오냐?
태구　(뒤돌아보며) 네.
봉식　어제 현장 간 건 어떻게 됐어?
태구　(싸늘하게) 관심 없는 줄 알았는데 궁금은 하신가 보네요. 들어가서 들으시죠.
봉식　(씨-익) 많이 컸다, 윤태구. 삐딱하게 쏘는 매력도 여전하고.

태구 제 매력 따윈 평가받고 싶지 않고요, 앞으로 서로 피해 주지 말고 각자 임무만 다 했으면 합니다.

봉식 (능청) 강력 사건에 동료애가 얼마나 중요한지 알면서 그런다. 어떻게 자기 일만 하냐. 윤태구. 아직도 나한테 앙금이 남았어?

태구 (멈칫) 앙금이라… 착각이 과하시네요. 전 아무 감정이 없는데.

봉식 미안했어- 어차피 인제 알 사람 다 알잖아. 내가 개자식인 거.

태구 그러게요. 저도 모르진 않았는데.

봉식 (태구의 반응 즐기듯) 들어가자. 기수대 에이스 출근을 내가 막으면 안 되지.

태구 (말이 끝나기가 무섭게 쌩- 가버리면)

봉식 (가는 태구 뒤에 대고, 쓰윽 웃는)

57 ___ 기수대 사무실 / 아침

언짢은 듯 자리에 앉는 태구의 모습 위로.

봉식e 윤태구, 아니 윤 형사. 우리 이제 제법 손발도 잘 맞아가는 거 같고, 이번 사건 고생한 거 같아서 술 한 잔 사려고 하니까 얼른 와.

/ins (과거. 1990년대)

- 룸. 문이 열리면, 거나하게 취한 양복 차림의 남자 둘을 보는 태구. 순간 표정 일그러지며 문을 쾅 닫고 돌아서는 모습에서 dis.
- "접대-에??? 니가 뭔데 경찰 위신을 떨어뜨려!?" 하는 목소리에서 태구 보며 수군대는 동료들 모습 위로 "그 방엔 발도 안 들였습니다" 하는 태구 목소리 이어지는.

/다시 사무실

태구 (혼잣말) 지긋지긋한 새끼들.

58 ___ 진중동 이층집 앞 / 아침

양복을 입고 출근하는 듯 대문을 나서는 20대 남(씬45).
저만치에서 구영춘이 그 모습을 지켜보고 서 있다.

59 ___ 진중동 이층집 정원/ 아침

툭- 하고 담을 넘은 듯 잔디 위에 뛰어내리는 버팔로 등산화.
이어, 정원을 지나는 구영춘. 잠시 멈춰서 바닥에 망치 가방 내려두고 지퍼를 연다. 목장갑 낀 손으로 붉은 쇠망치 꺼내 쥐는 데서.

60 ___ 도로 / 낮

사이렌 울리며 다급히 달리는 경찰 차량들.

61 ___ 서울지방경찰청 외경 / 낮

캐비닛 구루마를 끌고 나오는 영수.

62 ___ 기수대 사무실 / 낮

캐비닛들 놓여 있던 빈자리. 먼지 풀풀 날리는 주변을 보며 길표가 한숨 푹 쉰다.
그 옆에 봉식, 시원한 듯 보는.

봉식　(빈 공간 보며) 널찍하니 좋네.
길표　(째려보며) 발령 첫 업무 성과 만족스럽냐?
봉식　(빈정대는) 국 팀장이 열심히 만든 건데 남의 자리만 차지하고 있으면 본인도 불편하지 않겠어요?
준식　(어느새 뒤에서, 빈자리 보며) 가져가서 어쩐대?
길표　(툴툴) 몰라요. 지가 베고라도 자겠대요.
준식　국 팀장이 알찌게 잘 활용하겄지…

63 ___ 진중동 이층집 앞 / 낮

잔뜩 모인 구경꾼들을 저지하며 집 주변으로 빠르게 폴리스라인을 치는 경찰들.
그새 모여든 기자들도 저마다 플래시 터트리기 바쁘다.

64 ___ 진중동 집 안 / 낮

현장 조사 중인 감식반원들과 경찰들. 여기저기서 "거 밟지 마라!" "아 거참! 그것 좀 건드리지 마!" "거기 조심해요!" 하는 어수선한 분위기.

65 ___ 몽타주

앞다퉈 보도되는 사건 뉴스들. 강남경찰서 앞에 기자들 떼로 몰려 있는 그 위로, 연달아 들리는 각기 다른 앵커 목소리.

앵커e 서울 강남에서 50대 여성과 20대 여성이 둔기에 맞아 숨진 채 발견됐습니다- /오늘 낮, 파출부 이 씨의 신고로 경찰이 출동해 수사에 나섰습니다- /서울강남경찰서는 지난 12일 발생한 수성동 사건과 오늘 벌어진 진중동 사건에 관련성이 있는지-

66 ___ 기수대장실 / 낮

심각한 얼굴로 들어오는 준식.

준식 아니 뭐가 어떻게 돌아가는 겨. 조용하게 해결하랬드니 왜 사건이 곱이 된 겨.

길표 윤 팀장이랑 남 형사 현장 갔으니까 오면 얘기 들어보죠.

준식 김 계장은.

길표 (포기한) 지 실적에 영향 있다 싶으면 알아서 나타날 거예요. 그게 김봉식이 방식이에요.

준식 뉴스에서 저리 난린데, 둘 다 우리가 가져와야 되는 거 아닌가 모르겄네.

길표 그러게요. 관련성이 있네 없네, 기자들이 미리 자리까지 깔았드만. 영 불안하네.

67 ___ 분석팀 / 낮

파일들 손에 잔뜩 쌓아 들고 하영과 우주가 이미 가져다둔 캐비닛에 척척 넣는다. 이어 영수가 끌고 온 캐비닛도 들어 옮기는.

영수 다 정리한 거지?

우주 네. 마지막이에요.

하영 (하나 펼쳐 보며)

우주 이게 다 뭔데요?

영수 서울 31개 경찰서 강력 사건 자료. 1,000건 정도 될 거야. 감식계장 때 내가 요청한 건데, 애꿎은 일 벌인다고 욕만 먹고, 끝나고도 자꾸 한 짐이네, 자리만 차지하네 눈에 띌 때마다 잔소리하는 거 듣기 싫었는데 차라리 잘됐어.

하영 (파일들 몇 개 더 꺼내 보다가) 데이터로 만들면 되겠어요. 범죄 유형이랑 범행 방식, 발생 지역, 시간 정도로 구분해두죠.

우주 지금 면담 보고서랑 일일 보고서 정리하듯이 하면 되겠는데요? (파일 꺼내 들춰 보는)

영수 이 정도 양이면 나중에 제법 우리만의 통계가 나올 거야. 정우주만 믿는다. (하며 우주 어깨 툭툭 치고, 우주는 으쓱)

하영 FBI 자료는 우리나라 사건에 대입하는 데 한계가 있으니까 만들어두면 도움 될 겁니다.

영수 (만족스러운) 그치. 걔넨 땅덩어리 크기부터 달라서 반경 몇 키로 내 이런 통계가 적용이 안 되더라고. (우주 보며) 같이 천천히 해보자.

그때 인탁이 사무실 들어서고.

인탁 선배님. (잠시 낯설게 공간 둘러보는)

영수 ?, 여기까지 웬일이야?

하/우 (인탁과 간단히 인사 나누고)

인탁 이상한 게 있어서요. 이것 좀 봐주세요. (두 개 용지에 비슷한 신발 밑창 문양 찍힌)

영수 (받아 확인하며) 둘 다 등산화네?

인탁 네.

영수 이게 왜?

인탁 하나는 강남서 건이고, 하나는 종로서 관할 건인데.

하영/우주 (그 말에 다가와 보는)

인탁 (두 개가 발자국이) 같죠?

영수 관할은 다른데 같은 놈인 거야?

하영, 영수, 우주. 불길함을 직감한 듯 심각해지는 얼굴에서.

68 ___ 진중동 이층집 앞 / 낮

강남서 형사, 한쪽에서 피해자 아들(20대)과 이야기하는 모습이 보인다.

20대 남 (참혹한) 아침에 엄마가 해준 밥 먹고 출근했는데…

그때 현장에 도착한 태구와 일영. 태구가 피해자와 이야기 중인 강남서 형사를 보며, 잠시 시선을 딴 데 두고. 일영은 그런 태구가 익숙한 듯 기다려주는.
이내 강남서 형사가 아들과 대화를 끝내면, 일영이 먼저 돌아서 있는 태구를 부르고.

세 사람 다급히 집 안으로 들어가는 모습에서.

최 기자, 구경꾼들 사이에서 플래시 터뜨리며 사진을 찍다가 순간, "어?" 하며 뭔가를 감지한 듯 갸웃한다. 이어 구경꾼들 사이 비집고 다가가 이층집 올려다보는 최 기자.

최 기자　(이층집 올려다보며 혼잣말) 또… 부잣집이야?

69 ___ 분석팀 / 낮

수첩에 전날 메모한 군곡동 사건 내용[10] 찾아 펼쳐놓고, 다급히 아직 확인하지 못한 채 책상에 쌓여 있는 지난 일일 보고서 묶음 파일들(9/08~9/14(9월 12일 수성동 사건 포함된)) 다시 뒤적이는 하영. 우주와 영수는 검색창에 수성동과 군곡동 사건을 각각 검색해보는 중인데.

영수　?!, 뭐지? 진중동에서 사건이 또 터진 모양인데?

하영　네?! (하며 다가와 보는)

우주　(모니터 보며) 저도 보고 있어요. '진중동 이층 주택에서 사는 50대 여성과 20대 여성이 둔기에 맞아 숨진 채 발견-' (하는 데서)

하영　!!, 군곡동도 둔기였어요!

영수　!! (보면)

하영　현장 가볼게요. (다급히 겉옷 챙겨 나가면, 영수도 족적이 찍힌 용지를

10 (씬47 동) '사건 일자: 09월 24일. 범행 장소: 군곡동 고급 주택, 피해자: 70대 노부부와 40대 딸. 범행 도구: 불상의 둔기, 특이사항: 장롱과 화장대 문이 활짝 열려 있었음에도 금품은 그대로 있었음.' 적힌.

들고 나가는)

70 ___ 팩트 투데이 사무실 / 낮

열심히 기사 작성 중인 최 기자. 보면, 《팩트 투데이》[11] '최윤지 기자 chocolove@fact-today.com' 써 있고. 「부유층을 겨냥한 끔찍한 범행」 제목 보인다.

71 ___ 기수대장실 / 낮

길표에게 진중동 상황을 보고하는 태구.

태구　보도대로 한 교수 사건이랑 유사한 점이 많아요.

길표　뭐야, 그럼 한 교수 건은 원한이 아닌 거야?

태구　더 조사해봐야겠지만, 한 교수 사건은 아직까지 의심할 만한 인물이 없어요.

길표　흠… 똑같이 둔기에 머리를 맞았고, 강도로 위장만 했다?

태구　(끄덕이는데)

영수가 다급한 듯 문을 벌컥 열고 들어온다.

11　제목 아래, [1보] 강남경찰서가 지난 9월 12일 발생한 '수성동 60대 노부부 살인 사건'을 수사하고 있는 가운데, 또다시 진중동에서 '부유층 노인'을 겨냥한 살인 사건이 발생해 경찰이 관련성 여부를 검토하며 수사 중이다.

영수 (손에 프린트된 족적 용지 2장 들고 있는) 형님! (하다가 태구를 보며 움찔) 대장님!!!

길표 (성가신) 우리 지금 바빠 이따가 다시 와.

영수 나도 급해. 빨리 이것 좀 봐요. (하고 족적 용지 두 장 건네두는)

길표 (보지 않고) 이따가 오라고!

영수 그것 좀 보라니까!

길표 (성가신 듯 보는데)

영수 그거 등산화에요.

태구 ?!

길표 등산화가 왜.

영수 인탁이가 가져왔어요. 하나는 수성동 사건이고, 하나는 군곡동 사건이라는데.

길표 ??? (영수를 보는데)

영수 수성동은 강남서고, 군곡동은 종로서거든요?

태구 !! (족적) 보여주세요.

길표 (태구에게 건네면)

영수 같은 놈이야. 일일 보고서 올라온 거 보니까 수법이 같애요.

태구 (그 말에) …둔기?

영수 (놀라 보며 끄덕끄덕) 그니까. 그 두 건 다 머릴 맞았어요. 진중동도 둔기라는데 알아봐야 되지 않아요?

길/태 !!!

영수 (반응 감지한) 알고 있었어요?

태구 좀 전에 진중동 현장에 다녀오는 길이에요.

길표 야… 이놈 뭐냐. 수법이 같다.

영수 !!!

72 ___ 진중동 이층집 앞 / 낮

여전히 북적거리는 사건 현장 앞. 하영이 주위를 둘러보는데 소란하기만 하고.

집 안으로 들어가려는데, 안에서 봉식이 나온다.

봉식 뭐야?

하영 현장을 좀 봐야겠습니다.

봉식 (막으며) 수사관도 아닌 놈이 여길 왜 와.

하영 (무시하고, 다시 들어가길 시도하는데)

봉식 (밀치며) 안 가? 남의 밥그릇 기웃대지 말고 꺼져.

하영 들어가야겠습니다.

봉식 내 말 안 들려? 가라고!

하영과 봉식, 날을 세우며 대치하는 모습에서.

73 ___ 서울지방경찰청 앞 / 낮

하영에게 전화하는 영수인데, 하영 받지 않는.

74 ___ 진중동 이층집 앞 / 낮

하영 (버럭 화를 내며) 비키시라고요!!!!

봉식, 한 번도 본 적 없는 하영의 모습에 잠시 당황하면 하영, 밀치며 안으로 들어가버리는.

75 ___ 진중동 집 정원 + 거실 / 낮

정원을 살피고, 집 안으로 들어서는 하영. 분주한 감식반원들 모습에 조심조심 깔판을 따라 밟으며 진입하는데. 머리가 처참하게 뭉그러진 50대 여의 시신이 보인다.

하영na 둔기로 공격당한 피해자. (안방으로 향하며) 안방에는 발자국이 없고, (방 안에 그대로 놓인 금고 보며) 금고 역시 건드리지 않았다.

다시 사방에 피가 튀어 있는 끔찍한 현장을 둘러보는 하영.

하영na (위를 올려다보며) 천장에도 혈흔이 튄 흔적은 보이지 않는다. 범인은 단 한 번의 공격으로 피해자를 제압했다는 의미다.

그때 다시 진동 울리는데, 받으면.

76 ___ 분석팀 + 진중동 현장 교차 / 낮

 # 분석팀

하영과 통화 중인 영수.

영수 (다급히) 도착했어?

 # 진중동 집 안방

넋이 나간 듯한 표정으로 방 안을 멍하게 보며 전화 받는 하영.

하영 …네.

 # 분석팀

영수 (화이트보드 보며)…이거 어떡하냐.

우주 (통화하는 영수를 지켜보기만)

영수 10년을 봤는데…

우주 !!

 # 진중동 집 안방

하영 전부 다 들어맞네요…

그 위로, 선행되는 앵커 목소리.

앵커e 경찰은 '연쇄살인'에 가능성을 두고 인근 지역의 수사를 강화해-

77 ___ 몽타주

 # 식당

밥 먹던 손님들, 가게에 놓인 TV에서 '연쇄살인'이라는 말 들리자 다 같이 TV로 시선이 향한다. 가게 사장, 리모컨을 들어 볼륨을 올리면,

앵커e 강남구 수성동과 진중동에서 연이은 살인 사건이 벌어진 가운데,

두 사건의 발생 시점 사이에 종로구 군곡동에서도 이와 비슷한 살인 사건이 있었던 것으로 뒤늦게 알려지면서-

사람들 먹던 숟가락 멈추고 뉴스에 집중하고.

 # 가전제품 전시장 앞

여러 대의 TV마다 '연쇄살인 가능성 대두' 뉴스 띠 연달아 보여지고. 지나가던 행인들, 멈춰 서서 지켜보는 모습에서.

앵커e 인근 주민들이 공포에 떨고 있습니다.

78 ___ 정형외과 / 낮

"구영춘 환자분 들어오세요." 간호사 목소리에 대기실에 앉아 있던 구영춘이 일어나 X-ray 촬영실이라고 적힌 방으로 들어간다. 기계로 다가가 몸을 붙이는 구영춘.

cut to

"구영춘 환자님, 전신 엑스레이 사진입니다" 하며 직원이 CD 건네면, 받으며 만족한 듯 보는 구영춘.

79 ___ 진중동 이층집 앞 / 낮

여전히 넋이 나간 모습으로 대문을 나서는 하영. 그 위로.

하영na　각각 다른 장소에서 오로지 살인을 목적으로 한… 세 번째 살인.

아직 진을 치고 있는 구경꾼과 기자들 사이에서 슬며시 고개를 내미는 남자.

남자e　무슨 일이에요?

하고 묻는데, 보면 구영춘이다!!

/ins. 구영춘의 단칸방
팔다리 가슴에 손과 발까지 각각 나눠 찍은 구영춘의 전신 엑스레이를 프린트한 흑백 용지가 벽에 붙여져 몸 전체를 완성하고 있다. 엑스레이 사진 위에 빨간 펜으로 관절마다 선을 그어뒀고, 그 옆으로 망치 가방이 보이는.

/다시 이층집 앞
소란한 상황을 그저 지켜만 보는 하영의 시선과
모른 척 현장을 바라보는 구영춘의 시선이 서로 엇갈리는 데서!!

하영na　연쇄살인이다.

작가 Comment (1)

수정 전의 씬에서는 아래와 같이 영수母가 등장했으나, 이후 변경되었다.

3 ___ 예식장 앞 + 하영의 차 안 (도로) / 낮

예식이 끝났는지 잔뜩 차려입은 하객들 쏟아져 나온다.
그사이에 보이는 영수도 말끔한 수트 차림.
영수, 지인들에게 인사하며 도로가로 나와 하영을 기다리는 듯 두리번거리면, 저만치에서 다가오는 하영의 차가 영수 앞에 선다.

영수 (타며 갑갑한 듯 넥타이 헐겁게 잡아당기고) 아우, 회사원들은 이 불편한 걸 어떻게 매일 하고 다니지?

하영, 출발하려는데 한복 곱게 입은 영수母(60대 후반)가 영수 쪽 차창 두드린다.

영수 (창문 내리면)
영수母 (작은 봉지 내밀며) 영수야 이거 가져가.
영수 (받으며) 뭔데?
영수母 떡이랑 전.
영수 먹었는데 뭘 또 쌌어.
영수母 니 입만 입이냐. (하영 힐끔)
영수 (그제야 소개하는) 우리 어머니.
하영 (그 말에 얼른 차에서 내려 인사하려는데)
영수母 (손사래) 내리지 마요. 내리지 마, 내릴 필요 없어.

하영 (내려서 다가가며) 안녕하세요. 송하영입니다.

영수母 내리지 말라니까. 아니 떡이 엄청 맛있더라고. 가면서 같이 먹어요.

하영 감사합니다.

영수母 (손짓) 얼른 타요 타.

하영 (묵례하고 다시 타면)

영수母 (영수 보며, 안타까운) 일요일인데 쉬지두 못하구.

영수 (실없는) 그러게. 나쁜 놈들한테 일요일엔 쉬라고 얘기 좀 해줘.

영수母 얼른 가.

영수 들어가셔. (하며 빠이- 하는 손짓)

하영 (또 묵례하며, 이내 출발하고)

영수 나도 애를 둘이나 낳았는데, 우리 어머닌 여전히 내가 앤 줄 알아. (하며 싸준 봉지 열어보면, 봉지에 급히 담은 듯한 떡과 전들. 하나 집어 입에 넣으며) 결혼식만 오면 그렇게 남은 음식이 아까운가 봐.

하영 (운전하며) 저희 어머니도 결혼식만 가시면 꼭 그렇게 싸 오세요.

영수 (웃으며) 이걸 먹는 재미가 있긴 하지. (하며) 맛있다. (하나 집어 들고) 아- 해봐.

하영 (운전하다가 당황) 네?

영수 (떡을 하영 입 앞에 갖다 대며) 아-

하영, 마지못해 입을 벌리면, 떡 먹여주며 좋아하는 영수.
하영, 어색하게 씹어 먹는 모습에서.

작가 Comment (2)

권일용 교수님 자문에 의해 대사를 추가 반영했다.

8 ___ 구치소 면회실 / 낮

테이블을 사이에 두고, 하영, 영수와 조현길이 마주 앉아 있고, 저만치에는 교도관이 서 있다. 조현길은 세팅된 카메라를 의아하게 보는.

영수 취조하려는 거 아니니까 안심해요.

조현길 (영수의 말에 보며) 나 만날라고 그렇게 입고 왔어요?

영수 (차림새 스스로 살피다가 멋쩍은지 헐거워진 넥타이 괜히 한 번 조이고) 왜요.

조현길 (쓰읏 어색한 미소) 대접받는 기분 드네.

순간 하영과 영수, 자신들에게 각각 다르게 반응하는 조현길의 태도를 눈치 채고. 두 사람 잠시 눈을 마주치고 보면, 양복 입은 영수와 캐주얼한 하영의 차림이 비교된다.

조현길 이제 다 끝난 거 아니에요?

하영 (차갑게) 다 끝났다고 생각합니까.

조현길 (손에 찬 수갑 내보이며, 퉁명스러운) 잡았잖아요.

영수 우린 아직 조현길 씨한테 물어보고 싶은 게 많아요.

조현길 (미묘하게 부드럽게 태도 바뀌는) 저번에 다 말했는데… 그 '여자분' 한테도 다했고…

하영 여자분 아니고, 형삽니다.

조현길 (하영을 퉁명스럽게 보는데)

영수 사건 얘기 말고, 조현길 씨의 얘길 들으러 왔어요.

조현길 (무슨 말인가 싶어 보는)

영수 어린 시절 얘기도 좋고, 평소에 느끼는 감정들을 얘기해도 좋고.

하영 (조현길의 표정을 계속 지켜보는데)

조현길 (카메라가 신경 쓰이는)

하영 그냥 기록용이에요. 신경 안 쓰셔도 됩니다.

조현길 (그 말에 영수를 의지하듯 보는데)

영수 (기록용 맞다는 끄덕임) 뭐 하고 싶은 얘기 있어요?

조현길 (눈치만 보며 망설이는)

영수 괜찮아요. 얘기해봐요. 뭐든.

조현길 (영수만 보며)… 취조도 아닌데 내 얘길 듣고 싶다고요?

영수 (끄덕이면)

조현길 (의심스러운) 내 얘기 듣고 싶어 하는 사람 못 봤는데… 왜요?

하영 집에 가봤습니다.

조현길 (?, 그제야 하영을 보며) 나 사는 집에요?

하영 네. 깔끔하더군요. 양말 하나도 흐트러지지 않고 잘 정돈된 집이었어요.

조현길 (당연한 말에 눈 껌뻑이며)… 더러운 거 싫어해요.

하영 (이해한다는 듯이) 알아요. (그래서) 힘들 겁니다. (공간 둘러보며) 여기…

영수 (무슨 소린가 싶어 보는데)

조현길 (말을 해야 할지 말아야 할지 망설이는)……

하영 온갖 범죄를 저지른 생면부지인 인간들과 한 방에서 매일 먹고 자고… 얼마나 괴로울지 짐작합니다.

조현길 (그제야 조심스럽게)…… 끔찍해요.

영수 (눈치챘고, 달래듯) 우리한테라도 얘기해봐요.

하영 같이 지내는 사람들은 조현길 씨를 자신들과 같은 부류 취급하려 들겠죠. (넌지시 떠보는) 하지만 제 눈에 당신은 (다음 말을 고민하듯 머뭇) 그들과 달라 보입니다.

조현길 (그때서야 경계하던 태도 바뀌며 하소연) 그 인간들, 잘 씻지도 않고. 냄새도 나는데 방은 좁고… 더럽고… 나 진짜 미치겠어요.

하영 (바뀐 반응에) 그래서 생각했습니다. 어쩌면 조현길 씨가 처음부터 수현이를 죽이려던 건 아니었을지도 모르겠다는…

조현길 (OL/ 경계심 무너진 듯)!!, 맞아요. 저 절대 죽일려던 게 아녜요.

영수 (조현길의 태도에 놀란)

하영 (…) 그래서 당신 얘길 듣고 싶은 겁니다. 다른 범죄자와 뭐가 다른지 알고 싶어서.

조현길 (동조하듯 끄덕이며 깊은 숨 내쉬는데, 배에서 꼬르륵- 울리고. 그 소리에 분위기 잊은 듯 곧장 본능에 충실한 짐승마냥 하영, 영수 보며 배고픈 표정 하는)

하영 살도 빠진 거 같은데 (손목시계 보며) 식사도 제대로 못 하나 보군요.

조현길 (말도 마- 라는 표정으로 도리질)

(이하 생략)

작가 Comment (3)

김봉식과 임무식의 관계 및 태구와의 과거를 명확하게 설명하기 위해 추가했다.

30-1 _ 카페 / 낮

커피 마시면서 임무식과 얘기하는 봉식.

임무식 그래도 형님 오니까 좋네.

봉식 나 반기는 사람 너밖에 없는 거 보면, 잘 살아남은 거라고 해야 하는 건지 아닌지 참-

임무식 남의 진심을 이렇게 또 꼬네.

봉식 나 말고 내 정보를 반기는 거잖아.

임무식 정보가 곧 형님이죠.

봉식 (기대도 안 한다는 표정으로) 청에선 나 아는 척 말고.

임무식 걱정 마요.

봉식 세상 참, 아이러니야. 송하영에 윤태구까지 여기서 다시 다 만나 버리네. 우리 셋 무슨 인연인지. (피식 웃으면)

임무식 송하영 경위는 만났어요?

봉식 (쓴웃음) 만났지.

임무식 그 팀은 뭐 하는 덴지 모르겠드만.

봉식 남 뒤통수 치고 잘되는 놈 못 봤- (하다가) 아, 하나 있다.

임무식 누구? 형님이요? (하면)

봉식 (콱 그냥!) 그때 윤태구 데려와 앉히라던 부장검사 새끼.

/ins. (1990년대) 부장검사실

봉식에게 용의자 서류 툭 주는 부장검사.

부장검사 내부 정보니까 출처 밝히지 말고 혼자 조용히 수사해.

봉식 (자료들 보며) 확실하죠?

부장검사 내가 거짓말하는 거 봤어? 훑어봐. 증거도 있으니까.

봉식 (의아한) 왜 이걸 다 놓쳤지? (하는 데서)

부장검사 니 밑에 윤태구라고 있지?

자료 보다가 부장검사 보는데 뉘앙스 알아챈 듯한 봉식의 눈빛 위로.

봉식e 그 새끼 덕분에 내가 내 밑에 있는 식구도 팔고, 원치도 않는 건설업자한테 뇌물까지 받아서 가짜 용의자 검거한 비리 형사 됐지.

/다시 카페

임무식 진짜 범인처럼 판을 다 짜놨는데, 누구라도 속지.

봉식 송하영인 안 속았잖아.

임무식 …

봉식 두루두루 짜증 나는 놈이야. 덕분에 나만 좌천됐지.

임무식 이렇게 다시 복귀했잖아요. 송하영은 상사 뒤통수 치고 내부 문제 일으키는 골칫거리라고 낙인찍혔었어요. 그러니까 저런 창고 직원 신세 됐죠.

봉식 (도리질) 아니. 그걸로 부족해. 점잔이나 빼면서 뒤로는 지 실속 다 챙기는 거, 다들 알아야 돼.

임무식 형님, 우리나 잘삽시다. 전 서울청 온 김봉식 계장님만 믿고- (하는데)

봉식 (그 말에) 아무도 믿지 마.

임무식 뭐야 섭하네. 나도 안 믿어요?

봉식 당연하지. (하는 데서)

작가 Comment (4)

군곡동 사건(2차 사건)의 이해를 위해 추가했다.

00 ___ 군곡동 집 외경 / 아침

00 ___ 군곡동 집 안 / 아침

거실 한가운데 머리에 피를 흘리고 쓰러져 있는 시체 3구가 보인다. (→ 70대 노부부와 40대 딸)[12] 그중, 노인(여) 하나가 숨을 깔딱거리는데, 저만치 구영춘이 그 사실을 모른 채 망치를 들고 나가는 뒷모습 보이고.
바닥에 쓰러져 있는 노인, 감겼던 눈을 가까스로 뜨며 구영춘을 보는데…
구영춘, 감정을 실어 벽에 걸려 있는 십자가를 망치로 격하게 내리친다. 이내 바닥에 십자가가 툭 떨어지는 그때, 띠리리- 거실 전화벨이 울리고.
그 바람에 다시 뒤를 돌아보는 구영춘인데. 벨 소리 울리다가 자동응답기로 돌아가며 '장모님, 장인어른 계세요? 애 엄마도 전화

12 송영철, 이금순(70대 부부), 송희정(40대 딸).

를 안 받는데 아침부터 다들 어디 가신 거예요? 이렇게 연락이 안 된 적 없는데 걱정되니까 들으면 바로 전화 주세요' 하는 사위 목소리가 흘러나온다. 이내 뚝 끊기는 응답기.

사위의 목소리에 노인의 눈에 눈물이 맺히고… 어느새 노인의 눈앞에 쭈그려 앉아 구영춘이 그 모습을 빤히 지켜보고 있다. 눈물을 이해할 수 없는 듯 고개를 잠시 갸웃하는 구영춘. 망치로 마룻바닥을 턱턱- 겁주듯 몇 번 두드리다가… 다시 힘껏 치켜드는 모습에서!!

턱! 하는 소리와 함께 저만치 바닥에 떨어졌던 십자가가 반동하듯 마룻바닥에서 통통 튕겨지며 들썩이는.

작가 Comment (5)

새로운 사건이 발생했음을 명확하게 전달하기 위해 추가했다.

60-1 _ 팩트 투데이 사무실 / 아침

국장에게 타박 듣는 최 기자.

국장　(답답한) 3년이나 됐는데도 여전히 의리 지키며 이 일을 할 수 있다고 생각하는 널… 어쩌면 좋으냐.

최 기자　강남서 박 형사 드럽게 깐깐한 거 아시면서 그래요. 임무식 선밴 이제 강남서에서 국물도 없을걸요?

국장　강남서에 박 형사만 있어? 누구라도 《대한일보》에 정보 하나 흘리면, 그게 다 임무식 기사 되는 거야. 너 목 빼고 박 형사만 올려다볼 때!!

최 기자 (말 돌리는) 임무식 선배, 후배들 기사까지 뺏어요? 와- 양심 진짜. (하는데)

국장 (후…) 양심 좀 그만 찾고! 양심 찾다가 굶어 죽는 수가 있어!

최 기자 안 굶을라고 내가 부지런히 뛰어다니잖아요.

국장 하… 그래 고맙다. 고마워.

최 기자 (괜히 띄워주듯) 국장이 빡세게 잘 굴렸지 나를.

국장 됐고. 뺏긴 특종 덮을 기사나 얼른 물어와.

최 기자 애초 우리 것도 아닌 데 뺏기긴 뭘 뺏겨…

국장 (째려보는데)

최 기자 (마침 문자 들어오는 소리에 핸드폰 확인하고) 어?! 박 형사님이다. (하다가) 강남서에 또 사건 터졌대요.

국장 또?!

최 기자 (가방과 카메라 챙기고) 저 나갑니다! (하며 나가는)

작가 Comment (6)

사건 발생으로 감식팀 모두 현장 출동했으나, 별도의 단서 확인을 위해 인탁만 남아 있음을 보여주었다. (이후, 인탁이 다른 2개의 족적을 들고 분석팀으로 찾아오게 되는 상황을 뒷받침한다.)

60-2 _ 감식반 앞 / 낮

무겁게 기울어진 캐비닛과 자료들 구루마에 잔뜩 얹어 위태위태

끌고 가는 영수.

인탁이 감식반으로 향하다가 그 모습을 본다.

인탁 (한 손에 수성동, 군곡동 관련 서류 들고 있고 쏟아질 듯 기울어진 캐비닛 받쳐주며) 어후, 이게 다 뭐에요?

영수 서울에서 벌어진 강력 사건의 역사랄까. (문 열린 감식반 언뜻 보이는데 아무도 없고) 다 어디 갔어?

인탁 강남서 사건 현장이요.

영수 넌? (왜 안 갔어?)

인탁 (손에 든 서류 가리키며) 바로 확인해야 될 게 있어서요. (하다가 화제 전환하며, 캐비닛 받쳐주곤) 분석팀까지 가져가는 거죠?

영수 (기울어진 캐비닛) 이거만 좀 도와줘.

영수와 인탁, 함께 기울어진 캐비닛 다시 바로 세워 안정적으로 자리 잡고.

영수 됐네. 간다 (하고, 다시 끌고 가려는데)

인탁 진짜 안 도와줘도 돼요?

영수 이 정도 체력은 아직 짱짱하다. 하던 거 해. 너도 바빠 뵈는데.

인탁 (끄덕이며 보고 있으면)

영수 (괜찮다는 듯 들어가라는 손짓하며, 다시 구르마 끌고 가다가) 뭐 안 풀리는 거 있음 가져오고!

구루마 아슬아슬하게 끌고 가는 영수의 뒷모습 보던 인탁. 그 말에 들고 있던 서류를 잠시 보고… 고민하는 듯한 얼굴로 영수를 지켜보다가 이내 감식반으로 들어가는.

6화

1 ___ 동네 뒷산 / 새벽

어스름한 새벽. 산책로를 뛰고 있는 태구의 숨소리가 차가운 새벽 공기에 섞여 울려 퍼진다. 한참을 뛰던 태구의 모습 위로,

영수e (5화, 씬71) 같은 놈이야. 일일 보고서 올라온 거 보니까 수법이 같애요.

길게 놓인 계단을 가쁜 숨 내쉬며 속도를 더해 오르는 모습에서 다시,

앵커e (5화, 씬76) 경찰은 연쇄살인에 가능성을 두고 인근 지역의 수사를 강화- (하는 데서)

/ins. 서울지방경찰청 기자실

길표, 봉식, 태구가 캡들 앞에서 질문받는 중이다.

임무식 연쇄살인으로 보고 수사 중인 거 맞습니까?

길표 (침착한) 아직 연쇄로 보기엔 이릅니다. 아시다시피 각 사건의 범행 지역이 달라요.

캡2 (노트북에 받아 적으며) 한 달이나 지났는데 아직도 진척이 없는 겁니까?

길표 각 관할서와 기수대가 다 같이 최선을 다하고 있습니다.

임무식 정말 연쇄살인이 아닙니까?

봉식 (보다 못해 끼어드는) 기자님들. 괜히 시민들 불안하게 경찰보다 앞서가지들 맙시다?

임무식 3건 다 수법이 같다고 들었는데요?! 그래도 아니라는 겁니까?

그 말에 머뭇거리는 길표, 봉식, 태구.

/다시 뒷산

머릿속이 복잡한 듯 전력을 다해 뛰기 시작하는 태구.
그때 뒤에서 누군가 따라오는 기척이 느껴져 돌아보면,
아까부터 태구의 뒤를 쫓듯 뛰어오던 낯선 남. 후드 뒤집어쓴 운동복 차림이다.
남자가 먼저 지나가길 기다리며 잠시 멈춰 서는 태구.
그 모습에 남자도 속도를 늦추며 태구에게 다가오고.
태구, 답지 않게 바짝 긴장한 모습으로 경계하듯 자세 갖추면,
남자가 태구에게 불쑥! 손을 내미는!
그 순간 태구가 반사적으로 남자의 손목을 먼저 잡아채는데!
남자가 당황하며 "이거 떨어뜨리셨어요" 한다. 보면, 태구의 조깅용 타이머.
태구, 미안한 표정으로 "감사합니다" 인사하고.
남자, 태구와 달리 대수롭지 않게 다시 앞서 뛰기 시작한다.

태구, 남자가 가는 모습 잠시 지켜보다가,
멀어질쯤 다시 계단을 뛰어오르는 모습에서 차츰 해가 오르고.

2 ____ 영수의 집 거실 / 아침

거실 한 면을 가득 채운 수성동, 군곡동, 진중동 사건 사진들. 현장 사진은 물론 피해자들의 처참한 모습도 붙어 있다. 잠시 후 요란하게 울리는 알람에 소파에서 잠든 영수가 머리까지 뒤집어쓴 이불 속에서 팔만 내밀어 주변을 더듬어가며 알람시계 찾는데, 테이블과 바닥에도 밤새 훑어본 사건 자료들 어수선하게 널려 있다. 이내 이불 밖으로 빼꼼 고개 내밀어 알람을 끄는 영수. 부스스 눈을 떠 기지개 켜는 모습에서.

앵커e　지난 9월, 한 달 사이에 벌어진 3건의 주택 침입 피살 사건에 대해 아직도 범인의 윤곽조차 찾지 못해 시민들이 불안에 떨고 있습니다.

3 ____ 태구의 집 / 아침

머리에 수건을 말고, 맨발로 주방에 서서 시리얼 먹는 태구. 등 뒤에서는 켜놓기만 했을 뿐, 애써 무시하는 듯 보지는 않는 TV 뉴스 소리 흘러나오는 중이다.

앵커e　경찰 관계자는 앞서 벌어진 3개의 살인 사건에 대해 다양한 각도로 수사망을 가동 중-

4 ____ 영수의 집 거실 / 아침

욕실에서 샤워하는 물소리 들리고. 거실 테이블에 어수선하게 놓인 자료들 사이 영수의 핸드폰 진동이 울리기 시작하는데, 보면 화면에 '나의 미연' 떠 있다. 그렇게 진동이 한참 울리다가 멈추며 '부재중 3통'으로 바뀌는 화면.

앵커e 일부 언론에서 부유층 노인을 겨냥했다는 추측이 나오고 있으나 경찰은 별개의 사건을 묶어 연쇄살인마의 소행으로 몰아가는 것은 위험하다고 전했습니다.

5 ____ 하영의 집 현관 앞 / 아침

멀리 아파트 복도에서 집을 나서는 하영의 모습이 보이고, 현관문을 닫으려는데,
영신이 문밖에 나와 하영에게 커다란 보온병 하나를 건넨다.
보온병을 들고 복도를 걷는 하영의 뒷모습을 끝까지 지켜보는 영신의 모습에서.

앵커e 뚜렷한 단서가 없다 보니 경찰은 수사 인력을 집중한 탐문 수사 위주로 '발로 뛰는' 수사에 의존하고 있지만-

6 ____ 하영의 차 안 (집 앞) / 아침

보온병을 콘솔에 내려두고 출발하는 하영.

앵커e 큰 성과는 없는 상태입니다.

7 ____ 기수대장실 / 아침

길표와 실랑이하는 봉식. 옆에 태구도 서 있다.

봉식 범인을 잡는 건 발로 뛰어다니면서 개고생하는 우리 같은 형사죠! 관할서랑 우리가 전부 발바닥 물집 잡혀가며 전수조사 다닐 때, 개넨 뭘 했어요?

길표 (기다렸다는 듯 받아치는) 그래 말 잘했다. 넌 뭘 했어? 아! 사우나가 있었지 참.

봉식 (!!, 멋쩍은) 한 번 갔어요! 한 번!

길표 알아. 사우나 한 번, 기원 한 번, PC방 한 번…

봉식 (니가 말했냐? 는 표정으로 태구 보면)

길표 윤 팀장이 그런 거나 일러바칠 사람이야? 나도 다 귀가 있어.

태구 (그러거나 말거나) 분석팀과 기수대 영역을 분리해야 하는 건 맞다고 생각합니다.

봉식 그래! 내 말이 그거야. 괜히 양복이나 쫙 빼입고 폼이나 잡았지. 사무실에 선비처럼 앉아서 회의나 하는 것들이 뭘 하냐고요.

길표 용의자 특정만 되면 선비처럼 회의하든 물구나물 서서 회의하든 상관없지 뭘 그래.

봉식 (답답) 하, 그니까 지들이 무슨 놈에 용의자 특정을 하냐고요. 분위기 딱 보니까 다른 애들 눈에도 분석팀이 눈엣가신 거 같은데, 왜 그렇게 감싸고도시는 건데요?

길표 … 감싸고돌긴 뭘 감싸고돌아. (하는데)

태구 현장에 임의로 오고 가는 건 엄연히 수사 방해니다.

봉식 (옳다구나) 국 팀장 이제 감식계장도 아니고, 송하영이 그건 옛날부터 영웅놀이에 심취해서 자꾸 주제 파악 못 해요. (태구 보며) 너도 알지? 걔 성격.

태구 (받아줄 생각 없는) 사적인 판단은 혼자 하시고요. (봉식 머쓱, 다시) 다른 팀도 분석팀을 보는 시선이 곱지 않은 데다가 이렇게 수사팀과 분리가 안 되면, 앞으로 사건이 벌어질 때마다 갈등이 생길 거예요.

길표 (생각하는) 지들 나름대로 알아서 움직이는 걸 무슨 수로 말리냐는 말이야. 그리고 수사에 피해 안 주잖아. (작게) 도움을 주면 줬지. (하는데)

봉식 !!, 도대체 왜 이러세요!

길표 (봉식 무시하듯 태구에게) 경찰이 범인 잡고 싶은 건 당연한 거야. 영웅놀이든 뭐든, 그 마음은 의심하지 말자.

태구 … (그 말에 머뭇, 잠시 생각하고)

8 ____ 기수대 사무실 / 아침

준식, 믹스커피 한 잔 손에 들고 사무실 들어서며 "다들 어디 간겨?" 하는 그때 기수대장실에서 "도대체 왜 이러세요!" 언성 높이는 봉식 목소리 들린다.

준식 무슨 일이여?

일영 (얼른 일어나 준식에게 인사하고) 오셨어요.

준식 아침부터 뭐 때문에 이렇게 언성이 높은 겨?

/ins. 진중동 이층집 앞

형사1과 현장에서 나오던 봉식. 집 주변을 살펴보고 있는 하영을 보며 눈살 찌푸리는데. 하영은 모른 채로 수첩과 주위를 번갈아 보는 그 위로,

일영e　김 계장님 어제 진중동에 탐문 조사 갔다가 송 경위님 마주쳤나 봐요.

/다시 기수대 사무실

일영　저랑 윤 팀장님도 수성동이랑 군곡동 탐문 갈 때마다 마주쳤거든요. 그런 거 보면 송 경위님 거의 매일 현장 나오신 거 같은데… 주변에서 자꾸 말이 나와서요.

준식　(기수대장실로 향하는 데서)

9 ____ 기수대장실 / 아침

준식이 들어오면, 길표, 태구, 봉식 인사하는데.

준식　범죄행동분석팀 내 직속이여. 뭐가 불만인 겨. 불만이 있음 나한테 와야 안 혀?

봉식　(얼른) 분석팀 현장 출입 막아주시죠.

준식　(쉽게) 기여? 그거면 되는 겨?

일동　(주저 없는 대답에 당황하고)

준식　그게 불만이믄 그렇게 전하께. 근데 지들끼리 알아서 조사하는 거까진 내가 못 막어. 분석팀, 지들 할 일 착착 다 챙겨가면서 잠자는 시간 쪼개 움직이는 건데 그거까진 말 못 한다는 얘기여. 자는 거까정 감시할 수는 없잖여?

길표 (끄덕 동조하며) 애들도 아니고. 못하지 그럼.

봉식 (마음에 안 드는)

태구 당장 막아달라는 게 아니라, 분석팀은 수사팀이 아니라는 걸 어느 정도 인지-

하는 그때, 일동 핸드폰 문자 소리 동시에 울리고! 보면, 긴급 상황을 알리는 '5050!![1] 82!!!' 떠 있다. 다들 본능적으로 심각한 상황 직감한 얼굴인데, 길표 책상에 놓여 있던 무전기 밖으로 "긴급 출동! 황화동!! 노인 피살 사건!!" 다급한 목소리 터져 나온다. 준식, 길표, 봉식! 일제히 후다닥 사무실을 튀어 나가는 모습에서!!

10 ___ 기수대 사무실 / 아침

태구, 일영 외 기수대 팀원들 우르르 사무실 밖으로 튀어 나가는 모습 보이고!

11 ___ 도로 / 아침

사이렌 요란하게 울리며 줄줄이 달리는 경찰차들!!
각각의 차량에 몸을 실은 기수대 팀원들 하나같이 긴장한 얼굴이다.

---

1 오라오라. 긴급출동의 의미.

타이틀, 악의 마음을 읽는 자들 6화

12 ___ 분석팀 / 아침

우주, 회의 테이블에 각양각색 등산화들 수북이 쏟아낸다. 전부 한쪽씩이고.

우주 사람들 등산 이렇게 많이 하는 줄 몰랐네. 어제도 하루 종일 모은 건데 종류가 끝도 없어요. 전 이러다 통계 전문가 아니고 등산화 전문가 될 거 같아요.

이미 여러 번 해본 듯 자연스럽게 등산화 밑창 모양을 용지에 찍힌 무늬와 대조해보기 시작하는 영수, 하영, 우주.

영수 (혼자 먼저 웃으며) 감식반은 우리보다 더 많이 보는데, 개넨 이미 손이 발이 돼서 네발로 기어 다닌대.

우주 ……

영수 안 웃겨도 그냥 웃어줄 순 없냐?

하영 (갑자기 벌떡 일어나 나가고)

영수 (황당하게 보며) 저렇게까지 박차고 나갈 일이야…?

우주 (괜히 딴소리) 점심 뭐 먹을까요?

하영 (문밖으로 나가며 떠올리는. /씬5. 문밖에 나와 커다란 보온병 건네는 영신)

13 ___ 주차장 / 아침

/하영의 차 안에 놓여 있는 보온병이 잠시 비춰지고.
하영, 잊고 있던 보온병을 가지러 차로 향하는데 주차장이 휑하다. 잠시 갸웃하다가, 문득 떠오른 불길함에 기수대로 빠른 걸음 옮기는 하영.

14___ 기수대 사무실 / 아침

마찬가지로 휑한 사무실. 하영이 남아 있는 직원 하나 붙들고 물어보면, "황화동에서 또 노인 피살 사건 떠서 좀 전에 전부 출동했어요" 답하고.
하영 놀라는 얼굴에서!

15___ 황화동 고급 주택 / 아침

소방차 한 대와 함께 이전의 현장들보다 더 많은 사람 모여 있고, 경찰은 몰려든 사람들의 접근을 막느라 바쁘다. 주택 인근까지 넓게 둘러지는 폴리스라인 주위로 구경꾼에 기자들까지 더해져 점점 더 많고, 더 빠르게 몰려드는데. 그 바람에 현장에 도착한 경찰 인력 일부가 인간 띠를 만들어 사람들을 제지하느라 애쓰고 있다. 탄 냄새로 몇몇은 소매로 코를 가리고 있고, 그 사이에 최 기자도 도착해 힘겹게 사람들 사이를 파고들며 다가오는 데서.

16___ 황화동 거실 / 낮

방화 현장을 보여주듯 아직 채 가시지 않은 뿌연 연기 남아 있는 실내. 분진 마스크 쓰고, CSI 새겨진 조끼 입은 감식반원들, 저마다 빠르게 도구 펼쳐 감식 작업에 돌입하는데. 현관 앞에는 인탁의 저지에도 기어코 안으로 들어와 덧신을 신는 봉식이 보인다.

17 ___ 황화동 고급 주택 앞 / 낮

안으로 들어가지 못하고, 발만 동동 구르는 준식, 길표, 태구. 저만치에서 일영은 망연자실 주저앉아 있는 피해자 남편(60대/남)과 이야기 중이고. 그때, 집 안에서 나온 인탁이 준식 쪽으로 다가오는.

준식　불은 뭐여?
인탁　방화 시도가 있었네요. 다행히 시신 일부랑 천장만 조금 그을리고 꺼졌어요.
길표　그럼 다른 놈인 거 아니야?
인탁　음, 더 봐야 알겠지만 둔기에요.
길표　무늬는? (초조한)…또 삼각형?
인탁　(안타깝게 끄덕이는데)
태구　(아니길 바란 듯 인상이 찌푸려지고)
길표　(머리를 털며) 아 미치겠네 진짜!!
준식　이게 대체 뭔 일인 겨…
길표　갑자기 불은 왜 질렀어?
태구　뭔가 은폐하려던 게 아닐까요.
인탁　그러지 않아도 찾아보고 있어요.
일영　(그때 다가오며) 저는 사무실로 가서 유족 진술받겠습니다.

길표 어, 어. (얼른 가라는 손짓)

태구 (인탁 보며) 얼마나 걸릴까요.

인탁 어쨌든 화재 현장이니까 열 시간 정도 봐야죠.

길표 (머리 아픈) 김봉식인 안에서 뭐해?

인탁 (성가신 듯) 몰라요. 내가 김 계장님 지문 다 떠서 현장 증거로 올릴 거야, 아주.

길표 으휴… (인탁에게 얼른 들어가 보라는 시늉하고)

일영, 60대 남과 차에 오르는데. 현장에 도착해 저지 중인 경찰에게 신분 확인시키는 영수와 하영이 보인다. 일동, 그 모습에 당황하고.

영수 (급히 다가오며) 어떻게 된 거예요. (하다가 탄 냄새 감지한)

인탁 (다시 안으로 들어가다가 영수 목소리에 뒤돌아보며, 눈인사만 하고 가는)

길표 (태구 눈치 보며) 여긴 왜 왔어.

영수 (듣지 않고) 어떻게 된 거냐고요.

태구, 저만치 하영에게 시선 주는데, 몇 발자국 떨어져 이층집을 올려다보는 하영.

준식 감식 중이여. 우리도 기다리고 있으니께 들어가 있어.

영수 이 와중에 사무실을 어떻게 가요.

태구 (알아들으라는) 김봉식 계장님도 안에 계세요.

영수 (안에) 들어갔다고? (하며 영수도 들어가려는데)

길표 (말리며) 너 감식반 아니야. 자꾸 착각하지 말고, 얼른 가.

영수 (짜증) 아, 앉아서 뉴스나 보고 있으란 거예요?!

길표　김봉식이 말 많은 거 모르냐. 걔 말고도 이미 (주변 가리키며) 눈도 많고, 분석팀 현장 들락거리는 거 말 나오면 서로 피곤해.

영수　(여기) 기수대장님에 형사과장님까지 있는데, 내가 그런 눈치를 봐야 돼요?

길표　(태구 의식하며) 수사팀, 분석팀, 영역은 구분하자.

준식　(타이르듯 거들며) 일단 가 기다리고 있어봐. 현장 상황은 따로 공유해줄게.

영수　(답답한) 아, 지금 이런 걸로 실랑이할 때냐고- (하는데)

길표　(제발) 말 좀 들어라. (가라는 고갯짓하다 하영 보는) 저놈은 저기서 뭘 하는 거야.

일동　(하영에게 시선 향하는데)

하영, 이층집의 외형을 유심히 살피다가 주변 골목으로 시선을 돌린다. 몰려든 사람들로 골목이 가로막혀 보이지 않고. 사람들 틈에 낀 최 기자도 보이는데.

하영　(다가오며) 방화 시도가 있었나 보네요.

일동　(태구 눈치 보는데)

태구　네.

하영　피해자는요?

태구　(내키지 않지만) 60대 여성 한 명이요.

하영　인적 드문 골목에 고급 주택. 역시 CCTV는 없고. 전에 없던 방화 시도까지.

태구　(그 말에 순간 CCTV 살피는데)

영수　계획적이지?

하영　(끄덕이다가) 근데 좀 이상합니다.

태구　(그제야 하영 보며) 이상하다니요?

하영 첫 번째 사건은 9월 12일, 두 번째는 24일, 3번째는 30일. 각 사건 사이의 간격이 처음 12일에서 6일로 줄었다가 다시 한 달로 벌어졌습니다.

준식 그게 왜?

하영 계획적 연쇄살인일 경우에 범행 간격이 짧아지고 일정한 패턴이 안 보이는 건, 범인이 점점 대범해지고 있고, 기회가 닿을 때마다 범행을 저지른다는 뜻입니다. 그런데 4번째 범행을 다시 실행하기까지 한 달이나 걸렸어요.

일동 (무슨 소린가 싶은데, 영수만 표정 진지해지는)

하영 이유가 있었을 거예요. (잠시) 그게 뭘까요.

하며 다시 주변을 둘러보면, 태구도 하영의 시선을 따라 주변을 둘러보는데. 하영과 태구의 시선에 여전히 경찰이 제지 중인 사람들과 앞다퉈 모여든 기자들이 눈에 들어온다. 그 사이에 있는 최 기자는 기수대 쪽에 시선을 집중하고 있고.

기자들, 놓치지 않을 기세로 여기저기서 카메라 플래시를 팡팡 터뜨리는 모습에서.

18 ___ 서울지방경찰청 강당 / 낮

팡팡, 여기저기 터지는 카메라 플래시. 준식이 수사 관련 브리핑을 준비 중이고.

단상 앞에 서 있는 준식의 뒤로는 벽에 걸린 태극기 아래 서울지방경찰청 로고 박힌 파란색 백드롭이 설치되고 있다. 문 앞에 길표, 봉식이 나란히 서서 그 모습을 지켜보는데, 이내 백드롭 설치가 완료되면, 수사 상황 설명을 시작하는 준식.

준식 오늘 10월 30일 목요일 오전 십일 시 십 분경, 서울 황화동 주택가에서 65세 윤정윤 씨가 둔기에 의해 사망한 채로 발견됐으며, 윤 씨의 남편인 한종용 씨가 일을 마치고 귀가했을 당시 집 안에 연기가 가득 찬 것을 보고 신고하였습니다.

기자1 방화에 사용된 물건은 뭡니까?

준식 신문과 종이에 불을 붙여 방화를 시도한 것으로 추정하고 있습니다.

임무식 범인에 대한 단서는요?

준식 현재로선 말씀드릴 수 없습니다. 사건 현장을 통제하고, 감식반의 1차 감식 결과를 기다리는 중이기 때문에 많은 답변 못 드리는 점 양해 부탁드립니다.

최 기자 도난당한 현금과 금품 있습니까? (하는데)

임무식 (여긴 어떻게 들어왔냐는 듯 최 기자를 의아하게 보는)

준식 도난 물품은 없는 걸로 파악하고 있습니다.

임무식 여전히 면식범으로 파악하고 있는 겁니까?

준식 여러 가능성을 열어두고 있습니다. 방금 말씀드렸다시피 1차 감식이 진행 중-

최 기자 (OL) 수성동, 군곡동, 진중동 사건과 연관 있는 거 인정하십니까?

준식 …. (잠시 숨을 고르고)

지켜보던 길표와 봉식도 피하고 싶었던 질문을 맞닥뜨린 표정.

최 기자 (재차) 부유층 노인을 노린 '연쇄살인' 인정하시는 겁니까?

준식 (심호흡) 동일범의 가능성을 열어두고 수사를 확대할 예정입니다.

준식의 말이 끝나기가 무섭게 팡팡! 더 빠르게 앞다퉈 카메라 플래시 터지고, "지존파처럼 공범이 있을 가능성은 없나요!" "단독 범행입니까?" 등의 질문들 쏟아지고.

19 ___ 몽타주 / 낮

- 기자들, 저마다 '연쇄살인'이라는 표현 걸고 노트북에 기사 작성 중이고!
- 최 기자도 「한발 늦은 연쇄살인 수사」라는 제목의 기사를 쓰고 있다.
- 주요 신문들, 일제히 '부유층 노인 연쇄살인'에 헤드라인 걸고 인쇄되는!
- 그 위로, 여기저기 속보를 전하듯 앞다퉈 전해지는 뉴스들의 앵커 목소리.

앵커e 속봅니다. 오늘 오전 황화동 주택가에서 60대 여성이 피살되는 사건이 또다시 발생해 경찰이 수사에 나섰습니다. /경찰은 앞서 벌어진 세 건과 함께 동일범의 소행으로 파악하고- /경찰은 연쇄살인에 집중- /경찰은 부유층 노인 연쇄살인 사건에 대해-

20 ___ 황화동 고급 주택 앞 / 낮

영수, 하영과 대문 앞에서 인탁을 기다리는 듯 서 있고. 잠시 후, 인탁이 나와 주위 살피며 CSI 조끼 둘에게 건넨다. 얼른 받아 입고 안으로 따라 들어가는 영수, 하영.

21 ___ 황학동 거실 + 안방 / 낮

 # 거실

뿌연 연기 사라진 실내에서 여전히 감식 중인 감식반원들. 영수와 하영, 남아 있는 매캐한 냄새 감지하는 데서, 거실에 타다 남은 신문지 재와 그을린 천장이 보인다.

영수　갑자기 불을 왜 질렀지?

하영　이전에 없던 행동을 했어요. 특히, 신문에 불을 붙인 걸 보니 따로 인화 물질을 준비한 건 아니고. 기존 방화범들이 갖는 심리적 쾌감을 의도한 것도 아니에요.

영수　심리적 쾌감이 목적이었으면 불이 크게 나는 걸 눈으로 확인하고 갔겠지?

하영　(끄덕이며) 분명 예상치 못한 상황을 맞닥뜨린 거예요. 원치 않은 흔적을 없애려는 시도였을 거고요. (불이 붙은 주변을 살피며) 범인의 흔적이라든가.

인탁　(두 사람을 안방으로 안내하며) 여기도 보세요.

 # 안방

찌그러진 소형 금고가 바닥에 나동그라져 있고. 옆으로 내던져진 골프채도 놓여 있다.

하영　못 열었네요.

영수　모방범 아니야? 여태까진 금품에 저렇게 적극적이지 않았잖아.

인탁　(아니라는 듯 고개 저으며) 둔기가 같아요.

영수　삼각형?

인탁　(끄덕이며 다시 두 사람 밖으로 안내하는데)

하영 (잠시 찌그러진 금고를 주시하다가 나가는)

 # 거실

영수, 들것에 누워 있는 60대 여 시신의 머리 쪽 들춰보는데, 삼각형 자국이 남아 있다.

인탁 망치며 해머, 벽돌 뭐 이거저거 가져다 삼각형으로 찍히는지 실험해봤는데. 다 아녜요. 도무지 뭔지를 모르겠네.

영수 (보며) …설마 직접 만든 건 아니겠지?

인탁 (헐) 살해 도구를요?!

영수 이렇게까지 안 나오는 건…

하영 칼처럼 날카로운 흉기 대신 둔기를 택했다는 건… 범인의 분노를 보여주는 증겁니다.

인탁 하… 대체 뭐에 분노해야 일면식도 없는 사람들을 이렇게 잔인하게 죽일 수 있죠?

영수, 인탁에게 감식 장갑을 받아 끼고는 상처 부위 꼼꼼하게 확인하며 가격당한 위치와 개수[2]까지 파악하는데. 그때마다 수첩에 받아 적으며 보는 하영.

영수 (보다가) 도대체 이게 뭘까… 한쪽은 날카롭고, 한쪽은 뭉툭한…

그때, 감식반원 둘이 다가오면, 감식반원들에게 고개 끄덕이며 사인 주는 인탁. 그제야 들것에 실린 시신 이동하는 그 위로.

---

2 이전 사건들과 동일한 둔기 공격(삼각형 상흔의 둔기). 두부 이외에 안면 공격. 이마, 뒤통수부, 관자, 광대 부위 상처 총 7개.

하영na (그 모습 보며) 돈이 목적이 아니다. 원한에 의한 면식범의 범행도 아니다. 그렇다면 부유층의 힘없는 피해자들을 공격하게 한 범인의 분노는 무엇으로부터 비롯된 걸까.

22 ___ 지하철역 화장실 / 낮

검은 점퍼 차림으로 소변을 보는 구영춘. 버팔로 등산화 신고 있고, 바지에는 피가 잔뜩 묻어 있는데, 옆에 서 볼 일 보는 남자1 별 관심이 없고. 이어, 잠시 가방을 내려두고 세면대에서 피 묻은 바지를 휴지로 닦아내는데도, 옆에서 손을 씻는 남자2, 그 곁을 지나가는 남자3, 힐끔 보기만 할 뿐 무관심하게 지나친다.

23 ___ 거리 일각 / 저녁

도로 건물 위와 전봇대들 찬찬히 살피며 걷는 태구와 일영.

태구 확실해?

일영 어제저녁에 입고 나가려다 소파에 벗어두고 다른 걸로 갈아입었대요. 근데 생각해보니 아침에 집에 왔을 때 점퍼가 없었던 거 같다고.

태구 (건물 위쪽 살피며) 피해자가 다른 데로 옮긴 건 아니고?

일영 감식계장님한테 그거부터 봐달라고 두 번이나 확인했는데 없대요.

태구 흠… 돈이랑 금품은 두고 갔는데, 검은색 점퍼만 하나 훔쳐 갔다?

일영 아침에 갑자기 추웠잖아요. (CCTV 찾다가 아쉬워하며) 아 이럴 때마다 너무 아쉬워. 골목부터 쫙- 깔려 있었으면 벌써 잡았을지도 모르는데…

태구 (CCTV 찾으며) 올 초에 비해선 많이 늘었잖아.

일영 아예 없었을 땐 이런 생각도 안 들었는데… 없다가 좀 생겨서 더 아쉬운가 봐요.

태구 내년엔 중앙관제실도 생긴다고 하니까 점점 더 나아지겠지 (하다가)!, 저기 있다.

건물 입구에 설치된 CCTV 하나 발견하고, 두 사람 서둘러 건물 안으로 향하는.

24 ___ 건물 보안실 / 저녁

CCTV 확인 중인 태구와 일영인데, 화면 속의 사람들 대부분 까만색 외투 입고 있다.

일영 전부 까망이네. (하고 보는데 일영도 검은색 점퍼 입고 있는)

태구 그래 봐야 이 인근 오늘 하루 치야. 등산화 신은 놈으로 골라.

일영 아! 그러네. 큰 둔기도 들고 다녔으니까 가방까지 멘 놈으로 찾을게요.

태구 다 추려지면 남편한테 없어진 점퍼가 맞는지 확인하고.

일영 네. (하다가) 근데 팀에 알리면 안 돼요?

태구 유족은 아직 정신없는 상황이라 진술에 신빙성이 없다고 판단되면 순서가 한참 뒤로 밀릴지 몰라.

일영 그래도 같이 찾는 게 더 빠를 텐데.

태구 (고민하다가) 낮말은 새가 듣고, 밤말은 쥐가 듣는댔어. 기자들이 먼저 알면 확실하지도 않은 상황에 괜히 일만 더 커지니까 우선 우리끼리 확인해보고 결정하자.

일영 하… 김 계장님 오시고는 어떻게 일이 더 복잡해지는 기분이야…

25 ___ 기수대 회의실 / 저녁

봉식, 회의실 테이블에 두 다리 꼬아 올리고 앉아, 임무식과 통화 중이다.

봉식 (화이트보드에 한 번씩 눈길 주는) 아 거 임무식 기자님. 내가 정보 안 준 적 있어? 뭐라도 나오면 젤 먼저 알려줄 테니까- (하다가, 화이트보드 보며) 어?!

봉식, 벌떡 일어나 뭔가를 발견한 듯 화이트보드로 다가가면, 커다란 서울시 지도에 강을 사이에 두고 '수성동, 군곡동, 진중동, 황화동'의 각 동네 이름 표시돼 있고, 위치마다 빨간 동그라미 그려져 있다. 핸드폰 너머로, "왜요?! 그새 뭐 나왔어요?" 하는 임무식 목소리 들리고.

봉식 (기가 막힌 듯) 이야- 이놈 봐라? (하며) 내가 다시 전화할게! (하는데, 핸드폰 밖으로 잠깐만요! 김 계장님!! 하는 목소리 들리다가, 봉식이 전화 끊고 테이블에 두는)

회의실을 다급히 나가는 봉식. 테이블에 봉식의 핸드폰만 덩그러니 놓여 있다.

26 ___ 기수대장실 / 저녁

호들갑 떨며 들어오는 봉식.

봉식 이놈!!! 이거 그거 아니에요?!

길표 ??, 뭔데! 찾았어?!

봉식 들어보세요. (한 글자씩 또박또박) 수성, 군곡, 진중, 황화.

길표 ?

봉식 다 자음이 같잖아요.

길표 뭔 소리야. 알아듣게 얘기해.

봉식 (다시 또박또박) 수성, 군곡-

길표 (동시에 이어) 진중, 황화?

27 ___ 분석팀 / 저녁

화이트보드 옆 벽에 (씬25와 같은 내용) 커다란 서울시 지도 붙어 있다.
강남구에 수성동과 진중동, 종로구에 군곡동과 황화동이 빨갛게 동그라미 쳐져 있고, 사건이 발생한 순서로 번호를 매겨 연결선을 그어놓은.

하영 보세요. 모두 접근성이 좋은 위치입니다. 고급 주택가지만, 또 한편으론 대중교통으로 이동하기 쉬운 유흥가가 동시에 밀집해 있어요.

우주 그게 왜요?

하영 (지도 가리키며) 수사팀은 범행 반경은 넓은 데 반해 목격자가 없어서 범인의 차량 소유를 의심하고 있죠. 하지만 그 반대일 수도 있단 뜻이에요.

우주　!, 아- 대중교통을 이용한다?

영수　아까 인탁이가 잠바가 하나 없어진 것 같다고 했지?

하영　그게 사실이라면 후자에 더 힘을 실어주는 증겁니다.

영수　오늘 아침에 기온도 떨어졌으니까 차가 없는 놈이면 덧입을 옷도 필요하긴 했겠네.

하영　한 가지 더 추측해볼 수 있어요.

영수/우주 ??

하영　혈흔이 그대로 묻은 옷을 가려야 했을지도 모릅니다.

우주　(그 말에 찡그리다가) 만약에 그런 이유면, 오히려 목격자가 더 많아야 되는 거 아니에요? 대중교통까지 이용하는데?

하영　(생각하는) 설령 혈흔이 남은 옷을 입고 돌아다녔다 해도 직접적인 범행 장소가 아닌 이상 아무도 의식 못 했을 겁니다.

우주　아… 그렇겠네요. '내가 살인범이다' 하고 다니진 않을 테니까.

하영　(잠시) 게다가 사람들은 의외로 타인에게 관심이 없어요. (하는 데서)

/ins. 지하철 안

구영춘, 수상한 행색으로 손잡이 잡고 서서 바로 앞에 앉아 있는 30대 여성에게 시선 고정하며 가는데, 30대 여만 한 번씩 구영춘을 의식할 뿐, 주위 누구도 구영춘에게 눈길 주지 않는다. 승객들 저마다 고개 숙인 채, 눈을 감고 있거나 책을 보는 등의 제 할 일만 하는 중이고, 30대 여, 끝내 자리에서 먼저 일어나 내리는 문 앞에 가 선다.

하영e　자신과 관련이 없는 일일수록 더.

구영춘, 그 자리에 앉아 다시 주위의 승객들을 호기심 어린 눈으로 둘러보는 데서.

/다시 분석팀

영수 사람들의 무관심이 피 묻은 옷을 목격했더라도 의심하거나 인지하지 않았을 거라는 거지? 황대선이 얘기한 것처럼.

하영 (씁쓸하게) 아마도요.

세 사람, 더는 말을 잇지 않고, 그저 씁쓸한 표정으로 작은 한숨만 빠지는.

28 ___ 몽타주 / 저녁-밤

저마다 다른 골목, 다른 보안실에서 CCTV에 찍힌 검은 점퍼 차림의 남자를 찾는 태구와 일영의 모습 컷컷컷. 이어, 건물에서 나온 태구가 인탁에게 걸려온 전화를 받는.

29 ___ 기수대 회의실 / 밤

아무도 없는 테이블에 드르륵- 봉식의 핸드폰 진동 울리고,
보면 화면에 '감식계장 송인탁' 떠 있다. 이내 진동이 멈추는 데서.

30 ___ 분석팀 / 밤

영수, 하영, 우주, 여전히 회의 중인 그때, 영수의 핸드폰 울린다.

영수　(받으며) 어! 그래 알았어! 바로 팩스 보내줘. (끊고) 이제 저거 (한쪽에 쌓인 등산화들 보며) 그만 찾아도 되겠다.

우주　!!

하영　찾았습니까?!!

영수　응.

우주　어디 꺼래요?

영수　팩스 들어올 거야. (하고)

하영　일단 이거부터 정리해보죠. (화이트보드에 적으며) 차량을 소유하지 않았고, 260~265 정도의 발 사이즈를 가진 남성. 발 사이즈로 볼 때 체구는 그리 크지 않을- (적는데)

이내 팩스 들어오는 소리 들리고.
물결무늬가 새겨진 밑창에 황토색 등산화 사진이 천천히 찍혀 나오고 있다.

31 ___ 형사과장실 / 밤

준식을 설득하는 봉식과 아직 반신반의하는 얼굴로 서 있는 길표.

준식　… 이게 말이 되는 얘긴 겨?

봉식　왜 안 됩니까. 딱 맞잖아요. 지금 이거보다 더 신빙성 있는 단서 있어요?

길표/준식 흠… (고민하는데)

봉식　(자신 있게) 빨리 방배동에 경력 배치하시죠. 5번째는 막아야죠!

32 ___ 기수대 사무실 + 회의실 / 밤

 # 사무실

영수, 등산화 찍힌 용지(씬30) 들고 사무실 들어서면, 아무도 없고. 사무실 한쪽에서도 팩스 들어오는 소리가 들리는데 보면, 영수가 들고 있는 것과 똑같은 등산화가 인쇄되어 나오는 중이다.

 # 회의실

회의실 문을 열어보는 영수. 역시 아무도 없고, 봉식의 핸드폰만 덩그러니.

영수, 봉식의 핸드폰을 알아본 듯 챙겨 들고 다시 나가는 데서.

33 ___ 형사과장실 / 밤

노크와 동시에 영수가 문을 열고 들어오는데, 준식, 길표, 봉식 세 사람 모여 있다.

봉식, 영수를 보자마자 반기지 않는 내색 드러내는.

영수　여기들 계셨네. (하며) 이것 좀 보세요. (등산화 찍힌 용지 내밀면)

길표　찾았어?!

봉식　(그 말에 용지 휙 빼앗아 보는데)

영수　(길표 보며 설명하는) 등산화 상표 찾았어요.

봉식　(짜증스럽게) 왜 이걸 국 팀장이 갖고 있어요?

영수　삐딱하게 날을 세우고 싶으면, 본인 영역부터 잘 챙겨요. (봉식에게 핸드폰 건네며) 나도 번거로울 일 없게.

봉식　(인탁의 부재중을 확인하고도 마음에 안 드는) 감식계장 일 이상하게 하네.

영수 (지지 않고) 기수대 계장만 할라고요.

봉식 (!!, 심기 건드린) 뭐요?! (하는데)

그때 문이 벌컥 열리고, 다급히 들어서는 태구와 일영.
일영의 손에는 기수대 사무실 팩스(씬32) 들려 있고.

태구 찾았습니다!

일동 (보며) ?!

태구 (또 다른 복사 용지 들어 보이는데)

길표 (등산화인 줄) 한발 늦었- (어, 하려는데)

태구 CCTV에요. 용의자 뒷모습이 찍혔어요.

일동 !!!

34 ___ 기수대 회의실 / 밤

/황토색 등산화를 신고, 망치 가방 멘 검은 점퍼 차림의 구영춘.
주변을 두리번거리는 뒷모습 짧게 플레이되고.

준식, 길표, 태구, 일영, 봉식, 영수 외 기수대 1팀 모두 모인 회의실. 영상이 멈추면, 태구가 화이트보드에 붙은 서울시 지도 위에 구영춘 뒷모습 찍힌 복사지와 등산화 덧붙인다. (→ 영수 옆자리는 비어 있는)

준식 저걸로 뭘 어떡해야 하는 겨… 단서가 있어도 없어도 난감한 상황이네…

영수　(조용히 하영에게 온 답장 확인하면, '바로 갈게요' 적힌. 그 위로 영수가 보낸 문자 내용[3] 살짝 보인다)

길표　저거(뒷모습) 하나로 뭘 어쩌긴 어려우니까 (조심스레) 일단 방배동에 경력 배치하고, 같은 등산화 가진 놈들부터 싹 터는 건 어때요.

준식　(고민하는데)

태구　서울 시내 같은 브랜드, 같은 사이즈 등산화 구입한 사람 수도 없을 거예요. 현금으로 산 사람들은 추적조차 어렵고요.

봉식　동네부터 뒤져야지 호구 조사 하듯이.

일영　(회의 내용 수첩에 적다가) 발로 직접 뛰는 게 제일 정확하긴 하죠.

태구　동네라고 하기엔 아시다시피 범행 반경이 넓습니다.

일영　근데 방배동은 왜요?

길표　(긴가민가하는) 음… 다들 들어봐. 수성, 군곡, 진중, 황화.

일동　?? (무슨 소린가 싶은데)

봉식　(답답한 듯 말을 낚아채는) 자음이 같잖아. 시옷, 기억- (하는데)

다급히 회의실 들어서는 하영. 그 뒤로 우주가 따라 들어서는.

하영　공개수배 해야 합니다! (하며, 멈춰진 영상에 잠시 시선 향하고)

우주　(어색하게 들어오며 얼른 영수 옆에 앉고)

일동　(하영을 어리둥절하게 보는데)

봉식　뭔 개소리야.

하영　(재차) 공개수배 하시죠.

길표　(당황, 얼굴도 없는데) 저걸로 어떻게 공개수배를 해?

3　'빨리 회의실로 와. CCTV에 그놈 뒷모습 잡혔다!'

준식　(당황하며) 일단 왔으니까 앉어. 앉어서 차근히, 차근히 알아듣게 얘기해봐.

하영　(그대로 서서) 9시 뉴스에 대대적으로 보도되게 해야 합니다.

봉식　(비웃고) 미치겠다 증말.

일동　(말도 안 된다는 듯 보는데, 영수만 귀 기울이는)

길표　인적 사항도 몽타주도 없이 뒷모습 하나 달랑 들고 수배를 때리자고?

태구　뒷모습만으론 의미가 없어요. 들어오는 제보의 99%는 도움이 안 될 거고, 그러면 수사에 혼란만 가중돼요.

하영　벌써 네 번이나 살인을 저지른 놈입니다. 여기서 멈추지 않을 거예요. 그전에 막아야 합니다.

영수　(눈치 보며 거드는) 놈이 몸 사리는 동안 우린 시간을 벌 수 있어요.

하영　세 번째와 네 번째 범행 사이에 냉각기가 길어진 이유는- (하는데)

일영　?, 냉각기가 뭔데요?

우주　(얼른) 연쇄살인범들이 갖는 범행의 공백기 같은 거요.

일동　?… (이해가 안 되는데)

봉식　(훗) 어떻게 된 게 대가리부터 꽁지까지 하나같이 뜬구름만 잡아대.

영수　(봉식의 말 거슬리는데 참는)

하영　(상관 않고) 네 번째 범행까지 한 달이라는 시간이 걸린 이유는 언론 때문일 겁니다.

준식　언론이 왜?

하영　세 번째 사건까지는 심리적 냉각기가 점차 짧아졌습니다. 자신감이 생긴 거죠. 그러다 언론이 동일범이라는 의혹을 가졌고, 각 사건들을 주목하기 시작했어요. 범행에 자신감이 붙은 순간, 발각될까 잠시 망설인 겁니다. (잠시) 하지만 결국 다시 범행을 저질렀죠. 살인의 쾌감과 자신감이 발각의 두려움을 이겼다는 의미입니다.

길표 음… 또 일어날 거란 얘긴 거지?

하영 네. 망설였을 뿐, 멈추진 않았으니까요.

/ins. 고급 주택가 일대

다음 범행 지역을 고르듯, 고급 주택들과 주변의 CCTV 유무 살피며 기웃거리는 구영춘의 모습이 보인다.

/다시 회의실

태구 (하영의 말에 고민하는)

봉식 그 정도는 우리도 파악해. 혼자 잘난 척하지 마.

하영 (무시하고) 추가 범행을 저질러도 아마 쉽게 잡히지 않을 겁니다.

봉식 (훗, 작게) 건방진 새끼.

준식 (보다 못해) 김봉식 계장. 경청하는 자세부터 알려줘야 하는 겨?

봉식 (무안한)

하영 어느 정도 자신의 범행과 수사 상황을 인지하는 자예요.

일동 (다들 설득이 되는지 고민하는데)

봉식 (분위기 보더니) 설마, 저 말 같지도 않은 의견을, 듣고 있는 거 아니죠?

하영 (더 단호하게) 범인도 어디에선가 보도를 볼 겁니다. 언론을 주시하는 자니까요.

태구 그러니까 '네가 노출될 수 있다는' 일종의 경고를 하자는 얘기에요?

하영 (끄덕이며) 현재로선 다음 범행을 막을 수 있는 유일한 방법입니다.

준식 (고민하듯 혼잣말) 다음 범행을 막는다…

하영의 말에 어느새 다들 설득되는 분위기인데. 봉식만 짜증스러운 얼굴.

35 ___ 서울지방경찰청 건물 앞 + 주차장 / 밤

차로 향하는 하영, 영수, 우주.

영수　그래도 진전이 있다고 봐야 하는 거겠지?
하영　(말이 없는데)
우주　(여전히 고민하는 하영의 표정을 읽은)

/ins. 우주의 회상. 서울지방경찰청 건물 앞
영수의 문자에 다급히 안으로 향하는 하영과 우주인데, 하영이 잠시 걸음을 멈춘다.

우주　(가다가) 뭐 두고 오셨어요? 제가 얼른 가져올까요?
하영　(도리질하며) 아뇨. 잠시만. (생각하는)
우주　(?, 보기만)
하영　얼굴이 찍힌 게 아니라 뒷모습인데.
우주　그렇죠.
하영　(혼잣말하듯) 공개수배를 내리는 게 맞는 걸까요. (고민 어린 모습에서)

/다시 주차장
우주　(힘내라는) 등산화도 찾았고, 뒷모습이라도 건졌으니까 잡힐 거예요. 이렇게 다 같이 애쓰는데, 지가 안 잡히고 배겨?

세 사람, 주차장에 다다르고. 이내 하영의 차 앞.

우주 (하영의 뒷자리 상황 눈치챈) 저는 들어가겠습니다.

영수 왜? 같이 타고 가지.

우주 아녜요. 저 아직 버스 있어요.

하영 (뒷좌석 보며 괜히 미안한) 옆으로 밀고 타면 돼요. 내려줄게요.

우주 아녜요. 방향도 다른데, 전 버스가 더 편합니다.

영수 그래. 뭐, 1분 1초라도 빨리 헤어지고 싶은 마음 이해해. (우주, 웃으면) 내일 보자.

우주가 인사하고 가면, 하영의 차에 오르는 영수와 하영.

36 ___ 기수대 회의실 / 밤

봉식과 태구만 남아 있는 회의실.

봉식 진짜로 공개수배가 말이 된다고 생각하는 거냐?

태구 안 될 건 뭐죠.

봉식 (화이트보드에 붙은 뒷모습 가리키며) 달랑 저걸로?

태구 경청하는 법 진짜 다시 배우셔야겠는데요.

봉식 뭐?!

태구 다음 범행을 막기 위한 일종의 경고로 활용하자는 의미, 다들 파악한 줄 알았는데. 아니었군요.

봉식 (헛웃음) 경고? 경찰이 무슨 선도부야?

태구 이해도가 딸리면 그냥 다수의 의견을 따르시는 것도 방법입니다. (하며 나가려는데)

봉식 !, 야!!

태구 (보면)

봉식 이게 이쁘다 이쁘다 하니까 윗사람을 물로 보는-

태구 (OL) 저 제발 이쁘게 안 봐주시면 좋겠습니다. 진짜 그 성격 너무나 한결같아서 오래 사시겠어요.

봉식 (괘씸한) 뭐라고?

태구 엄연한 동료 형사를 여전히 여자로 보는 좁고, 얕고, 편협한 데다 유치하기까지 한 그 시각이요.

봉식 아, 얘마저도 오늘 내 심기를 건드리네.

태구 본인이 여러 사람 심기 건드리는 건 괜찮고요?

봉식 이게 진짜! (손찌검하려는 듯 손 올리는데!)

태구 (눈 하나 깜짝 않고)

봉식 (멈추고는) 봤지? 니가 여자가 아니었으면, 이미 귀싸대기 날라갔어. 니가 여자니까 참는- (거야, 하려는 그때!!)

태구! 봉식의 뺨을 날리는!! 봉식, 너무 황당해서 할 말을 잃었고.

태구 (뭔가 개운한 듯 한숨 내쉬더니, 침착하게) 지난날의 회답입니다. 앙금, 없는 줄 알았는데 아직 있었나 봐요. (잠시 빤히 응시해주다가 나가버리는데)

봉식 (기막힌 듯, 발길 안 떨어지고 소리만 치는) 야! 윤태구!!! 여자로 보이기 싫으면 피해자 생각한답시고 기른 그 머리나 잘라!!!

37 ___ 기수대 복도 + 사무실 / 밤

복도를 걸으며 보란 듯 머리 더 질끈 말아 올리는 태구. 담담한 얼굴로 족적이 찍힌 용지와 구영춘의 뒷모습이 찍힌 용지 챙겨 사무실 나서는 모습에서.

38 ___ 달리는 버스 안 / 밤

버스 앞 유리에 '막차' 팻말 놓인 버스. 창가에 앉은 우주가 창밖만 보며 가다가 문득, "사람들은 의외로 타인에게 관심이 없어요" 하던 하영의 말이 떠올라 버스 안 승객들을 둘러본다. 몇 안 되는 승객들, 졸거나 우주처럼 창밖만 보며 가는.

39 ___ 하영의 차 안 (도로) / 밤

여전히 뒷좌석엔 자료들 쌓여 있는데, 그 사이에 넓적한 선물상자 하나 보이고, 콘솔에는 보온병이 그대로 놓여 있다. 하영과 영수, 둘 다 진지한 얼굴.

영수 … 밀어붙이긴 했는데. 공개수배가 정말 효과 있을까? 놈이 숨어버리면 더 찾기 어려워지는 거잖아.

하영 … 다음 피해자가 나오지 않도록 하는 게 더 중요할 거 같아요.

영수 그래. 그렇겠지…

영수, 집 앞에 도착해 내리려는데,

하영 (뒤늦게 보온병 보는) 팀장님.

영수 (내리려다 보면)

하영 (보온병 건네며) 아침에 어머니가 챙겨주신 건데, 종일 잊고 있었어요. 죄송해요.

영수 ? 이게 뭔데 죄송까지 해?

하영 (뒤에 있던 선물상자도 건네며) 이건 제 선물이에요. 생일 축하드려요.

영수 누구? 나? 오늘이 며칠- (하다가, 멈칫) 이 나이에 닭살스럽게 무슨. 아무튼 고마워.우리 같은 직업 범행 날짜나 달달 외울 줄 알지, 이런 건 또 머리에 없는데. 어머니께도 감사하다고 꼭 전해드리고.

하영 네. 들어가세요. (하고, 다시 출발하면)

하영에게 받은 선물상자와 보온병 들고, 터덜터덜 집으로 향하는 영수.

40 ___ 영수의 집 거실 / 밤

여전히 자료들 어수선하게 널려 있는 거실. 불을 켠 영수가 선물상자 열어보는데, 하얀색 와이셔츠가 들어 있다. 영수 기분 좋은 미소 지으며 내려두고, 보온병 뚜껑 열어보는데, 아직 김이 모락모락 오르는 미역국 들어 있는. 영수, 잠시 허탈하게 웃으며 시계를 보면, 밤 11시 48분.

영수 아직 안 지났네. (하며 천천히 뚜껑에 미역국을 따라서 마시려는 그때)

띠띠띠띠- 비밀번호 누르는 소리 이어진다.
영수, 놀라서 현관 보는데, 문이 열리면서 영수의 아내와 딸 둘

(14세/9세)이 신발을 벗고 들어서며 동시에 "아빠! 여보! 생일 축하해요!" 하고 영수를 반긴다.

영수 (방금 전과 달리 표정 밝아지며) 말도 없이 웬일이야. (안아주려고 두 팔 벌리는데)

거실에 들어선 세 사람, 벽과 바닥에 잔뜩 붙어 있고 널려 있는 사체 사진들을 보고는 사색이 된 얼굴로 멈춰 서 있다. 영수, 순간 놀라며 자료들을 떼고 치우기 바쁜데. 아이들, 그제야 공포를 실감했는지 울음을 터뜨리기 시작하는 모습에서… 영수 처는 애들 감싸 안고, 영수는 그 곁에서 당황한 채 허겁지겁 자료들 치우는 모습 슬로.

41 ___ 영수의 집 앞 / 밤

아무 일 없는 듯 조명들 반짝이는 먼발치 어딘가를 멍하게 보며, 한 손으로 라이터 휠 돌려대고, 불씨 없는 담배 입에 물었다 뗐다 반복하는 영수. 담배에 불을 붙이려다가 다시 멈추고 한숨만 쉬는데. 그렇게 한참 허공을 응시하다가 이내 안으로 들어가는.

42 ___ 영수의 집 애들 방 + 안방 / 밤

 # 애들 방

영수, 어느새 곤히 잠든 아이들을 보며 머리를 쓰다듬고 방을 나간다.

 # 안방

침대에 기대앉은 영수 처. 미안하고 안쓰러운 얼굴로 영수를 보는.

영수 처　괜히 서프라이즈한다고… 내가 생각이 짧았어. 진즉에 말하고 올걸.

영수　(옆에 누우며) 아냐. 집에까지 일거리 들고 온 내 실수지. 당신 아니었으면 혼자라고 착각할 뻔했다 내가.

영수 처　당신이 왜 혼자야.

영수　(이마에 뽀뽀해주며) 그러니까. (하다가) 오늘 너무 정신이 없어서… 당신 부재중 전화 봤으면서도 계속 미뤘네.

영수 처　일주일밖에 못 있지만, 있는 동안은 매일 아침 같이 먹자. (보다가) 많이 힘들겠다 당신. (영수 손 꼭 잡아주고 나지막이) 좀 지났지만, 생일 축하해. 영수 씨.

영수　(웃으며) 사랑합니다. 나의 미연 씨. (/씬4의 영수 핸드폰에 '나의 미연')

영수, 아내를 품에 안고. 눈을 감는 두 사람의 모습에서.

43 ___ 하영의 방 / 새벽

십자고상 아래로 비치는 어스름한 창밖. 고요함 속에 귀뚜라미 울음소리 들리고.
하영은 잠이 안 오는 듯 양손을 머리에 괴고 누워 천장만 바라보고 있다. 그 위로, '인적 사항도 몽타주도 없이 뒷모습 하나 달랑 들고 수배를 때리자고?'(씬34) '뒷모습만으론 의미가 없어요. 들어오는 제보의 99%는 도움이 안 될 거고, 그러면 수사에 혼란만 가중돼요.'(씬34) '공개수배가 정말 효과 있을까? 놈이 숨어버리면 더 찾기 어려워지는 거잖아.'(씬39) 하던 말들 떠올리는 하영.

하영na 맞는 결정이었을까.

44 ___ 태구의 집 마당 / 새벽

어스름한 새벽. 운동복 차림의 태구가 머리를 올려 묶으며 현관을 나선다.
마당[4]에서 잠시 자신의 모습을 대변하듯 운동화 끈 꽉 동여 묶는 모습에서.

45 ___ 동네 뒷산 / 새벽 - 아침

흐트러짐 하나 없는 표정으로 가쁜 숨 내쉬며 달리는 태구.

46 ___ 인쇄소 / 새벽

바쁘게 돌아가는 인쇄소 기계 소리 들리면서!
검은 점퍼 입은 구영춘의 뒷모습과 등산화 사진이 찍힌 전단들

4 마당 한쪽에 오랫동안 뜯지 않은 낡고 큰 택배 박스(흔들의자 박스)가 보이는.

반복되어 인쇄되는!

47 ___ 인쇄소 앞 / 새벽

트럭에 차곡차곡 실리는 구영춘의 공개수배 전단 묶음들. 이내 트럭 출발하는 데서.

48 ___ 몽타주 / 이른 아침

전국 경찰서 내에 붙여지는 공개수배 전단들 컷컷컷!

49 ___ 기수대 사무실 / 이른 아침

바쁘게 돌아가는 사무실. 저만치 한쪽에 전단을 붙이는 일영이 보이고, 자리에 앉아 모든 상황이 못마땅한 듯 지켜보며 "수사에 혼선만 더 가중되는 건 아닌가 모르겠네" 하는 봉식. 그때 전화벨이 하나씩 울리기 시작하더니, 이내 벨 소리 잦아지고. 저마다 "김 기자님, 그게 전부라니까. 우리도 다른 거 없어요" "오늘 아침 뉴스부터 공개수배 나갈-" "황화동 사건에서 찍힌 뒷모습-" 등등 말이 시끄럽게 오가기 시작하는데. 태구가 상황을 지켜보다가 큰 목소리 낸다.

태구　　잠시만요!

모두 전화기 한쪽 막으며 태구에게 주목하는.

태구 앞으로 전화가 계속 울릴 겁니다. 더 정신없겠지만, 어떤 전화도 허투루 받지 말고, 조금이라도 의심스러우면 저희에게 전달 부탁드립니다. 기자들의 전화보다 제보 전화가 우선이라는 사실 기억해주시고요. (전달된 듯하면) 대답은 생략해도 좋습니다.

일동, 고개 끄덕이며 다시 통화 이어가고. 강단 있는 태구의 모습에서.
봉식, '제법이네' 혼잣말하며 태구를 지켜보기만.

50 ___ 영수의 집 부엌 + 거실 / 이른 아침

아침부터 진수성찬 차려진 식탁. 아이들 먼저 앉아서 영수가 자리에 앉길 기다리며 돌아보는데. 영수, 거실에서 TV 리모컨 쥔 채 그대로 서서 일부러 음소거시킨 공개수배 뉴스 보고 있다. 뉴스에 집중하고 있는 영수를 주방에서 안쓰럽게 바라만 보는 영수 처.

51 ___ 도심 교차로 / 이른 아침

횡단보도 신호 파란불로 바뀌고, 하영의 차도 신호 앞에 멈춘다. 사람들 건너기 시작하는 그때, 건물 전광판에 '제보 바랍니다' 글자와 함께 구영춘의 뒷모습이 크게 뜨고. 누군가 "엇! 저거 봐. 현상금이 오천만 원이야" 하며 전광판 가리키면, 사람들 일제히 화면을 바라보는 데서, 하영도 차창 밖의 전광판을 보는.

앵커e 서울 노인 연쇄살인 사건의 용의자 윤곽이 서서히 드러나고 있습니다.

52 ___ 구영춘의 단칸방 / 아침

앵커e 황화동 현장 부근의 한 CCTV에 범인으로 추정되는 30대 남자의 모습이 찍혔습니다- /부유층 노인 연쇄살인 용의자에게 5천만 원의 최고 현상금이 걸린-

구영춘의 뒷모습 찍힌 공개수배 전단이 TV 화면에 가득 잡힌다. 자신이 찍힌 모습을 보며 앉아 있는 구영춘. 채널을 이리저리 돌려보는데, 아침 뉴스마다 전부 공개수배 전단을 집중적으로 띄우고 있다

53 ___ 기수대 사무실 / 낮

태구의 말대로 사무실에도 끊임없이 전화벨 소리 이어지는 중이고, 일영, 태구, 봉식 외 자리에 있는 다른 형사들도 온통 제보 전화를 받으며 메모하느라 정신이 없는데.
한 번씩 '뭔 짓이야 이게' 하는 볼멘소리들 나오는.

54 ___ 형사과장실 / 낮

준식, 길표 걱정스러운 얼굴로 소파에 앉아 있고. 테이블엔 공개

수배 전단 놓여 있다.

길표 청장님 난리 난리인 거 밤새 간신히 설득은 해놨대도, 이거 성과 없으면 그땐 우리 다 어떻게 되는 거예요?

준식 어차피 엎질러진 물이여. 미리부터 겁먹지 말고 지켜봐야 안 혀?

길표 덕분에 언론도 눈을 부라리고 지켜보게 생겼잖아요. 하…

준식 아니 왜 이러는 겨. 갑자기 후회되는 겨?

길표 (한숨 푹) 후회라기보다…

준식 방법이 없잖여. 그걸루라도 그눔시키 잡으면 좋지만, 막는 게 더 중요한 것도 맞어.

길표 … 그래 뭐, 까짓거 내 모가지는 잘리면 그뿐이다!

55 ___ 황화동 거리 일각 / 낮

구영춘의 공개수배 전단을 들고 있는 최 기자. 여전히 백팩과 카메라 메고 골목골목을 다니며 구영춘의 뒷모습이 찍힌 CCTV 위치를 찾는 중인데. 마침내 같은 장소를 발견한 최 기자가 구영춘이 찍힌 그 자리에서 CCTV를 올려다본다. 그때 저만치 같은 장소에 도착한 하영.

최 기자 (주변을 살피며) 저 앞은 큰길 하나. CCTV에 찍힌 것도 달랑 이거 하나. (하다가, 공개수배 전단 다시 보며 의아한) 신기하네. 용의자 얼굴도 없이 공개수배를 내렸어…?

최 기자, 껑충껑충 뛰어 카메라를 보기도 하고, 구영춘의 뒷모습 흉내 내 걸어보기도 하는데. 답답한지 주머니에 있던 초콜릿 꺼내 입에 까 넣고는 카메라 들어 주변을 몇 장 찍는 데서 하영이가 포커스에 걸리는.

최 기자 (뷰파인더와 하영을 번갈아 보며) 어?!

하영 (최 기자를 알아본 듯 보는)

최 기자 (다가가며) 강남서? 종로서? 아닌데…

하영 (대답 않고, 주변을 살피기만)

최 기자 형사 맞죠? (하다가) 아, 서울지청이겠네! 《팩트 투데이》 최윤지 기잡니다. (빠르게 명함 건네는데)

하영 (받지 않고, CCTV 달린 건물 올려다보며) 있습니다. 명함.

최 기자 어? 그쵸? 우리 전에 만난 적 있죠?! (하다가 생각난 듯) !!, 여관 앞에서!! 내 핸드폰 뺏어간 경찰! 맞네! 그분이네! 와- 생각났어. 내 기억력 대견하다. (하다가) 이것도 인연인데 잠깐 시간 내주시면 안 돼요?

하영 (그제야 최 기자 보는)

최 기자 (CCTV 가리키며) 궁금한 게 많거든요. 이상한 건 더 많고.

하영 (돌아서 가는) 이런 현장에 혼자 다니는 거 위험합니다.

최 기자 (따라가며) 저기요! 형사님! 연락처 안 주실 거면 성함이라도 알려주세요!

하영, 대답 없이 차에 타고, 출발하는데.

최 기자 저기요!! (하다가, 멀어지는 하영의 차를 보는 데서 떠오른 듯) 어? 저 차…?

56 ＿ 버거 가게 / 낮

창가에 나란히 앉은 우주와 최 기자인데. 최 기자, 왠지 괜히 피식 피식 웃고 있다.

우주 뭐 재밌는 일 있냐?

최 기자 아냐. (대충 햄버거 종이 벗겨 베어 물고) 왜 말 안 했어? 오늘 공개수배 때린 거.

우주 (케첩부터 꼼꼼하게 짜놓는) 내가 다 말해야 돼?

최 기자 (짜놓은 케첩에 감자 3개 집어 푹 찍고) 와- 실망이네 정우주.

우주, 그러거나 말거나 햄버거 종이 곱게 벗기는데, 최 기자가 또 감자 3개씩 집어서 케첩 듬뿍 찍는다. 벌써 반이나 없어진 케첩. 우주 그런 최 기자를 황당하게 보는.

최 기자 우정 얄팍해지지 않게, 항시, 긴장하라고.

우주 말했으면 단독 치게?

최 기자 공개수배 전단도 없이 단독을 어떻게 쳐. 우정도 테스트나 하는 거지. (또 감자 3개 집어 들고 케첩 찍으려는데)

우주 (손을 탁 내리치고, 고갯짓하며) 니 꺼, 니가 짜라.

최 기자 와, 우정 종잇장 되는 거 한순간이네.

우주 (창밖 보며 햄버거 먹는) 우리 팀 지금 얼마나 정신이 없는 줄 알아? 여기까지 나와서 너랑 점심 먹어주는 거 그 종잇장 우정 덕분에 가능한 거야.

최 기자 감개무량하네.

우주 (감자 한 개 들고, 최 기자 앞에 대신 케첩 짜주며) 그래서 본론이 뭔데.

최 기자 공개수배 의견 누가 낸 거야? 나 그 형사님 만나게 해줘.

우주 (보며) 니가 송 경위님을 왜?

최 기자 오- 송 경위. (하며 적어두는) 아는 사이면 나 연결해주라.

우주 (뜨끔) 어차피 안 만나주실 거야.

최 기자 무슨 생각인지 알아야 기사를 쓸 거 아냐. (전단 꺼내 올리며) 이상하잖아. 얼굴 없는 공개수배 전단 처음 봐 나는. 사진이 없으면 몽타주라도 넣는 게 정상 아니냐?

우주 (괜히 먹으며) 내가 어떻게 알아. 난 그저 통계분석관이다.

최 기자 (갸웃갸웃) 시커먼 뒷모습 하나로 모험을 한 이유가 있을 텐데. 이거 여차하면 찾기는커녕 꽁꽁 숨어버릴 수도 있는 거잖아.

우주 (시간 확인하며 먹다 말고 일어서는) 나, 가야겠다.

최 기자 뭐야. 다 먹지도 않았으면서.

우주가 서둘러 나가면, 어이없이 우주의 뒷모습을 보다가
공개수배 전단에 있는 기수대 번호로 전화하는 최 기자.

/ins. 기수대 사무실

여전히 울려대는 전화벨 소리들. 그때, 직원 하나가 전화를 받는다.

최 기자 송 경위님 좀 부탁드립니다. (/누구요?) 송 경위님이요. (/그런 분 안 계세요. 하고 바쁜 듯 뚝 끊어버리는) 뭐야… 잘못 들었나…?

57 ___ 서울지방경찰청 외경 / 저녁

여전히 울려대는 전화벨 소리.

58 ___ 기수대장실 / 저녁

사무실 들어오는 길표. 책상에 종류별로 쌓여 있는 신문 뒤늦게 하나씩 확인하다가,《대한일보》 집어 들고 보며,

길표 아! 김봉식이 이거 진짜! (하고 신문 툭 내려두는데)

《대한일보》 10월 31일 금요일 자 신문 헤드라인에 「자음 반복 노린 연쇄살인범의 살인 게임?!」 적혀 있고, '임무식 사회부 기자' 박힌.

59 ___ 방배동 일대 / 저녁

길표e 혹시 모르니까 방배동[5] 일대도 순찰 강화합시다.

동네 골목에 주차된 차량마다 플래시 비추며 번호판과 차량 소유주 확인하는 봉식, 태구, 일영과 경찰들.

60 ___ 팩트 투데이 사무실 / 저녁

노트북으로 기사 작성 중인 최 기자. 보면, '황화동 골목에서 목격된 연쇄살인범의 뒷모습' 적혀 있는데. 써놓은 글이 마음에 안 드

5 강남 일대 고급 주택가가 있는 자음 반복 동네.

는지, 고민 가득한 표정으로 멀뚱히 보고만 있다. 노트북 화면 위로 커서만 깜빡일 뿐 내용을 이어가지 못하는 최 기자.
이내 한숨 크게 내쉬고 결심한 듯 다시, '얼굴 없는 연쇄살인 용의자 공개수배 내린 경찰의 대범한 결단!' 쓰다가… 결국 또다시 멈춘다. 최 기자, 답답한 듯 머리를 털고 Delete키 길게 눌러 써 내려간 걸 모두 지우는 데서.

61 __ 분석팀 / 저녁

집에서 가져온 자료들(씬40)을 우주와 함께 사무실에 붙여 넣는 영수. 하영은 크게 출력한 서울시 지도를 들고 들어오는.

영수 지도는 왜 또?
하영 현장에 들고 다니면서 볼 수 있게 '프로파일링 현장 지도' 하나 만들어보려고요.

테이블에 지도 펼쳐 투명 비닐 커버 씌우고, 4건의 범죄 발생 위치를 표시하는 하영. 영수와 우주, 그 모습을 지켜보는 중이고.

하영 (우주 보며) 각 위치의 주요 버스 노선, 지하철 노선, 범행 시간, 당일 날씨까지 다 체크 부탁해요.
우주 (빠릿하게 움직이며) 네.
영수 그렇게까지 다?
하영 분명 현장에 답이 있을 겁니다. (하는 데서)

62 ___ 황화동 고급 주택 앞 + 골목 / 아침

태구, 일영, 대문을 나서며 차에 오르고 출발하는데, 그 옆으로 하영의 차가 스친다. 미처 못 보고 지나쳤다가 저만치 하영의 차가 멀어지고 나서야, 긴가민가 다시 돌아보는 태구의 모습에서.

하영, 대문 앞에 서서 완성된 프로파일링 현장 지도 들고 이층집을 올려다보고 있다.
손목시계를 보면, 오전 10시.

하영na 4건 모두 노인과 여성만 집 안에 남아 있을 가능성이 높은 오전 10시에서 오후 2시 사이에 범행이 일어났다. (하며 대문 안으로 들어서는)

63 ___ 하영의 방 / 아침

영신, 잘 개어둔 빨래들 포개어 내려두고 나가려다가 바닥에 떨어져 있는 몽당연필 발견하고. 주워서 책상 위 몽당연필만 모아둔 통에 담아두는데, 마우스가 건드려져 모니터가 환하게 켜진다. 그 바람에 바탕화면에 깔아둔 둔기 피살된 피해자들 사진이 주르륵 뜨고! 처참한 모습의 사진들을 본 영신, 놀라 주저앉는다.

64 ___ 황화동 거실. 하영의 상상 / 아침 (씬62에 이어지는)

그을린 천장을 올려다보는 하영. 검은색 점퍼 걸쳐져 있는 소파로 시선을 돌리면, TV 보는 피해자(윤정윤)의 뒷모습이 나타난다. 이어, 다시 현관 앞으로 시선을 돌리면, 손에 둔기 들고 피해자를 지켜보는 범인의 실루엣 보이고. (→ 얼굴 보이지 않게)
하영, 범인을 응시하면 성큼성큼 피해자에게 다가가며 쇠망치를 치켜드는 범인!
그 순간! 고개를 돌려 하영을 바라보는 피해자의 처연한 표정에서… 피해자의 모습이 부서지듯 훅- 사라진다. 잠시 멍하게 서서 엄지손가락을 꾹 누르는 하영.

65 __ 하영의 방 / 아침

영신, 가슴을 쓸어내리며 조심스럽게 하영의 바탕화면에 띄워둔 사체 사진들 하나씩 닫아 내리는데, 그 아래 띄워둔 (사체 아닌) 다른 사람들의 사진이 보이기 시작한다. 이내, 사체 사진 모두 닫으면, 바탕화면에 띄워둔 피해자들 생전 사진이 보이는데. 영신 그들이 누군가 가만히 들여다보면, 사진마다 사건 장소와 피해자의 이름[6]이 적혀 있다. 잠시 그 사진들을 경건하게 바라보는 영신의 모습에서.

영신e 극악한 범죄로 희생된 피해자와 유가족들의-

66 __ 성당 안 / 낮

6 수성동 한석훈, 수성동 양경희, 군곡동 송영철, 군곡동 이금순, 군곡동 송희정, 진중동 권현숙, 진중동 이지화, 황화동 윤정윤.

성당에 앉아 기도하는 영신.

영신 상처 입은 몸과 마음, 가정의 아픔을 극복할 수 있게 하시옵고, 주님의 희망 아래 모든 이들이 힘을 내어 마음을 굳세게 가질 수 있도록 도와주소서.

67 ___ 분석팀 / 낮

(미완성의) 프로파일링 보고서를 작성하고 있는 하영의 모습에서.

영신e 고통 중에 있는 이들의 마음을 위로와 평화로 채워주소서. 무고하게 희생당한 이들을 기억하시고 구원하여주소서.

68 ___ 서울지방경찰청 외경 / 낮

앵커e 부유층 노인을 노린 연쇄살인 용의자의 뒷모습이 찍힌 사진으로 전국에 공개수배가 내려진 지 한 달이 지났지만, 여전히-

69 ___ 서울지방경찰청 기자실 / 낮

임무식을 포함한 캡들 앞에 난감한 얼굴로 서 있는 길표와 봉식.

캡1 벌써 한 달이 지났는데 아직까지 쓸 만한 제보가 없는 겁니까?
임무식 단서라도 공개해주시죠.

길표　다행히 다른 피해자가 안 나왔고, 경찰들이 백방으로 뛰고 있습니다.

임무식　수사 상황을 공유해주셔야 저희도 기사를 쓰지 않겠습니까.

임무식을 거슬리는 듯 보는 봉식. 길표도 심기 불편한 얼굴이다.

70 ___ 분석팀 / 낮

영수 집에 늘어놨던 사건 사진과 자료들(씬40의), 황화동 사건의 현장 사진들, 구영춘의 뒷모습 사진과 등산화 사진들이 한쪽 벽을 꽉 채우고 있는 (→ 문을 열고 들어오면 바로 보이는) 사무실. 가운데 전기난로 켜져 있고. 영수와 우주, 난로 옆에서 하영이 건넨 '프로파일링 보고서'[7] 읽고 있다.

영수　(보며) 지금은 건넬 타이밍이 아닌 거 같은데.

하영　단서가 없으니 범인의 행동을 최대한 더 많이 살피며 분석할 필요가 있어요.

7　**프로파일링 보고서**
*수사 대상자
- 정신분열, 성격장애자(경계선장애, 충동조절장애, 반사회성, 분열성 또는 공격 성향이 강한 장애 중점 확인)
- 범행을 실행할 정도의 장애라면 가족 관계에서도 문제가 발생했을 가능성이 높고, 병원에서 치료 및 검사를 받았을 가능성이 큼

*용의자 분석
- 금품을 강취하고자 하는 노력이 낮다. 금품 강취 수법보다는 범행이 진행되면서 폭력성이 높아지는 경향을 보임
- 방어 흔적이 없는 것으로 보아, 피해자 조우와 동시에 살인 실행
- 범인의 상태는 정신지체, 정신분열로 보기에는 범행 장소와 시간대 등 범행 계획이 체계적임. 따라서 공격적 성향을 가진 성격장애에 대한 중점 수사 대상 선정 필요

71 ___ 기수대 회의실 / 낮

준식, 길표, 태구, 일영, 영수, 하영, 우주 외 기수대 1팀 모두 모인 회의실. 봉식만 자리에 없고, 다들 프로파일링 보고서 하나씩 들고 읽는 중이다.

준식 (보며) 금품 '강취' 노력이 '낮음'은 뭐여?

하영 황화동의 경우 금고를 열려는 시도가 있었습니다. (/씬21. 바닥에 나동그라져 있는 찌그러진 소형 금고) 금품 강취가 목적이었다면, 피해자에게 금고문을 먼저 열게 한 후에 살해했어야 타당한데, 그 반대였죠.

일동 (이해한 듯 끄덕이고)

일영 (읽으며) '범행을 실행할 정도의 장애라면 가족 관계에서도 문제가 발생했을 가능성이 높고'. (분위기 보며 의아한 듯) 가족 관계에 문제 있는 걸 어떻게 확인해요?

하영 이 정도 분노가 있는 자라면, 일상생활 중에도 참지 못하고 화를 표출했을 겁니다.

길표 집집마다 설문 조사 할 순 없잖아. 화가 많은 가족 구성원 있냐고 물을 것도 아니고.

준식 근데 김봉식 계장은 어디 갔어?

일영 (머뭇대다가) 아까 사우나 가신댔는데…

길표 (한숨 쉬며 도리질) 그놈에 사우나.

태구 (상관 않고 보고서 읽는) '범인의 상태는 정신지체, 정신분열로 보기에는 범행 장소와 시간대 등 범행 계획이 체계적임. 따라서 공격적 성향을 가진 성격장애에 대한 중점 수사 대상 선정 필요'. 이 구절은 잘 이해가 안 되는데, 정신지체나 분열과 성격장애를 달리 구분하는 이유가 뭐죠?

하영 성격장애는 강박성, 의존성, 회피성, 반사회성 같은 하나의 특징이 극단적으로 나타나거나 변형된 질환입니다. 대부분 대수롭지 않게 여기기 때문에 병원 치료에 적극적이지 않아요.

태구 진료 기록이 없을 수도 있다는 의민가요?

하영 네. 진료를 받았다 해도 지속적이진 않았을 거고, 폐쇄병동 같은 곳에 갈 확률은 지극히 낮습니다.

길표 정신지체나 정신분열 아닌 거 확실해?

영수 그런 환자의 경우는 계획적으로 범죄를 저지르기 힘들어요. 이번 사건 현장들은 깔끔하게 정리돼 있고, 목격자도 없잖아요.

우주 맞네, 조현길도 정신질환은 아니었죠?

준식 그러네. 조현길이 때도 언론에서는 정신병자라고 떠들었잖여.

태구 (고심하는) 결국 추측에 가까운 이야기들인데. 그렇다고 조사할 만한 어떤 단서가 제시된 것도 아니고, 이걸로 수사팀 전체가 움직일 순 없어요.

기수대팀원들, 태구의 말에 더 이상 반박하지 못하고.
영수, 하영, 우주, 허탈한 듯 맥이 빠지는 모습에서.

72 몽타주

- 여기저기 캐럴과 함께 구세군 자선냄비 종소리 들리는 거리를 지나는 하영. 프로파일링 지도에 표시된 지하철 노선을 확인하고는 황화동 지하철역(황화역) 계단을 내려가는데, 저만치 태구와 일영이 그 모습을 보는.
- 동네 탐문 하는 두꺼운 옷차림의 태구와 일영. 둘 다 수첩을 들고, 단서가 될 만한 건 뭐든 받아 적을 기세로 인근 PC방을 다

니며 수상한 사람은 없었는지 묻는, 다들 모르겠다는 듯 고개 저을 뿐인. 태구와 일영, 허탈하게 가게 나서는 데서 프로파일링 지도 펼쳐 들고 있는 하영과 영수 마주치고, 네 사람 어색하게 인사하는.

- 하영과 태구의 차만 달랑 남아 있는 텅 빈 주차장. 하영이 차에 올라타며 빠져나가는데, 그때 태구가 그 모습을 보는. 이어, 태구도 차에 오르고 시동을 걸면, 라디오에서 댕! 하고 울리는 보신각 종소리 들린다.

73 ___ 버스정류장 / 낮

하영, 프로파일링 지도에 적힌 버스 노선을 확인하고, 버스 기다리는데. 옆에 같은 버스 기다리는 가족의 화기애애한 모습이 보인다. 애들은 한복을 입었고, 어른은 '설날 선물세트' 들고 있는 그 위로,

앵커e 지난해 10월, 부유층 노인 연쇄살인 용의자의 뒷모습이 찍힌 폐쇄회로 영상을 공개한 경찰은-

74 ___ 팩트 투데이 사무실 / 저녁

앵커e 석 달여가 지난 현재 용의자가 범행을 멈춘 것으로 판단하고 있다며-

최 기자, 노트북 화면에 띄운 구영춘 뒷모습을 보는 중이다.

답답한지, 얼음 가득 든 아이스커피 벌컥벌컥 마시고, 다시 기사를 쓰기 시작하는.

최 기자 (키보드 열심히 두드리며) 송 경윈지 뭔지 찾을 수도 없고, 정우주는 이름도 안 가르쳐주고. 나도 이젠 모르겠다.

화면에 언뜻, '부유층 노인 연쇄살인'이라고 적힌 글자 보이는 데서.

75 ___ 기수대 회의실 / 아침

인터넷 기사를 보다가 슬며시 태구를 툭툭 치는 일영. 태구가 보면,

일영 (작게) 기사 좀 보세요.

태구 (무슨 기사? 하는 눈빛 주는)

일영, 모니터를 태구 쪽으로 슬쩍 돌려주면「경찰의 동아줄일까, 자충수일까」인터넷 뉴스 보이고, 기사 확인한 태구, 복잡한 심경으로 표정이 바뀌며 일어서 나가는.

76 ___ 분석팀 / 아침

구영춘의 인터넷 뉴스들 확인하는 하영. 최 기자가 쓴《팩트 투데

이》 기사[8]에 관심을 가지는 듯 클릭해보면, /(씬74에 이어지는) '범행을 멈춘 부유층 노인 연쇄살인 용의자' 타이틀 아래로 '경찰의 동아줄일까, 자충수일까' 적혀 있고.
기사를 읽은 하영의 표정이 무겁게 바뀐다.

77 ___ 서울지방경찰청 청장실 / 낮

청장 (화내며) 범죄행동분석팀 만들어달래서 원하는 대로 해줬더니 대체 하는 게 뭐야!

준/길 (아무 말 못 하고)

청장 뒷모습 하나로 공개수배하고! 그런데 단서는 없고! 경찰만 우스워졌잖아 이거 어떻게 수습할 거야!

준식 다들 최선을 다하고 있습니다. 분석팀두 그렇고요…

청장 최선 말고, 결과를 가져오라니까. 사람을 7명이나 죽인 그 새끼, 당장 여기 데려와서 시끄럽게 떠드는 기자들 앞에 세워!

길표 현장 주변 탐문도 진작에 다 하고, 근방 오가는 배달원들 전부 털고, 인근 PC방 이용한 사람들, 기지국에서 휴대폰 이용자들까지 싹 다 털었습니다. 그래도 범인 머리카락 하나 안 나오는 걸 어쩝니까.

준식 분석팀에서 제출한 프로파일링 보고서대로 병원 치료받은 정신질환자 찾아보는 것도 방법입니다.

청장 지금! 분석팀이 현장 오가는 것도 나한테 따로 보고 들어오는 거

---

8 서울지방경찰청은 수배를 발 빠르게 결정했다. (중략) 경찰의 결정은 동아줄처럼 시민의 안전을 지키는 방법이 될 것이다. 다만 폐쇄회로 영상을 피해 거리를 확보하는 대범함을 보이고, 침입과 살인의 과정에서 어떠한 단서도 남기지 않을 정도의 숙련된 범인이라면, 폐쇄회로 속 용의자는 과연 범행을 멈출 수 있을 것인가. 의문이 드는 것도 사실이다.

모르지?

준/길 (헉하고!)

청장 걔네 대체 뭐 하는 애들이냐고 계속 민원 빗발치는데, 그거 눈감아주는 것도 한계가 있어.

준식 지들도 나서서 수사한다는 것을 못 허게 할 수도 없고…

청장 그만. 이제 변명은 그만 들을 테니 확실하게 조치 취하세요.

준/길 (곤란한 표정에서)

78 ___ 기수대장실 / 낮

길표, 영수, 하영, 마주 앉아 있는데, 길표의 표정이 사뭇 진지하고.

영수 무슨 말이 하고 싶어서 이렇게 분위길 잡아요?

길표 (뜸 들이고) 이제 그만 집착하자. 코빼기도 안 비치는 놈 찾기엔 기수대에 당장 해결해야 할 사건이 산더미야.

영수 마치 우리가 기수대에 대단한 짐이라도 된다는 듯이 말하네. 정작 우리 의견은 들어주지도 않으면서.

길표 국영수! 말은 똑바로 해야지. 뒷모습 하나로 공개수배 했잖아.

하영 …

길표 (하영의 표정을 보고 순간 미안한)

영수 (발끈) 아- 그거 따지고 싶어서 불렀어요?

길표 따지자는 게 아니라, 우리 다들 할 만큼 했다는 얘기야.

하영 (듣다가) 할 만큼 했다는 게 무슨 의밉니까. 포기하라는 건가요?

길표 사건에 포기가 어딨어. 이것 때문에 손 놓고 있는 다른 일들이 많다는 거지.

영수 우린 손 놓은 거 없어요. 분석팀은 할 일들 알아서 다 잘 챙기고 있어요.

길표 (한숨) 까놓고 말할게. 윗사람들 시선도 점점 곱지 않고-

영수 언제는 고왔나 뭐.

길표 분석팀이, 사건 현장이랑 기수대 들락거리는 걸로도 계속 말이 나오고 있어.

하영 저희가 움직일 수 있는 유일한 일이 현장 탐문입니다. 그걸 막으시면, 그냥 손 떼라는 의미로밖에 안 들려요.

영수 조사 다 끝난 현장엘 내 발로 가겠다는데 왜 그거까지 난리야.

길표 다른 일도 많잖아. 전에 캐비닛 뭉치들도 스터디에 데이터까지 만들고 있다며.

영수 그런 건 우리가 알아서 한다고요.

하영 현장에 가는 거라도 막지 말아주십쇼.

영수 막고 말고가 어디 있어. 우리가 가면 그뿐이지. 됐다. 더 들을 것도 없다. 가자. (하며 일어서는데)

길표 (앉아 있는 하영에게) 이제 그만해. 송 경위. 매일 찾아가고 있는 거 알아. 못 가게 막는 게 아니라, 그 노력 다른 데도 쏟아달란 얘기야.

하영 …

영수 (하영 보며) 가자니까.

하영 (마지못해 일어서고)

두 사람 사무실을 나가면, 그런 하영과 영수를 답답한 듯 지켜보는 길표.

79 ___ 기수대 복도 / 낮

하영 (걸으며) 정말 멈추실 겁니까.

영수 (걸으며) 멈출 거였으면 시작도 안 했어. 너랑 나랑 공통점이 뭔 줄 알아?

하영 ?

영수 집념. 절대 포기 안 하잖아 우린.

하영 (그제야 잠시 미소 보이면)

영수 기죽지 말자! 할 일 많다 우리!

80 ___ 거리 일각 + 황화동 고급 주택 앞 / 저녁

구영춘의 공개수배 전단을 손에 쥐고 무거운 발걸음으로 정처 없이 걷는 하영.
어느새 고개를 들어보니 다시 황화동 고급 주택 앞이고.

하영e (힘없이 이층집 올려다보는) 범행을 포기하고 숨은 걸까. 아니면… 여전히 다른 범행을 계획하고 있을까.

그때, 저만치 걸어오던 태구와 마주치고. 두 사람 묵례하고 가까워지는 데서.

태구 (망설이다가 먼저 말을 건네는) 하루도 안 빠지시네요.

하영 언제 다시 범행이 시작될지 모르니까요.

태구 공개수배 혼자 결정했다고 생각하지 마세요. 무모한 결정을 생각 없이 따를 만큼 기수대 무능하지 않아요.

하영 …

태구 외부에선 현재 상황이 제자리걸음처럼 보일 수 있겠죠. 잡히기 전까지는, 모든 사건이 우리조차 그렇게 느껴지니까. 하지만 다 같이 결정한 이 선택이, 범인을 잡고 싶다는 같은 마음에서 시작됐다는 건 달라지지 않아요.

하영　… 범인을 잡고 싶다는 마음보다 중요한 게 범인을 잡는 거겠죠.

태구　… 잡힐 겁니다. 반드시.

하영　안갯속을 걷는 기분이에요.

태구　…

하영　… 놈은 멈추지 않을 겁니다.

태구　그전에 잡아야죠.

하영　(착잡한) 막으면 될 줄 알았어요… 그런데… 매일 아침마다 수십 장의 일일 보고서를 확인해봐도 더 이상 같은 패턴의 범죄 보고가 없습니다.

태구　… (하영의 심정 읽은 듯 말없이 보기만)

하영　범인이 이대로 사라지는 건 아닐까요… 만약, 수법을 바꿨다면… 그땐 어떻게 해야 하는 걸까요…

손에 쥔 공개수배 전단지 속 구영춘의 뒷모습을 보는 하영의 불안한 시선에서.

81 ___ 학교 운동장 / 이른 새벽

1월의 어두움이 남아 있는 시간. 멀리 가쁜 숨소리 반복해서 들리고. 학교 운동장을 제법 빠르게, 열심히 달리고 있는 남자가 보인다. 남자가 운동장 커브를 돌면…
마침내 허름한 추리닝을 입고 뛰는 남기태의 모습이 온전히 드러나는 데서!!

82 ___ 분석팀 / 이른 새벽

제일 먼저 도착해 사무실 문을 여는 하영. 어두컴컴한 사무실 불을 켜면, 여전히 벽면 가득 붙은 구영춘의 공개수배 전단과 자료들이 먼저 눈에 들어온다. 수배 전단을 등지고, 수십 장의 일일 보고서 넘기고 또 넘기며 확인하는 하영. 범행 도구 '둔기' '불상의 둔기' 적힌 내용 찾는데… 없다… 하영이 넘기는 보고서들 사이 '동대문경찰서'에서 올라온 〈임영동 주택가 노상 살인: 범행 도구 '레저용 칼'〉만 스치듯 지나가는.

작가 Comment (1)

(씬40-42까지) 사건을 쫓느라 평범한 일상을 놓치고 살아가는 인물들의 모습을 보여주기 위한 씬이었으나, 설정 변경 후 아래와 같이 수정되었다.

40 ___ 영수의 집 거실 / 밤

여전히 자료들 어수선하게 널려 있는 거실. 불을 켠 영수가 선물상자 열어보는데, 하얀색 와이셔츠가 들어 있다. 이어 보온병 뚜껑 열면, 아직 김이 모락모락 오르는 미역국 들어 있고. 영수, 잠시 허탈하게 웃으며 시계를 보면, 밤 11시 48분. 천천히 뚜껑에 미역국을 따라서 마시려는 그때, 핸드폰 울리면서 다시 '나의 미연' 뜬다. 받으면, 전화기 너머로 "여보 생일 축하해!" "아빠 생일 축하해요!" 하는 와이프와 딸들 목소리 들리고. 순간 표정 밝아진 영수에게 생일 축하송 불러주기 시작하는 세 사람인데. 노래가 끝나자 "빨리 소원 빌어요!" "아빠 소원!" 하는 생각지 못했던 딸들의 보챔에 당황한 영수. 잠시 주변을 둘러보다가… 애써 밝은 척 주머니에서 라이터를 꺼내 불을 켰다가 입으로 불어 끈다. 잠시 후, "빌었어?!" "무슨 소원 빌었어?" 궁금해하는 와이프와 딸들에게 (잠시 구영춘의 수배 전단을 집어 들고 보며) "비밀이야" 답하는 영수. "에이-" 아쉬워하는 딸들 목소리 뒤로한 채 "그래도 12시 전에 축하해서 다행이다, 여보" 하며 안심하는 와이프. 이내 세 사람이 "사랑해" "사랑해요!" 하며 전화를 끊는다. 잠시 잠깐의 복작거림이 끝이 나고, 씁쓸하게 웃으며 셔츠 단추를 푸는 영수. 그대로 주변을 둘러보면… 여전히 벽과 바닥에 잔뜩 붙어 있고 널려 있는 끔찍한 사진들과 자료들. 그 풍경을 바라보는 공허한 표정에서.

50 __ 영수의 집 거실 / 이른 아침

출근 준비 마친 영수가 거실에 널려 있는 자료들을 차곡차곡 정리해 가방에 넣는다. 이내 깨끗해진 거실 보이고. 집을 나서는 영수의 모습에서.

작가 Comment (2)

여론과 시민의 불안한 심리를 보여주기 위해 추가했다.

71-1 _ 시사 토론 프로그램

패널1 3달이 넘도록 경찰은 범인에 대해 단서 하나 제대로 가진 게 없어요. 7명이나 죽인 살인범인데 말입니다.

패널2 경찰이 무능하단 식으로 말씀하시는데, 경찰도 최선을 다하고 있습니다. 10월 황화동 사건에서 폐쇄회로 영상 속 범인의 모습을 찾았지 않습니까. 제보가 아직도 활발하게 들어오고 있으니 곧 범인에 대한 단서가 나올 겁니다.

패널1 공개수배를 내건 지도 벌써 2달이 넘었습니다. 공개수배 제보로 단서가 나오려면 진즉에 나왔겠죠. 지금 이 순간도 시간은 흐르고, 시민들은 하루가 다르게 불안해합니다. 이거 대체 어떻게 할 겁니까.

패널2 치안 강화를 위해서 경찰은 현재 순찰 인력 강화와 더불어 우범지역에 CCTV 설치 등 많은 대책을 내놓고, 또 실행하고 있습니다.

73-1 _ 버스터미널 / 낮

버스터미널 공용 의자들 위로 '쓰레기를 버리지 맙시다' 경고 문구와 함께 '중요지명피의자 종합공개수배 전단'과 구영춘의 뒷모습이 찍힌 단독 수배 전단이 나란히 붙어 있다. 의자에 앉아 있는 사람 몇과 버스를 기다리며 전단을 구경하듯 살피는 사람들 몇 보이는데, 구영춘의 전단 속 뒷모습과 똑 닮은 차림으로 자신의 수배 전단을 보는 구영춘. 손에 바나나우유 하나 들고 있다. 옆에서 함께 수배 전단을 보던 어린아이 아빠가 잠시 의심스럽게 구영춘 행색과 전단 속 사진을 번갈아 훑으면.

구영춘 (분위기 감지하고, 능청스럽게) 참- 나쁜 놈이네. 그죠?

애 아빠 (경계하듯 보면)

구영춘 (들고 있던 바나나우유 건네며) 이거 새거예요. 먹으려고 샀더니 배가 살살 아프네.

애 아빠 (잠시 받을까 말까 고민하면)

구영춘 (옆에 있던 어린아이에게 바나나우유 대신 건네며) 아저씨 대신 니가 맛있게 먹자? (하고, 아이가 받으면)

애 아빠 (그제야 아이에게) 고맙습니다- 해야지.

어린아이 고맙습니다.

구영춘 (벽에 붙은 쓰레기 경고 문구 가리키며) 다 먹고, 쓰레기는 쓰레기통에 버려야 착한 아인 거 알지? (하며) 아저씨는 버스 오기 전에 화장실 좀 다녀와야겠다. (하며 자리를 뜨는)

아무렇지 않게 구영춘에게 받은 바나나우유를 마시기 시작하는 어린아이와 그새 의심을 거둔 듯 아이를 챙기는 아빠.

KI신서 10153

악의 마음을 읽는 자들 1 : 설이나 대본집

1판 1쇄 발행 2022년 03월 23일
1판 4쇄 발행 2023년 08월 01일

지은이 설이나
펴낸이 김영곤
펴낸곳 (주)북이십일 21세기북스

콘텐츠개발본부이사 정지은
인생명강팀장 윤서진 **인생명강팀** 최은아 강혜지 황보주향 심세미
디자인 표지 this-cover.kr **본문** 제이알컴
출판마케팅영업본부장 한충희
마케팅2팀 나은경 정유진 박보미 백다희
출판영업팀 최명열 김다운 김도연
제작팀 이영민 권경민

출판등록 2000년 5월 6일 제406-2003-061호
주소 (10881) 경기도 파주시 회동길 201(문발동)
대표전화 031-955-2100 **팩스** 031-955-2151 **이메일** book21@book21.co.kr

(주)북이십일 경계를 허무는 콘텐츠 리더

21세기북스 채널에서 도서 정보와 다양한 영상자료, 이벤트를 만나세요!
페이스북 facebook.com/jiinpill21 **포스트** post.naver.com/21c_editors
인스타그램 instagram.com/jiinpill21 **홈페이지** www.book21.com
유튜브 youtube.com/book21pub

서울대 가지 않아도 들을 수 있는 명강의! 〈서가명강〉
'서가명강'에서는 〈서가명강〉과 〈인생명강〉을 함께 만날 수 있습니다.
유튜브, 네이버, 팟캐스트에서 '서가명강'을 검색해보세요!

ISBN 978-89-509-9996-4 04680
978-89-509-9998-8 04680 (세트)